Prospect Heights Public Library
W9-DDV-235

АЛЕКСАНДРА МАРИНИНА

ЧИТАЙТЕ ВСЕ РОМАНЫ АЛЕКСАНДРЫ МАРИНИНОЙ:

Стечение обстоятельств
Игра на чужом поле
Украденный сон
Убийца поневоле
Смерть ради смерти
Шестерки умирают первыми
Смерть и немного любви
Черный список
Посмертный образ
За все надо платить
Чужая маска
Не мешайте палачу
Стилист
Иллюзия греха
Светлый лик смерти
Имя потерпевшего никто
Мужские игры
Я умер вчера
Реквием
Призрак музыки
Седьмая жертва
Когда боги смеются
Незапертая дверь
Закон трех отрицаний
Соавторы
Воющие псы одиночества
Тот, кто знает. Опасные вопросы
Тот, кто знает. Перекресток
Фантом памяти
Каждый за себя
Замена объекта
Пружина для мышеловки
Городской тариф
Чувство льда
Все не так
Взгляд из вечности. Благие намерения
Взгляд из вечности. Дорога
Взгляд из вечности. Ад
Жизнь после Жизни
Личные мотивы
Смерть как искусство. Маски
Смерть как искусство. Правосудие
Бой тигров в долине
Оборванные нити
Последний рассвет
Ангелы на льду не выживают
Казнь без злого умысла
Обратная сила. 1842–1919
Обратная сила. 1965–1982
Обратная сила. 1983–1997
Цена вопроса. *Том 1*
Цена вопроса. *Том 2*
Горький квест. Том 1
Горький квест. Том 2
Горький квест. Том 3

Адрес официального сайта Александры Марининой в Интернете
http://www.marinina.ru

Александра Маринина

Горький квест

Том 2

МОСКВА
2018

УДК 821.161.1-312.4
ББК 84(2Рос=Рус)6-44
М26

Разработка серии *А. Саукова, Ф. Барбышева*

Иллюстрация на обложке *Ивана Хивренко*

Маринина, Александра.

М26 Горький квест. [Роман в 3 т. : Т. 2] / Александра Маринина. — Москва : Эксмо, 2018. — 384 с. — (А. Маринина. Больше чем детектив. Новое оформление).

ISBN 978-5-04-096997-5

Один из самых необычных романов Александры Марининой. При подготовке к его написанию автор организовал фокус-группы, состоящие из молодых людей, никогда не живших в СССР. Цель — понять, как бы они поступили в той или иной ситуации, если бы на дворе были 70-е годы прошлого столетия.

Представьте, что вы оказались в СССР. Старые добрые семидесятые: стабильность и покой, бесплатное образование, обед в столовой по рублю, мороженое по 19 копеек... Мечта?! Что ж, Квест покажет... Организаторы отобрали несколько парней и девушек для участия в весьма необычном эксперименте — путешествии в 1970-е годы. В доме, где предстоит жить добровольцам, полностью воссоздан быт эпохи «развитого социализма». Они читают пьесы Максима Горького, едят советские продукты, носят советскую одежду и маются от скуки на «комсомольских собраниях», лишенные своих смартфонов и прочих гаджетов. С виду — просто забавное приключение. Вот только для чего все это придумано? И чем в итоге закончится для каждого из них?

УДК 821.161.1-312.4
ББК 84(2Рос=Рус)6-44

ISBN 978-5-04-096997-5

Записки молодого учителя

Меня спасли олимпиада и Алка. Нет, не та Олимпиада, которая демонстрирует достижения мирового спорта, а самая заурядная, городская, по иностранным языкам. Я не очень вдумывался, почему на эту олимпиаду послали именно меня: учился я хорошо, даже, можно сказать, очень хорошо, но в нашем классе были ученики и получше. Во всяком случае, человека три-четыре уж точно владели английским свободнее и вообще были умнее и способнее всех наших ребят. Но отправили меня. А я что? Сказали «поехать и защищать честь школы» — я и поехал. Тем более с утра, то есть вместо уроков, чем плохо? О подоплеке я тогда не задумывался. И только спустя много времени, когда случайно столкнулся с нашей англичанкой в книжном магазине на улице Горького, неподалеку от нашей бывшей школы, выяснилось, почему она рекомендовала меня для участия в той олимпиаде.

— Для мальчика с таким мышлением, как у тебя, участие в городской олимпиаде было бы совсем не лишним для поступления в институт, — скупо улыбнувшись, объяснила учительница.

— А какое у меня мышление? — спросил я.

— Протестное.

Я учился в тот момент уже на четвертом курсе МГИМО и про свое протестное мышление все понимал, но мне стало интересно: неужели это было так заметно еще в десятом классе?

— Не знаю, как другим учителям, но мне было заметно. — Англичанка снова улыбнулась. — Я подумала, что упоминание в характеристике факта твоего участия в языковой олимпиаде тебе не повредит, особенно если ты позволишь себе некоторое отклонение от канонов при ответах на вступительных экзаменах.

«Некоторое отклонение от канонов»! Я восхитился изящным эвфемизмом и одновременно мысленно обругал себя за то, что в школьные годы считал эту учительницу злобной и вредной. Впрочем, так считали все десять человек в нашей группе, одной из трех, на которые разделили класс для изучения иностранного языка. А она, оказывается, вон какая...

Но в шестнадцать лет я ничего этого не понимал, вопросов не задавал и с тупой покорностью потащился с утра пораньше в Университет дружбы народов имени Патриса Лумумбы, где и проходила городская олимпиада школьников по иностранному языку. Выполнил письменный перевод, поговорил с членами комиссии на тему «Красная площадь — сердце нашей Родины» и отправился в гардероб за курткой.

— Отстрелялся? — спросила меня симпатичная полненькая девчонка, одновременно со мной натягивавшая красивый блестящий плащик.

— Угу, — кивнул я.

— Ты с какого потока? С немецкого? Я тебя в зале вроде не видела...

— С английского. А ты с немецкого?

— Ну да. Тебе какой устный вопрос достался?

— «Красная площадь», а тебе?

— Серьезно? — Девчонка расхохоталась. — И мне тоже! Надо же, какое совпадение!

Мне почему-то тоже стало очень весело. Мы вместе вышли на улицу, оживленно болтая, долго ждали автобус, потом решили идти до метро пешком, потом еще немного погулять, и еще немного, и еще... Девчонка по имени Алла училась в немецкой спецшколе, и мы с упоением делились впечатлениями и сравнивали, как и что нам преподавали на уроках соответственно английской и немецкой литературы, а также рассказывали друг другу одни и те же темы, открывая для себя удивительный (на тот момент с учетом нашего возраста и наивности) факт, что в обратном переводе на русский язык наши рассказы на английском и немецком звучали подозрительно одинаково. Рассказы эти, так называемые «топики», раздавались нам учителями, мы должны были вызубрить их наизусть, а впоследствии оттарабанить на выпускных экзаменах. Правда, были две темы, которые мы должны были написать самостоятельно: «Мой любимый писатель» и «Мой любимый художник». С писателями все было просто: пишешь первую фразу «Мой любимый писатель такой-то», потом открываешь учебник английской литературы, переписываешь своими словами биографию и характеристику творчества и выучиваешь назубок. С художником оказалось чуть сложнее, нужно было переводить с русского, из статьи в энциклопедии, но тоже некритично. В итоге после четырехчасового шатания по улицам мы с Алкой пришли к выводу, что почти все тексты для устных ответов были написаны и разосланы для перевода на все языки, преподававшиеся в наших школах. И про сердце нашей Родины все школьники страны должны были рассказывать одинаково независимо от того, какой иностранный язык они изучали в школе.

Алка жила довольно далеко, в Бескудникове, но я все равно потащился провожать ее: очень уж жаль было расставаться с такой веселой и симпатичной девчонкой. День был холодным, дул пронизывающий ветер, в какой-то момент зарядил дождь, Алка накинула на голову капюшон, а у моей легкой курточки никакого капюшона не было, я шел с непокрытой головой, и вода затекала за ворот, но я ничего не замечал.

Заметить, однако, пришлось уже к вечеру. Разболелось горло, голос осип, начался озноб. Утром стало понятно, что болезнь разгулялась всерьез. Сестра ушла в школу, родители отбыли на работу, а я принялся старательно болеть и ждать участкового врача, которого вызвал по телефону.

А на уроках русской литературы моим одноклассникам как раз в это время «давали» Горького. Первые пару дней высокая температура заставляла меня почти все время спать, однако уже на третий день родители строго потребовали, чтобы я начинал каждый день делать уроки, иначе сильно отстану по программе, а в выпускном классе подобный риск непростителен. Плохая подготовка, провал на вступительных экзаменах в институт, армия... Далее следовал подробный перечень кошмаров, включая традиционное для нашей семьи обещание, что я буду «мести улицы», потому что за время армейской службы начисто забуду всю школьную программу, никуда не смогу поступить, останусь без образования и без «хорошей работы». Под хорошей работой у моих родителей подразумевалось то, что принято было считать престижным в их кругах — кругах партийных и советских работников. У меня насчет «хорошей работы» мнение было несколько иным уже тогда, но я молчал, не смея протестовать. Так что я честно звонил своему другу-однокласснику и спрашивал, что по какому предмету задано, читал, вникал, решал задачки, писал упражнения и конспекты. Когда Славка сказал, что по русской литературе начался Горький, я решил, что прочитать учебник успею потом, много времени на это не потребуется, а пока можно почитать произведения великого пролетарского писателя, потому что учебник — это, конечно, хорошо, но написать сочинение, не зная первоисточника, невозможно. Дома в книжном шкафу стояло собрание сочинений Горького. Я не стал морочиться с тем, чтобы выяснить, какие именно произведения мы будем проходить, и начал читать наугад. Доставал том и смотрел содержание: если там были статьи, дневники или письма — ставил снова на полку, если художественное — уносил к себе в комнату.

Первым произведением Горького, которое я прочел, был роман «Дело Артамоновых». В общем-то про Горького я слышал с самого рождения, и имя его обязательно упоминалось в связке со словами о революции и ведущей роли пролетариата, поэтому я был настроен на то, что прочитать мне предстоит нечто весьма пропагандистское, похожее на те статьи классиков марксизма-ленинизма, которые нас заставляли конспектировать на уроках истории и обществоведения, уже заранее внутренне морщился и кривился и утешал себя привычным и скучным словом «надо». Надо, иначе не сдашь ни выпускные экзамены, ни вступительные.

Когда я перевернул последнюю страницу, мне показалось, что меня обманули. Еще и еще раз перечитал последние слова, которыми заканчивается роман: «Не хочу. Прочь». Слова, произнесенные с лютой яростью. Как?! Это все?! Как будто я смотрел невероятно увлекательный фильм, и вдруг пленка оборвалась, и киномеханик сообщает, что «кина не будет». Растерянность от неожиданного окончания текста через несколько минут сменилась удивлением: мне было больно. Сейчас смешно об этом рассказывать, но тогда я буквально чуть не плакал. Мне было жалко Петра Артамонова, который всю жизнь страдал от того, что «не понимал» ни самого себя, ни окружающих его людей, ни жизни вообще. Тому, что в название книги выносится либо тема, либо проблема, нас учили еще в девятом классе, и я призадумался: слова «Дело Артамоновых» обозначают проблему или тему? Если тему, то в сочинении придется писать о том, что само по себе дело, то есть становление фабрики и ее развитие, является самостоятельным и даже главным героем романа и все вокруг этого. Если же это проблема, то придется рассказывать о том, как капиталистическое производство калечит души и сердца людей. Алгоритм «правильного чтения и правильного понимания» был вбит в нас намертво, и все эти нехитрые правила понимали даже троечники, а я был все-таки отличником, да и вообще мальчишкой неглупым. И давно уже научился подавлять в себе раздражение, вызываемое навязшими в зубах формулировками об обличении буржуазии, дворянства, мещанства, о загнивающем капитализме и прочем.

Получалось, если судить по названию романа, Горький хотел написать книгу именно о «деле». Но во мне, шестнадцатилетнем, ослабленном высокой температурой, в тот момент взыграла сентиментальность: из головы моментально выветрились все упоминания (надо заметить, весьма немногочисленные) о рабочем движении и о деятельности полиции по выявлению и искоренению революционно настроенных активистов, зато с каждой минутой все ярче и ярче вставал перед глазами образ несчастного человека, доброго и хорошего от природы, но лишенного возможности любить и способности понимать. Он ведь готов был любить Наталью, свою жену, и то, что между ними какое-то время происходило, вело, казалось, к благополучному развитию: сидели они рядышком по вечерам в своей комнате, смотрели в окошко и рассказывали друг другу, как день прошел... Помнится, на этом месте я так обрадовался! Очень мне хотелось, чтобы брак у Петра Артамонова оказался если не счастливым, то хотя бы просто удачным. Ан нет. Наталья мужа только терпела, а засматривалась на его двоюродного брата Алешу. Зато родной брат Петра, горбун Никита, любил Наталью именно такой любовью, о которой, наверное, мечтают все девчонки: восхищенной, нетребовательной, безоговорочной, преданной. В общем, бабский сироп. Когда я читал о том, что Никита пытался повеситься, поняв, что Наталья плохо к нему относится и считает неприятным, мне почему-то не было жалко горбуна. А вот Петра было жалко на протяжении всей книги. И особенно — в тот момент, когда он с отчаянием чувствовал, что не может найти правильных слов, чтобы объяснить сыну-подростку, отчего поступок мальчика дурен, и принимает решение: бить. «Он не находил, что и как надо сказать сыну, и ему решительно не хотелось бить Илью. Но надо же было сделать что-то, и он решил, что самое простое и понятное — бить». Это было в первый раз, когда Артамонов поднял руку на сына. А жену Наталью он поколачивал и до этого, затылком об стену бил. Но схватить за горло взрослую женщину в представлении Петра было не тем же самым, что оттаскать за вихры десятилетнего мальчика. И Петр искренне мучается, страдает, понимая, что убеждение словом лучше и правильнее, нежели рукоприкладство, и осознавая, что действовать словами у него не получается. И никак не может понять, почему же это не получается. Он не понимает смысла, не видит глубину, не чувствует внутренних механизмов. И почему-то мне было до слез жалко этого Артамонова, всю жизнь несущего на себе непосильный для него груз ненужного и непонятного дела и непонятных ему самому чувств, которым он не может даже названия дать. Потолок его понимания — скука. Скуку он понимает, а чуть дальше — уже нет. Поэтому он не понимает одиночества. И не понимает любви.

Я решил дать роману отлежаться в моей воспаленной голове, не делать скоропалительных выводов и почитать еще что-нибудь. Взялся за «Фому Гордеева». Правда, Славик сказал, что русичка велела читать «Мать» и «На дне», но я уже понимал, что в школу меня выпишут не скоро, обычная, на первый взгляд, ангина протекала с осложнениями, участковому врачу не понравилось мое сердце, так что времени у меня впереди было достаточно, чтобы успеть прочитать не только то, что требуется по программе. Тем более если велено читать «Мать», то это уж наверняка про революцию. «Мать» подождет.

«Фому Гордеева» я прочитал за два дня и вынес твердое убеждение в том, что оба романа — об одном и том же: о том, что непонимание порождает стремление применить силу, ударить, разрушить, убить. Особенно меня поразила сцена на теплоходе, когда Гордеев начинает выкрикивать в лицо присутствующим обвинения в разных преступлениях, в том числе в мошенничестве, растрате, растлении малолетних и даже убийстве. Ведь по тексту было совершенно понятно, что все эти преступления не являются ни для кого тайной, все прекрасно о них осведомлены, так что о публичном разоблачении речь не идет. Я читал сцену и недоумевал: зачем он это делает? В чем смысл говорить с пафосом о том, что и без того всем давно и без сомнений известно? И вдруг Горький сам объясняет: Гордеев хотел их унизить. «В нем, из глубины его души, росло какое-то большое, горькое чувство; он следил за его ростом и хотя еще не понимал его, но уже ощущал что-то тоскливое, что-то унизительное...» А перед этим, когда Фому схватили и оттащили, написано: «Теперь настала очередь издеваться над ним». Настала очередь. Значит, до этого издевался над присутствующими и унижал их сам Гордеев. Вот оно! Глухое тоскливое отчаяние непонимания доводит человека до желания унизить других. И что же потом? «Сам себе он казался теперь чужим и не понимающим того, что он сделал этим людям и зачем сделал». А ведь Фома с самого начала романа показан умным, хорошим, добрым... Книг вот только не читал, реальное училище окончил и на этом свое образование завершил. И вся книга описывает путь, по которому хороший изначально человек приходит к насилию «от бессилия» и отчаяния. Пусть это насилие не физическое, а словесное, сути это не меняет. Гордеев доходит до бессмысленной акции протеста, Петр Артамонов совершает убийство подростка, проявления разные, но корень у них один: вязкая душная тоска непонимания. Вот о чем эти романы, а вовсе не о революции и не о пролетариате!

Сейчас, когда мне двадцать три года, немного смешно вспоминать об этих моих восторгах первооткрывателя, таких детских и наивных. Теперь-то мне понятно, что именно непонимание и нежелание встраиваться в существующие правила игры были (и остаются) моим больным местом, но в десятом классе я еще не осознавал это так, как осознаю сегодня. В «Деле Артамоновых» я увидел в первую очередь то, что назревало и болело у меня внутри, и в «Фоме Гордееве» я, находясь под влиянием «Дела», тоже подсознательно выискивал и, разумеется, находил то, что откликалось в сознании. В этих романах, кроме непонимания, есть еще очень много другого, важного и интересного.

Потом я прочитал пьесы, оставив «На дне» и «Мать» на самый конец. Оба эти произведения были «по программе», и из-за этого я инстинктивно пытался оттянуть неизбежное «скучное». Покончив с крупными формами, взялся за остальное, которое тоже задавали: рассказы, сказки, «Песни». С этим я справился довольно быстро, после чего наконец соизволил открыть учебник.

Могу сказать правду: в тот момент я немного, тайком, гордился собой, будучи уверенным, что вот сейчас на страницах учебника, написанного умными и учеными людьми, я прочту то, до чего дошел сам, своим умом и без подсказок. Я предвкушал свой восторг и готовился к нему, как ко дню рождения. Каково же было мое разочарование, когда ничего этого я в учебнике не увидел... Все те же унылые слова про «обличение загнивающего» и «загнивание обличенного». Учебник гласил, что идея романа — идея исторической закономерности, необходимости и неизбежности пролетарской революции, обусловленной, с одной стороны, процессом разложения и распада господствующего класса, а с другой — ростом политической активности, сознательности и организованности пролетариата, возглавляющего широкие народные массы.

А про Петра Артамонова, при мысли о котором мне хотелось расплакаться, было написано, что «постепенно и неотвратимо он превращается из простого парня в собственника — в алчное, преступное, пьяное и распутное чудовище». И ни одного даже полунамека на мысль о том, что умственная и душевная глухота порождают только злобу и тупое насилие. Насчет «Фомы Гордеева» учебник сообщал, что Горький выписал типические фигуры капиталистов, что Фома не успел превратиться в хищного стяжателя и что бунт его бесцелен и бесплоден. Да уж... Если бы я поступил так же, как обычно, то есть сперва прочитал бы учебник, то ничего другого в первоисточнике наверняка не заметил бы, с мучительной скукой продираясь сквозь обязательный к изучению текст.

Понятно, что к родителям со своим недоумением я соваться не стал. В шестнадцать лет я уже довольно отчетливо понимал и расклады, и правила. Но была еще жива бабушка Ульяна, мамина мама, которая гордо называла себя ровесницей века и про которую говорили, что она «видела самого Ленина». Насчет ровесницы века — это правда, бабушка родилась в 1900 году, и когда я учился в десятом классе, ей исполнилось 72. Она была жесткой, несговорчивой и казалась всегда сердитой, но при всем том я считал ее единственным безопасным собеседником: может, она и на смех поднимет, причем довольно грубо, и отругает, и даже накричит, но уж точно не стукнет на меня ни родителям, ни школьным учителям. Вообще никому. Наша Ульяна Макаровна — кремень, ее даже чекисты не сломили, когда она в середине 1930-х годов явилась к ним «сдаваться», держа в руках узелок с теплыми вещами, сухарями и завернутым в бумажный кулечек сахаром: понимала, что после ее признаний может немедленно заслужить ярлык «врага народа» и получить срок в лагерях, а то и расстрел. Но внутренняя твердость, убежденность в собственной честности и искренняя горячая вера в дело партии и народа были в бабуле настолько сильны, что стали очевидны даже тем, кто ее допрашивал. Ей поверили и отпустили.

Бабушка жила с нами, делила комнату с моей младшей сестрой, названной Ульяной и в честь самой бабушки, и в честь Ленина. Осторожно, стараясь тщательно выбирать слова, я поделился с бабулей своими впечатлениями от прочитанного. Реакция меня ошеломила.

— Горький не мог такого написать! — категорично заявила она. — Горький писал о том, что рабочий человек — единственный носитель правды и двигатель человечества по пути к светлому будущему, так и знай!

— Но в «Фоме Гордееве» рабочих вообще нет, — попытался возразить я, — там одни купцы, фабриканты, журналист еще есть...

— Вот он и показывает, какие они все насквозь гнилые и как их общество разлагается, — отрезала бабушка. — Несправедливое общество даже хорошего человека превращает в изверга и выродженца. Именно этот закон диалектики Горький и утверждает в своих произведениях.

Я быстро свернул дискуссию, поняв, что бабушка, всю сознательную жизнь строившая сначала социализм, потом коммунизм, вряд ли поймет мои порывы. Когда меня выписали, я пришел в школу и принялся осторожно прощупывать почву среди одноклассников. Начал, само собой, с друга Славика, который на мой вопрос, все ли из заданного он прочитал, только сморщился:

— Начал и бросил. Скукотища, я в учебнике почитал, там все про революцию.

— А как же сочинение писать собираешься?

— Да подумаешь, большое дело! Я и «Войну и мир» не осилил, тягомотина сплошная, а сочинение написал. Ну да, на тройку, но написал же.

— А если контрольная по содержанию?

— А ты на что? — лукаво усмехнулся Славик. — Подскажешь. Ты же всегда все знаешь.

Со Славиком мы сидели за одной партой во всех кабинетах, то есть на всех уроках, кроме английского: мы были в разных группах. На уроках же английского рядом со мной сидела «твердая хорошистка» Женечка, про которую я знал только три вещи: первая — ее дедушка член ЦК КПСС; вторая — она умная и способная, но ей лень напрягаться и учиться так, чтобы быть круглой отличницей; и третья — больше всего на свете она любит читать книги про любовь. Когда прозвенел звонок, возвещавший окончание урока английской литературы и начало большой перемены, я спросил Женечку, небрежно запихивавшую в портфель учебник и толстую тетрадь для конспектов:

— Ты Горького прочитала?

— То, что задавали? Прочитала, а что?

— А «Дело Артамоновых» читала?

— Так не задавали же... Чего я буду время тратить на эту лабуду? Пусть скажут спасибо, что я по диагонали пробежала хотя бы то, что на уроке спросят.

— А зря. — Я коварно понизил голос. — Там такая история про любовь!

В глазах Женечки загорелся неподдельный интерес.

— Точно? Не врешь?

Внезапно мне стало скучно. Скучно от всего: от школы, от уроков, от самой Женечки. Еще несколько секунд назад я собирался «втереть» ей необходимость прочесть роман, в котором любовная линия, конечно, есть, но выписана коротко, крупными скупыми мазками, и занимает не так уж много места. Зачем? Чтобы получить в свои ряды еще одного сторонника — человека, который осознает, что на самом деле в книгах написано не только то, о чем говорится в учебниках, а может быть, и совсем не то? Ну и что изменится, если Женечка прочтет «Дело Артамоновых»? Ничего. Все равно мне придется и в сочинениях, и в устных ответах говорить так, как нужно, а не так, как я думаю. «Мести улицы» мне не хотелось... Но запретить мне мечтать не мог никто.

И я начал то и дело представлять себе, как я работаю в школе, преподаю русскую и советскую литературу в старших классах и помогаю своим ученикам увидеть в классических произведениях не только то, о чем написано в учебнике...

* * *

Спал я плохо. Сначала долго не мог уснуть, а проснулся без четверти пять. Выпил кофе, оделся и решил прогуляться до озера, сожалея, что так рано и Назар наверняка еще не встал. Неожиданно для себя самого я очень привязался к нему, часто нуждался в его присутствии и начинал скучать, когда его не было рядом. Жена Назара совершенно точно определила его манеру общения, назвав ее «информационной экономностью»: он никогда не задавал вопросов из чистого любопытства и не грузил собеседника разговорами о том, что не являлось важным в данный момент. Элла мимоходом заметила, что воспоминания о семидесятых годах открыли какую-то старую рану Назара, поэтому его и заинтересовал мой проект, но что это за рана — я пока так и не узнал. Спрашивать было неловко, да и не к месту, а сам Назар молчал об этом. Не могу сказать, что я умирал от желания узнать: мой образ жизни привел к тому, что я давно уже перестал испытывать жгучий интерес к жизням других людей, но сам факт того, что Назар о чем-то умалчивает, я трактовал как проявление то ли недоверия ко мне, то ли желания сохранить между нами дистанцию. Но даже несмотря на это, я испытывал к отставному полковнику и огромное уважение, и горячую благодарность за помощь и поддержку, и теплую дружескую привязанность.

Утро выдалось прохладным, жара настанет ближе к обеду, и я в полной мере насладился прогулкой по совершенно безлюдному поселку, похожему на обветшавший городок. Яркие, не успевшие потускнеть вывески выглядели на обшарпанных фасадах так же нелепо, как тканевые салфетки на полированной поверхности журнального столика в моей гостиной. Выбитых плиток на тротуарах было намного больше, чем лежащих ровно, а между кирпичными трехэтажными домами и блочными пятиэтажками то и дело обнаруживался совершенно покосившийся деревянный домишко с окнами без стекол и давно рассохшимися рамами.

Но озеро было дивно красивым. Здесь действительно можно построить настоящую курортную зону. Я посидел на берегу, в изящной деревянной беседке, которая могла бы считаться даже красивой, если бы не облупившаяся и висящая безобразными струпьями краска, посмотрел на воду, отдохнул и отправился в обратный путь. В начале восьмого я уже входил в столовую, наполненную звуками громыхающей посуды и запахами молочной каши и свежей выпечки.

— С добрым утром, товарищ директор! — весело поприветствовала меня Надежда. — Вы сегодня первый, никто еще на завтрак не приходил. Чем вас накормить?

— А что есть?

Этому вопросу, который был знаком каждому советскому человеку в период застоя, меня научил все тот же Назар. Крайне редко можно было попросить то, что хочешь, и получить это. Обычно приходилось выбирать из того, что есть.

— Есть кашка овсяная молочная, рисовая тоже молочная, сырнички со сметанкой. Сосиски даже не предлагаю, мясо — еда не утренняя, но если вы хотите...

— Нет-нет, не хочу. Если можно, сырники, они у вас чудо как хороши, я вчера пробовал.

— Идите в кабинет, садитесь, сейчас все принесу. И кофе?

— Только если сами сварите, — улыбнулся я.

Этому меня тоже научил Назар, рассказавший, что кофе в советских столовых варили не из молотых зерен, а невесть из чего, причем не порционно, а в огромных кастрюлях, потому и кофе этот назывался в народе «котловым». Но для руководства, питающегося в отдельных кабинетах и по отдельному меню, разумеется, готовили, как положено, используя кофеварки или джезвы.

Через общую комнату я прошел в дальнюю часть, где находился «кабинет для руководства», и уселся за покрытый белоснежной хрустящей скатертью стол. В этом помещении Надежда кормила только Назара и меня, все сотрудники, имеющие подопечных, должны были пользоваться общей комнатой. Сырники были изумительными, как и ожидалось, кофе — вполне удовлетворительным, я расслабился, и когда около половины восьмого за стол напротив меня уселся Назар, мое ночное беспокойство почти совсем растворилось в усталости от прогулки и сытости от вкусного завтрака.

— Как спал? — спросил он бодро.

— Не очень, — честно ответил я. — Волнуюсь немножко.

— Это нормально, так и должно быть. Хочешь, отвлеку тебя для успокоения нервов?

— Чем?

— Опытом.

— В смысле — экспериментом? — уточнил я.

— Нет, дружище Дик, тем опытом, который является источником знаний о жизни. Я попросил Надюшу принести мне три сырника.

— И что?

— Два из них изготовлены для руководства, а один — с той сковороды, которая для всех. Хочу попробовать. Можешь присоединиться, я готов поделиться, разрежем сырничек пополам.

— А зачем? — не понял я.

— Хочу почувствовать разницу.

— А она есть?

— Вот и увидим. Если ее нет, значит, наша Надюша халтурит. А вот если есть, то ты еще кое-что поймешь из нашей прошлой жизни.

Надежда внесла поднос с завтраком для Назара. Он честно разрезал ножом одиноко лежащий на отдельной тарелочке творожный блинчик ровно пополам. На краю тарелки, рядом с сырником, блестела лужица сметаны. К «начальственным» сырникам сметана была подана отдельно, в небольшой фарфоровой чашечке.

Я обмакнул половинку сырника в сметану и сунул в рот. Нет, не халтурила наша Надежда, ох, не халтурила! Сырник был словно бы с другой планеты. И сметана тоже.

— Как это получилось? — спросил я, с трудом проглотив кислый сухой творог, слегка приправленный кислой же сметаной. — Разве продукты не одни и те же?

— Продукты-то те же, — усмехнулся Назар, — да в разной комплектации. Нам с тобой сметану дают в том виде, в каком покупают, а для всех остальных разбавляют кефиром. Нам с творогом намешивают муку, яйцо, сахар и ваниль, а всем прочим делают без ванили, сахар недовкладывают, на яйцах экономят. Например, если по рецептуре на определенное количество творога положено пять яиц, то повар кладет всего три, а два других уносит домой или продает. Короче, хитростей и уловок — не перечесть, а на вкусе все сказывается.

— Погоди, — остановил я Назара, — я не понял, что делают с сахаром?

— Не-до-вкла-ды-ва-ют, — повторил он по слогам. — Вкладывают меньше, чем нужно.

Я мысленно повторил неудобное для произношения, какое-то членистоногое слово и постарался запомнить.

Беседа наша за утренней трапезой текла легко и приятно, через открытую дверь я посматривал в общую комнату, где народу становилось все больше, но почему-то было довольно тихо. Такое впечатление, что участники проекта почти не разговаривали друг с другом, да и сотрудники помалкивали.

— Что-то не наблюдается оживления, — заметил я. — Все какие-то прибитые, молчаливые. Может быть, что-то случилось, а мы с тобой не знаем?

— Брось, Дик, ничего у них не случилось. Конкуренция. Они опасаются друг друга.

— Однако Цветик и Оксана не опасались, весь день вчера разговаривали.

— Вот и поглядим, — Назар бросил взгляд на часы, — через полчасика, до чего они договорились. Начни именно с них. Чует мое сердце, там что-то не так.

Без десяти девять я поднялся наверх за своей тетрадью и ровно в девять занял место за длинным столом в квартире на четвертом этаже. Сегодня никто не опоздал, все участники уже ждали меня. Я коротко, меньше чем за минуту, произнес приветственное слово, оно же и вступительное (испортили меня многочисленные конференции и симпозиумы, которые я посещал на протяжении всей профессиональной жизни).

— Итак, что привлекло ваше внимание в романе «Дело Артамоновых»? Первым слово предоставляется нашему поэту Цветику, — пошутил я, чтобы разрядить обстановку.

— Почему я первый? — недовольно спросил веб-дизайнер. — Пусть кто-нибудь другой начнет, а я потом.

— Вы не поняли, Алексей. — Мой голос стал строгим. — Здесь порядки устанавливаю я, а вы должны мне понравиться, если хотите остаться в проекте. Прошу вас, начинайте.

— Ну... Приезжает Артамонов.

— Куда? — коварно спросил я.

— В деревню, хочет строить фабрику. Но деревенские его не поддерживают, тогда он идет к их главному...

— К кому? — задала вопрос Галина Александровна, которую я попросил присутствовать на обсуждении.

— К главному, — более уверенно повторил Цветик.

— Должность-то у него как называется? — не отставала наш культуролог.

— Не помню. Да какое это имеет значение? Вы же сами сказали: отметить, что понравилось, что привлекло внимание. А как должности называются — я не запоминал.

— Хорошо, продолжайте. Так что привлекло ваше внимание?

— Ну вот Артамонов этот, сам же из крепостных, то есть деревенский, и фабрику строит в деревне, и сыновья у него тоже деревенские, все трое...

— Да, кстати, — снова перебила его Галина Александровна, — что там с сыновьями? Неужели все трое деревенские, то есть потомственные крестьяне?

Мне показалось, что эта солидная дама, профессор, доктор наук, с трудом сдерживается, чтобы не расхохотаться, но что ее так насмешило — я не понимал. Разве что плохое владение речью нашего Цветика, который называет себя поэтом, но на самом деле с вербализацией не дружит и умеет общаться только с компьютером.

— Конечно, — уверенно отвечал веб-дизайнер, — они же родные сыновья Артамонова, значит, росли все вместе, воспитывались в одинаковых условиях. Вот меня и зацепило: откуда у Петра Артамонова неприязнь к сельским бабам и влечение к умным красивым женщинам. Мне показалось, что автор как-то неубедительно это обрисовал. И без всяких оснований вывел детей Петра умными и интеллигентными. Как они могли вырасти умными и интеллигентными в деревне?

Цветик умолк.

— Это всё? — уточнил я на всякий случай, хотя по лицу поэта было видно, что больше ему нечего сказать.

— Ну... Вроде всё. Вообще скучная книга, мне не понравилась.

Галина Александровна быстро подвинула в мою сторону сложенный пополам листочек. Записку я сразу же прочитал: «Пожалуйста, объявите перерыв на 5 минут, мне нужно кое-что вам сказать».

Я поднялся.

— Прошу прощения, друзья мои, мы с Галиной Александровной покинем вас буквально на пару минут. Пожалуйста, не продолжайте обсуждения без нас.

Я не беспокоился, выходя из комнаты, потому что за столом оставались сотрудники — психолог, переводчик и, разумеется, Назар.

В соседней комнате Галина Александровна прижала ладонь ко рту и затряслась в беззвучном хохоте. Ей было до того весело, что какое-то время она даже не могла говорить. Отсмеявшись, с трудом выдавила:

— Я знаю, где он это прочитал. Это вывешенное в интернете краткое изложение, в котором полно ошибок, я хорошо помню этот текст. В нем сказано, что у Ильи Артамонова трое сыновей, а ведь на самом деле сыновей только двое, а третий — племянник, как вы помните, причем рожденный от помещика, дворянина. Приезжает он в город, но в интернете Дремов назван городом только один раз, в самом начале пересказа, буквально в первой же фразе, а во всем остальном изложении фигурирует деревня. И про то, что Петр любит умных и красивых женщин, а не сельских баб, тоже сказано именно там. Кстати, и про интеллигентных детей — тоже оттуда. Глупость невероятная! А уж когда я услышала слова «их главный», то все сомнения исчезли: в пересказе городской староста Баймаков именно так и назван. Я же готовилась к нашей работе, а поскольку много лет имею дело со студентами и знаю все их фокусы, то, разумеется, ознакомилась с материалами, которые доступны в интернете. Самое забавное, что этот чудовищный по своей тупости краткий пересказ под разными названиями и на разных ресурсах повторяется слово в слово.

— Получается, что наш Цветик ухитрился вчера както добраться до интернета, — задумчиво проговорил я. — Интересно, как?

Галина Александровна пожала плечами и снова фыркнула, пытаясь сдержать смех.

— У вас для этого есть Назар Захарович, он разберется, он же сыщик.

— Бывший, — уточнил я.

— Бывших сыщиков не бывает. Сыщиками рождаются и остаются ими до конца. Это особый склад характера и образ мыслей. Ну, пойдемте, Дик. Теперь Оксану послушаем?

Мы вернулись за стол и продолжили.

— Оксана, теперь ваша очередь. — Я старался говорить мирно и доброжелательно.

Оксана, в отличие от своего приятеля, упрямиться не стала и сразу приступила к делу.

— Меня зацепило отношение Горького к бракам, которые заключаются не по любви, — уверенно и спокойно заговорила девушка. — Вот в «Анне Карениной», например, Анну выдали замуж за Каренина, хотя она его никогда не любила, и все вполне логично закончилось трагедией. Тут вопросов нет. А у Горького Петр женится на Наташе по воле родителей, не испытывает к ней никаких чувств, но все равно они живут дружно, то есть получилась хорошая крепкая семья. Вот это меня заинтересовало. А больше в романе ничего такого в глаза не бросилось.

Галина Александровна вскочила и выбежала из комнаты, сопровождаемая изумленными взглядами присутствующих. Наверное, только один я и понимал, что ей нужно было просмеяться.

— А ничего, что он ее головой об стену бил? — послышался голос Марины. — Странное у тебя представление о дружной семье.

— Тишина! — громко и резко произнес я. — Прошу участников не комментировать пока выступления друг друга. Сначала каждый из вас выскажется, а потом наступит очередь обсуждения, вот тогда можно будет и кричать, и перебивать, и вообще вести ссбя свободно.

Оксана выглядела растерянной, однако быстро нашлась:

— В традиционных русских семьях всегда считалось: бьет — значит любит.

— У вас все? — спросил я.

— Да. Я согласна с Алексеем, книга скучная, больше ничего интересным не показалось.

— Отлично. Прошу вас, Сергей.

Молодой человек, утверждавший накануне, что является грузчиком, раскрыл тетрадь и книгу. На тетрадной странице я заметил только узкие столбики цифр и быстро сообразил, какова была технология: его куратор, актер, вчера рассказывал, как читал роман вслух, значит, никаких цитат не выписывалось, отмечался только номер страницы.

— Меня больше всего заинтересовала история с шантажом, — спокойно начал он.

Я бросил быстрый взгляд на сидящих рядом Оксану и Цветика. По выражению их лиц можно было судить о том, вызвали ли эти слова хоть какие-то мысли или эмоции у них. Нет, не вызвали. Подтверждались слова Галины Александровны: книгу эти двое даже не открывали и про историю с шантажом ничего не знают.

— Яков, младший сын Петра Артамонова, трусоват, глуповат и туповат, — продолжал Сергей, — Горький пишет об этом прямым текстом. Он совершает неосторожный поступок, который при умелой подаче можно было бы оправдать, если сразу пойти в полицию и рассказать, как было. Но из-за трусости и собственной тупости он поддался на шантаж охотника Носкова и получил кучу проблем. Мне трудно пока сформулировать, чем именно меня так задела эта ситуация, но я все время думаю о ней.

— Это все? — спросил я.

— Еще мне показались любопытными рассуждения об ответственности. С одной стороны, об этом говорит Тихон Вялов, вот я отметил цитату: «Живет человек, а будто нет его. Конечно, и ответа меньше, не сам ходишь, тобой правят. Без ответа жить легче, да толку мало». С другой стороны, очень интересна фигура Якова, который пытается избежать любой ответственности, причем не только за свои поступки, но даже и за собственные мысли. У Горького так не написано, конечно, это я додумал, но это вытекает из того, что у автора сказано о Якове. Вот, например: «...незаметно для себя привык подчиняться сухой команде брата, это было даже удобно, снимало ответственность за дела на фабрике...» И вот еще: «Яков был уверен, что человек — прост, что всего милее ему — простота и сам он, человек, никаких тревожных мыслей не выдумывает, не носит в себе. Эти угарные мысли живут где-то вне человека, и, заражаясь ими, он становится тревожно непонятным. Лучше не знать, не раздувать эти чадные мысли. Но, будучи враждебен этим мыслям, Яков чувствовал их наличие вне себя и видел, что они, не развязывая тугих узлов всеобщей глупости, только путают все то простое, ясное, чем он любил жить». И еще очень показательны слова Якова, когда он рассуждает, куда бы им с Полиной уехать: «Надо подумать, поискать такое место, государство, где спокойно. Где ничего не надо понимать и думать о чужих делах не надо». У меня много цитат отмечено на эту тему, если нужно, я зачитаю.

Я-то роман прочел, и не один раз, и хорошо помнил, что у Горького об этом сказано много, поэтому если Сергей действительно добросовестно отметил все, что есть в книге, то зачитывать он будет долго. Необходимости в этом пока не было, для меня важнее всего — понять, струны чьей души отзовутся на текст той же мелодией, которую слышал внутри себя мой покойный родственник Володя Лагутин. Окинув взглядом молодых участников, я понял, что больше никого, кроме Сергея, эти слова не зацепили: цитату явно никто из них не вспомнил, хотя память у молодежи должна быть отменной, а книгу они читали только вчера.

— Переходите к следующему пункту, если он у вас есть.

— Следующий пункт — проблемы веры. Не в религиозном смысле, а в смысле доверия. «Крику не верь, слезам не верь», — эти слова Петру Артамонову говорят перед... — Сергей внезапно смутился, — перед первой брачной ночью, и потом, спустя уже много времени, он их вспоминает. А вот слова Тихона Вялова: «Да и некому говорить. Никто никому не верит». В общем, про «верить — не верить» у меня тоже много отмечено. И мне показалось... — Сергей снова запнулся, будто стесняясь чего-то, — мне показалось, что у Горького в этом романе проблема доверия человеку перекликается с проблемой одиночества. Те персонажи, которые никому не верят, остаются по сюжету одинокими. Не знаю, может, я не прав, но мне так показалось.

— Это всё?

— Нет, у меня есть еще пункт. Насчет того, что нам только кажется, будто мы знаем какого-то человека, а на самом деле он совсем другой и в любой момент может повернуться к нам совершенно неожиданной стороной. Вот теперь всё.

— Проиллюстрируйте примерами, пожалуйста, — попросил психолог Вилен.

Сергей принялся перелистывать исписанную цифрами тетрадь.

— Например, сцена, где Яков слышит разговор своего дяди Алексея с Мироном. Они обсуждают, что тот самый охотник Носков оказался социалистом, и называют несколько фамилий рабочих, которые тоже участвуют в социалистических кружках, а Яков считал их спокойными, надежными, приятными и вежливыми. «Можно ли было думать, что эти люди тоже враги его?» Это открытие так потрясло Якова, что у него потемнело в глазах, и он уже не мог слушать, о чем говорят дядя с братом. Или взять восприятие Яковом жениха его сестры Татьяны, оно тоже очень показательно. «Яков даже завидует характеру этого человека, но чувствует к нему странное недоверие: кажется, что этот человек ненадолго, до завтра, а завтра он объявит себя актером, парикмахером или исчезнет так же внезапно, как явился».

— Похоже, что из всех персонажей вас больше всего заинтересовал именно Яков, — заметил Вилен.

Сергей помолчал, обдумывая его слова. Потом неуверенно кивнул:

— Наверное... Странно... Я как-то вчера не обратил внимания на это... А вот вы заметили...

— Можете объяснить почему?

— Не могу. — Он пожал плечами. — Я и не думал об этом, пока вы сейчас не сказали.

— Спасибо, — сказал я. — Теперь прошу вас, Марина.

После Сергея, выполнившего домашнее задание весьма обстоятельно, мне хотелось послушать хорошенькую девочку, которая вчера вместо того, чтобы читать книгу, шаталась по дому, пытаясь собрать информацию не то о проекте в целом, не то обо мне лично, и звонила по телефону. Особых иллюзий на ее счет я не питал, недаром же Надежда говорила, что Наташа все время подгоняла подругу и велела не отвлекаться.

Девушка с готовностью начала говорить, почему-то пристально глядя на меня и стараясь поймать мой взгляд, что изрядно меня позабавило.

— Я согласна с Горьким насчет того, что для счастливого брака нужно взаимное уважение и общность интересов, а если этого нет, то ничего не получится.

— Конкретизируйте, пожалуйста, — попросил я.

— Ну, если конкретно, то, например, Петр и Наталья: они с самого начала не были интересны друг другу, им не о чем было разговаривать, и к концу книги он называет свою жену глупой и скучной, то есть брак явно неудачный, хоть и куча детей. Другой пример — Яков и Полина. Полина все время настаивает, чтобы Яков на ней женился, потому что ей хотелось денег, а кончилось все плохо, Якова ограбили и выбросили из поезда, то есть здесь мы тоже видим, что отношения, основанные на корысти, обречены на гибель. А вот совершенно противоположный пример: Алексей и Ольга, они думают и чувствуют одинаково, поэтому брак у них долгий и крепкий.

Никаких записей у Марины не было, видимо, она полностью полагалась на свою память. С памятью у нее все было в порядке, а вот с вдумчивостью и внимательностью — не очень. Речь бойкая, гладкая, но не литературная. Похоже, девочку интересуют исключительно вопросы замужества, брака и семьи. А вот проблемы любви, поднятой в книге, она не заметила вообще. Наверное, она принадлежит к той части молодого поколения, которая думает скорее о том, чтобы выгодно устроиться, а не о том, чтобы испытывать сильные чувства. Забавная девочка! В ней нет абсолютно ничего, что хотя бы в минимальной степени перекликалось с душевным складом Владимира Лагутина, который очень много думал о любви и почти совсем не думал о женитьбе. Полярные противоположности!

— Вас не смутило, что Алексей начал жить с Ольгой, когда она была еще несовершеннолетней? — задал вопрос Вилен.

— А что в этом такого? — искренне удивилась Марина.

Мне показалось, или лицо Сергея мгновенно переменилось, побледнело и как будто заострилось? Впрочем, у меня не было возможности разглядывать его достаточно внимательно, нужно было слушать Марину.

Действительно, что «такого» в сожительстве взрослого мужчины с несовершеннолетней? Не то эта Марина — совершенно пустое существо, лишенное моральных ориентиров, не то вся современная молодежь такая и она — просто типичный представитель поколения «игрек». Я добавил ее имя к уже написанным двум — Алексея-Цветика и Оксаны: это первоочередные кандидаты на выбывание. Мне не нужны в проекте ни наглые халтурщики-обманщики, ни люди, которые ни в чем не похожи на моего троюродного племянника Володю.

— У вас всё?

— Да, — дерзко, даже с каким-то вызовом ответила она. — А что, мало?

— Достаточно, — сухо произнес я. — Теперь хотелось бы послушать Артема.

Вчерашний рассказ Вилена о том, как его подопечный работал над текстом, меня заинтриговал, и очень хотелось посмотреть, как же выглядят результаты столь кропотливой работы.

— Я обратил внимание в первую очередь на терминологию, — начал Артем неторопливо и словно бы размышляя. — В романе есть часто используемые слова: тень, страх, скука, зависть, понимать и не понимать.

И всякие синонимы и производные от этих слов. Это, если можно так выразиться, основная лексическая база, на которой построено все повествование и которая создает определенную атмосферу. Например: «Человек, который привык бояться, всегда найдет причину для страха». Совсем короткая фраза, и в ней целых два слова об одном и том же. Или вот еще характерное, там, где Петр показан после убийства подростка, товарища своего сына Ильи: «Разум его был недостаточно хитер и не мог скрыть, что страх явился за секунду до убийства, но Петр понимал, что только этот страх и может, хоть немного, оправдать его. Однако, разговаривая с Ильею, он боялся даже вспоминать о его товарище, боялся случайно проговориться о преступлении, которому он хотел придать облик подвига». Всего в одной фразе два раза использовано слово «страх» и два раза — «боялся». И в предыдущем предложении перед процитированным тоже есть «страх». С «тенью» и прочими словами та же история, у меня все выписано с указанием страниц, если не верите.

Я с трудом сдержал улыбку. Именно эта фраза и вообще вся ситуация с убийством были подробнейшим образом проанализированы в «Записках» Володи Лагутина. Получалось, что хотя бы в чем-то одном Артем совпал с моим племянником, и это внушало оптимизм.

— Почему же не верим? Верим. Еще что-нибудь?

— Разумеется. — Артем важно кивнул. — Это я только по лексике прошелся. У меня есть что сказать по конкретным эпизодам и по подаче материала в целом. С чего начать?

Подача материала? Это любопытно! У Владимира об этом ничего написано не было, но мне хотелось узнать, как мыслит этот темноволосый субтильный паренек. Маркетолог... Понятно, что обратил внимание на то, как подан материал, для него имеют огромное значение взаимоотношения производителя и потребителя.

— Начните с подачи материала, — предложил я.

— В целом роман производит впечатление очень неровного. Как будто автор сначала с удовольствием, со вкусом работал над ним, потом по каким-то причинам заторопился и быстро закончил. Вся концовка про революцию кажется притянутой за уши, потому что задумывалась книга явно не для этого.

— А для чего, как по-вашему? — живо поинтересовалась Галина Александровна.

— По-моему, Горький хотел написать роман о взаимоотношениях отцов и детей в том смысле, что родители, занимаясь каким-то делом, хотят, чтобы дети стали их продолжателями, приняли на себя это дело и развивали его. А детям это не нужно, им в тягость, но они не смеют перечить родителям, принимают дело и потом всю жизнь мучаются. И революция тут совершенно никаким боком не нужна, она ничего не подчеркивает и ничего не дает полезного для осмысления. Проблема вечная, и никакие революции ничего в ней не изменят. Так что я вообще не понимаю, зачем там про революцию хвост приделан.

Галина Александровна рассмеялась, но тут же взяла себя в руки. Артем посмотрел на нее с удивлением и с неудовольствием.

— Но это, конечно, только мое мнение, — добавил он.

И не только твое, подумал я, но и Володи Лагутина. В этом вы тоже совпали.

— Перечислите, пожалуйста, персонажей, которые, по вашему мнению, иллюстрируют данную проблему, — попросила культуролог.

— Оба родных сына Ильи Артамонова — Петр и Никита, сыновья Петра — Илья и Яков. Племянник Алексей тоже яркая фигура, во всяком случае, он открыто сопротивляется Илье, просит отдать его в солдаты, потому что не хочет заниматься фабрикой.

— Но Алексей в конечном итоге становится первым лицом на фабрике, — заметила она.

— Это был осознанный выбор, в точном соответствии с тезисом о том, что свобода есть осознанная необходимость. Алексей не планировал заниматься фабрикой ровно до тех пор, пока его не избили до полусмерти. Он пролежал больным восемь месяцев, если я не ошибаюсь, и после этого понял, что ни в солдаты, ни на какую бы то ни было другую работу его не возьмут, так что вхождение в дело своего дяди — единственный путь как-то проявить себя и реализоваться. В тексте об этом прямо не говорится, но ведь понятно, что если человека избивают так, что он лежит и не встает в течение восьми месяцев, то это уже глубокая инвалидность.

Что ж, разумно. С этим трудно спорить.

— А что насчет Никиты? — допытывалась Галина. — На него Илья Артамонов не рассчитывал, Никита — инвалид детства, горбун. Почему вам кажется, что он олицетворяет ту же проблему?

— Об этом прямо сказано в той главе, где Петр приезжает к Никите в монастырь. Петр говорит Никите: «Тебе еще покойник-родитель наказывал: утешай! Будь утешителем», то есть здесь тоже есть ясно выраженная воля отца. А Никита отвечает, что для него это должность трудная. «Чем утешать-то? Терпите, говорю. А — вижу: терпеть надоело всем. Надейтесь, говорю. А на что надеяться? Богом не утешаются». И весь этот эпизод, а он достаточно длинный, показывает, что

Никите в монастыре плохо, тягостно, он не чувствует себя на своем месте и страдает.

— Хорошо, — удовлетворенно кивнула Галина Александровна. — Что еще?

— Еще — такая мелочь, но меня зацепило. — Артем слегка улыбнулся. — Это не эпизоды, то есть зацепил не смысл происходящего, а просто высказывания как таковые, сами по себе.

Он перевернул несколько страниц в поисках нужного места. Видимо, фразы, показавшиеся ему интересными «сами по себе», были выписаны отдельно.

— Вот, нашел. «Соединение страшненького и противненького с жалким — чисто русская химия!»

Есть! Этой фразе в «Записках» Лагутина было посвящено целое эссе. Артем — первый бесспорный кандидат на участие в моем проекте. Думаю, что Сергей тоже.

— И еще одна цитата: «Я понимаю какого-нибудь интеллигента, который ни с чем не связан, которому некуда девать себя, потому что он бездарен, нетрудоспособен и может только читать, говорить; я вообще нахожу, что революционная деятельность в России — единственное дело для бездарных людей...» И последнее, что я хотел бы сказать. То есть на самом деле сказать я мог бы очень многое, но я понимаю, что мы ограничены во времени, так что я останавливаюсь только на том, что зацепило больше всего. В книге четко прослеживается мысль о том, что человек, который не приучен думать, читать, анализировать информацию, вникать, осмыслять, то есть человек с нетренированным интеллектом, обычно идет по пути агрессии, насилия и поиска врага. Если нужны подтверждения — я готов показать выписки. Очень ярко это подтверждают слова Тихона Вялова: «Неученый — что нероженый», то есть человек, не использующий мозги, проживает совсем пустую жизнь, как будто и не живет вовсе. Вообще Тихон — крайне любопытный персонаж, он так интересно играет словами, обнажая их двойной смысл!

Имя Артема в своем списке я подчеркнул тремя жирными линиями. О стопроцентном попадании «в образ» говорить, разумеется, еще очень рано, но то, что он отметил в романе, было в значительной своей части отмечено и Владимиром. Правда, о «лексической основе» мой племянник не писал, но разве это важно?

— Спасибо, Артем. Теперь послушаем Елену.

Вот и узнаем, что вынесла менеджер по продажам из трехсот страниц, прочитанных за пару часов. Оказалось, что вынесла она только симпатию к Илье Артамонову-старшему, родоначальнику Дела, замыслившему и построившему фабрику полотна.

— Он не рассусоливал, сопли не размазывал, ему говорят, что Артамоновых в городе не любят, а он отвечает, мол, ну и что, зато будут бояться. Для него главное — результат, а не отношение людей к нему и его семье. Он активный, уверенный в себе, целеустремленный, мотивированный. В общем, он мне очень понравился.

Говорила Елена напористо, быстро, убежденно, ни в книгу, ни в записи, если они вообще были, не заглядывала. Никто другой из персонажей интереса у нее не вызвал.

— Все остальные герои какие-то вялые и не особо умные, — завершила она свое короткое выступление. — Про них читать было откровенно скучно. Мутный отстой какой-то.

Ага, настолько скучно, что ты, деточка, похоже, и вовсе читать не стала. Как Илья-старший умер, так через пару страниц ты и вникать перестала, просто пролистала книгу и не заметила больше никого. Имя Елены я написал в том столбике, где уже красовались имена Алексея, Оксаны и Марины. С таким отношением к порученному заданию этой девушке нечего делать в моем проекте.

— Евдокия, прошу вас, — я посмотрел на девушку — протеже моего друга Назара.

— Меня затронули все моменты, в которых показываются сила и слабость, трусость и смелость. В этом смысле мне интереснее всего было сопоставлять Алексея с Яковом и старшего Артамонова с его сыном Петром, а самого Петра — с сыном Ильей. Получается такая интересная структура в поколениях: старший Артамонов — безусловно сильная и цельная личность, сумевшая навязать свою волю Петру, а Петр, в свою очередь, подчинился, возразить не посмел, всю жизнь чувствовал себя рабом и воли отца, и ненужного ему дела, он слаб, поэтому не смог справиться с собственным старшим сыном, тоже Ильей, который отказался участвовать в делах фабрики и уехал насовсем, а вот младший сын Яков попытался дело принять, но неудачно, поскольку был туповат и трусоват, в этом я полностью согласна с Сергеем. Причем Яков настолько глуп, что его легко вытеснили из дела Алексей и его сын Мирон, и настолько слаб, что не в состоянии этому противостоять, он понимает, что происходит, но ничего не хочет делать. И даже не злится из-за этого, а, наоборот, радуется, что можно не принимать никаких решений и не брать на себя ответственность. Если Петра Артамонова злит возрастание роли двоюродного брата и его сына, вызывает раздражение, неудовольствие, то Яков спокойно принимает ситуацию, которая для него выглядит освобождением от обузы.

Пока ничего общего с впечатлениями Владимира я не услышал. Но, будем надеяться, в запасе у Евдокии найдется еще что-нибудь. Впрочем, я не совсем справедлив, она ведь говорила о сопротивлении воле родителей, а этому в «Записках» уделено очень много внимания. Правда, для Евдокии данная сюжетная линия оказалась важной для осмысления вопросов силы и слабости, а моего племянника куда больше волновал вопрос, в чем разница между Алексеем и Ильей-младшим, с одной стороны, и Петром, Яковом и Никитой — с другой, то есть почему одним удалось жить так, как хочется, а другие покорно исполняли родительскую волю.

— Вторым моментом, на который я обратила внимание, было обращение Петра Артамонова с женой Натальей, — продолжала Евдокия. — Не в первые годы их брака, а в последующие. Тут уже говорилось о том, что он поднимал руку на жену, а мне в глаза бросились слова о том, что Петр с наслаждением унижал ее. К сожалению, Горький почти совсем не уделил внимания подробному анализу чувств и мыслей Натальи по этому поводу, а мне хотелось бы понять, как ей удавалось противостоять такому поведению и сохранять себя. Вообще личность Петра мне наиболее интересна, потому что на протяжении всего романа показано, как из доброго и в целом неплохого парня вырастает существо злобное, ненавидящее людей и всю окружающую его жизнь. И еще хочу заметить, что согласна с Артемом: революция ко всему этому никакого отношения не имеет. Когда вернусь в Москву, обязательно поищу материалы об истории создания романа, чтобы понять, почему у него такая неровная структура.

Галина Александровна едва заметно кивнула мне, в глазах ее читалось одобрение. Да и я сам, едва услышав слова Евдокии о личностной трансформации Петра Артамонова, уже вписал ее имя рядом с именами Артема и Сергея.

Ну что ж, бородатого хипстера Тимура я оставил, как говорится, на сладкое. Судя по отчету Юры, юноша не надорвался, читая вчера роман, а с гораздо большим удовольствием ходил хвостиком за нашим офис-менеджером-хозяйственником и вел беседы о популярной музыке времен Юриной молодости. Крайне маловероятно, что Тимур поразит нас глубиной и неординарностью суждений, а вероятнее всего — насмешит всех, таким образом, первую часть обсуждения можно будет закончить на легкой ноте и с хорошим настроением. После этого предполагался кофе-брейк, потом вторая часть.

— Теперь слушаем Наталью, — сказал я.

Девушка говорила совсем тихо, настолько, что иногда приходилось даже напрягать слух.

— А меня очень тронула история Никиты, особенно в том месте, где он пытался покончить с собой, когда понял, что Наталья его не любит. Особенно пронзительно было, — в этом месте голос Наташи предательски задрожал, — когда я читала, что он тайком целовал рубашки Натальи, вывешенные сушиться после стирки.

«Плакала, небось», — подумал я, мысленно ставя этой девочке жирный плюс: кроме Володи Лагутина, подробно остановившегося на попытке самоубийства горбуна Никиты, на этот эпизод в романе не обратил внимания никто из участников, за исключением Наташи. Правда, в резерве у нас остается Тимур, но вряд ли он меня чем-то порадует.

— И еще... — Наташа помолчала, будто подыскивая слова. — Вот насчет попыток Петра Артамонова найти свою любовь... С одной стороны, у него из головы не идет красавица Паула Менотти, которую он видел на ярмарке. Она очень сексуальная женщина и произвела на Петра огромное впечатление, но он не предпринимает никаких попыток сблизиться с ней, и не потому, что боится, а потому, что сам не хочет. Но потом долго о ней вспоминает. Он уже давно изменяет своей жене, без конца путается с фабричными девками, с Зинаидой-шпульницей, но понимает, что это чистая физиология. А потом вдруг встречает Попову, общается с ней и начинает мечтать о душевной близости с этой женщиной. То есть влюбляется в нее как в человека, в личность, а сексуальная составляющая подключается потом, через время, но ненадолго, быстро проходит. И вот тут...

Она снова замолчала и перевела глаза сначала на свою подругу Марину, потом уставилась в окно.

— В общем, ничего у них не состоялось. И мне почему-то было жаль. Петр такой несчастный, прожил такую тяжелую жизнь, ему так трудно было все время заниматься нелюбимым делом и жить так, как ему не хотелось. Он ведь мечтал жить в степи, крестьянствовать, сеять хлеб, а в городе ему было душно и невыносимо. И вот появилась Попова, умная и образованная, и я так ждала, что у них все срастется и они будут счастливы... Не знаю... Не могу объяснить, почему мне так грустно оттого, что ничего не вышло. Как в песне про гостиницу.

Я решил, что неправильно понял ее слова или чего-то не расслышал, поскольку говорила она по-прежнему очень тихо, и повернул голову к сидящему рядом переводчику Ссмену. Он повторил последнюю реплику по-английски.

— Что за песня? — шепотом спросил я.

— Понятия не имею, — тоже шепотом ответил он.

Я взглянул на Назара и увидел, что он улыбается и кивает. Значит, мой друг все понял. Ладно, потом спрошу у него.

Трогательная девочка Наташа, поклонница романтики и самодеятельной песни. Единственная, кто обратил внимание на тему любви в романе. Тимур-то уж наверняка об этом говорить не будет. А Владимир Лагутин писал о любви очень много и всерьез намеревался предлагать эту тему для обсуждения своим ученикам, если бы они у него были. Более того, он даже придумал для своих вымышленных уроков форму, которая сегодня очень популярна под названием «фанфик», но в те годы не было ни понятия такого, ни термина. Мой племянник зацепился за описанную всего в одной фразе ситуацию, суть которой сводилась к тому, что Мирон, сын Алексея Артамонова, ухаживал за дочерью той самой Поповой, а девушка внезапно уехала, сбежала со школьным товарищем Мирона, давним его другом, и обвенчалась с ним. Володя писал: «Можно было бы предложить ребятам написать сочинение, в котором придумать и историю развития отношений Мирона и Зинаиды, и историю знакомства Зинаиды с Горицветовым, и подробно описать мотивы девушки, и — самое главное — попытаться представить себе переживания Мирона, внезапно потерявшего невесту и не понимающего, что же произошло, как же так вышло...» Да, Володя в этой ситуации почему-то искренне посочувствовал Мирону, который, положа руку на сердце, выведен в романе далеко не самым приятным персонажем.

Хорошо, будем считать, что Наташа моему проекту подходит. Ее имя оказалось четвертым в списке кандидатов на основную сессию.

— Тимур, вам выпала участь высказываться последним. — Я ободряюще улыбнулся пареньку в громоздких очках.

Интересно, у него в оправе стоят линзы с диоптриями или обычное стекло?

— А мне из всего романа больше всех понравились Алексей и Митя Лонгинов, — заявил он. — Алексей плюет на всех и живет, как хочет. Женился на Ольге, хотя отец его не одобрял, а до этого долго жил с ней и плевать хотел на то, что весь город его обсуждал и осуждал. Одевается не так, как все остальные мужики в его семье, а щегольски, у него такой «лук», как будто живет в столице, на это тоже все обращают внимание, а ему пофиг. И вообще, он легкий, веселый, ни на кого зла не держит. Он в своей семье единственный такой. Короче, ни в семье, ни во всем городе он не в тренде. И интерьер у него в доме тоже не в тренде, Петр все возмущается, зачем Алексей столько городских вещиц туда напихал... А Митя Лонгинов — это вообще что-то с чем-то! Он настолько не вписывается в семью Артамоновых, что полный кайф читать. И при этом к нему относятся хорошо, хотя его никто не понимает и никто не знает, чего от него ждать. Вот тут уже цитировали мысли Якова по поводу Мити, — Тимур кивнул в сторону Сергея, — а я зачитаю еще одну цитату, у меня специально подчеркнуто: «...единственно приятным человеком был чужой — Митя Лонгинов. Митя не казался ему ни глупым, ни умным, он выскальзывал из этих оценок, оставаясь отличным от всех». Это просто супер! Выскальзывал из оценок — обалдеть, какая формулировка! То есть он настолько особенный, настолько не в тренде, что его нельзя оценивать в общепринятых категориях и характеризовать обычными, привычными словами. Вот это высший пилотаж.

Что ж, ничего перекликающегося с «Записками» я не услышал, и в принципе можно было бы уже принять решение о помещении имени Тимура в группу с Цветиком, Оксаной, Мариной и Леной. Но меня остановили два соображения. Первое: если мальчик потратил на роман так мало времени, как утверждает Юра, то, похоже, именно он, а вовсе не Елена, владеет техникой скорочтения. По выступлениям обоих мне совершенно очевидно, что Лена более или менее внимательно прочла только первую главу, а Тимур-то, судя по всему, дочитал до самого конца и ничего не упустил. И второе: мне был симпатичен этот смешной бородатый мальчишка своим нескрываемым стремлением доказать и отстоять право на то, чтобы быть особенным и не подстраиваться под мнение и оценки окружающих. Конечно, я совсем не знал Тимура, наше знакомство было весьма поверхностным, но то, что привлекло его внимание в романе «Дело Артамоновых», свидетельствовало в определенной мере о реальных предпочтениях и интересах молодого человека.

— Спасибо, — сказал я и встал. — Перерыв тридцать минут, можете использовать их по своему усмотрению. Через тридцать минут жду всех здесь же.

— А что будет-то? — нетерпеливо спросила Елена. — Мы же всё уже рассказали.

— Будем выражать мнения, соглашаться или спорить, — туманно сообщил я.

— Не, ну в самом деле, мистер Уайли, вы бы огласили весь список, а то мы тут как телята топчемся и не знаем, когда на водопой поведут, — подал голос поэт Цветик.

— Какой список?

Семен тут жс наклонился к моему уху и быстро объяснил, что слова про список — цитата из очень старой и очень известной советской комедии, ушедшая в народ и укоренившаяся так прочно, что ее используют даже те, кто фильм в силу возраста не смотрел.

Я объявил, что через полчаса мы продолжим обсуждение романа, но уже в формате не монологов, а дискуссии, после чего будет перерыв на обед, а потом — очередное испытание, новое и с текстом Горького никак не связанное.

— Все-таки объясните нам, зачем мы читали эту муть, — потребовала Оксана. — И вообще, зачем все эти приколы с одеждой и отбиранием гаджетов. Это вы так развлекаетесь?

Ну, уж ты-то, дитя мое, не надорвалась, читаючи...

— Вы проходите отборочное тестирование, и объяснять я ничего сейчас не собираюсь. Все объяснения получат те, кто пройдет отбор, но не сегодня и не завтра, а только тогда, когда приедут на основное мероприятие. Тот, кто пройдет отбор, но на мероприятие по каким-то причинам не приедет, ничего не узнает.

Глаза Оксаны презрительно прищурились.

— Это что, такая страшная тайна? Военный секрет? Вы тут из нас шпионов будете вербовать?

Ох, дитя мое, из тебя шпионка — как из меня киллер. Если кто-нибудь вздумает тебя куда-нибудь вербовать, то горько пожалеет об этом. Ты ни на что не годишься: ни ума нет, ни хитрости, ни выдержки, ни терпения. Есть только нахальство и самоуверенность, а также глубокая убежденность в том, что все вокруг — идиоты, а уж старики и подавно, и даже не нужно особенно напрягаться, чтобы их обмануть, они с удовольствием съедят блюдо из навешанной им на уши лапши.

— Я всё сказал, — со вздохом заключил я и вместе с Назаром спустился в столовую: Надежда пообещала к перерыву на кофе испечь свежие кексы.

Всего пятый день я нахожусь в поселке и живу в этом доме, а уже пристрастился к выпечке, которой нас балует наша прекрасная повар-буфетчица.

— Что за история с песней про гостиницу? — спросил я Назара, когда мы уселись за стол в дальнем кабинете столовой.

— Да все то же, — отозвался он. — Была такая песня, там в начале поется: «Ах, гостиница моя, ах, гостиница, на кровать присяду я — ты подвинешься, занавесишься ресниц занавескою, хоть на час тебе жених, ты — невеста мне». Ну, дальше всякое такое полупереживательное, а в конце: «Я на краешке сижу и не подвинулся, ах, гостиница моя, ах, гостиница». То есть вроде бы в начале все идет в сторону страстного романтического свидания, а потом оказывается, что ничего не состоялось.

— А почему не состоялось? — полюбопытствовал я.

— «Коридорные шаги — злой угрозою», — вполголоса пропел Назар. — Ну и сомнения в истинности чувства, это уж само собой, во времена моей молодости это была модная тема. Там есть слова: «Сердце врет — люблю! Люблю! — до истерики». Вишь как: врет. Не скажу тебе с точностью, сколько в тех песнях было искреннего чувства, а сколько — ложной многозначительности, но такое уж время было... И вот Наталье это нравится. Ладно — я, со мной все понятно, я дитя той эпохи, но почему она к этим песням сердцем прикипела — объяснить не смогу. Кстати, пока не забыл...

Он встал и отошел к подоконнику, на котором стоял телефон, снял трубку, набрал номер.

— Юрочка, сынок, не сочти за труд, продиктуй-ка мне номерок, на который вчера звонил Алешенька... Ага, тот самый, который с Семеном живет... Вот спасибо!

Назар ничего не записал, и я в который уже раз подивился его цепкой памяти.

— Добрый день! — ласково зажурчал его высокий тенорок. — Меня зовут Назаром Захаровичем, фамилия моя Бычков. С кем я говорю? Очень приятно! Не будете ли вы так любезны...

Через несколько минут, когда я доедал уже третий кекс с изюмом, Назар положил трубку и вернулся за стол.

— Что и требовалось доказать, — торжествующе проговорил он. — Девочка оказалась с мозгами и врать попусту не стала, тем более что причин говорить неправду у нее нет, она не сделала ничего предосудительного, и скрывать ей нечего. Вся комбинация проста, как три копейки. Наш Цветик заприметил в кафе симпатичную девочку, подошел к ее столику и спросил, не хочет ли она заработать немножко денег. Девочка сперва испугалась и спросила, что нужно сделать, но когда Цветик объяснил — расслабилась и согласилась. Нужно было всего-навсего найти в интернете краткий пересказ романа Горького, а когда Цветик ей вечером позвонит — прочитать ему вслух по телефону. Цветик наплел ей, что его, дескать, предки за какую-то там провинность отлучили от интернета и отобрали мобильник, а ему завтра нужно сдавать зачет в институте, и вот бабка за ним теперь ходит по пятам и следит, чтобы он запрет не нарушал. Это наша-то Полина — бабка! И как у поганца язык повернулся! А насчет денег проинструктировал: я, мол, сейчас пойду как бы в туалет, ты через минутку туда подходи, я тебя буду ждать в коридоре и дам деньги, надо, чтобы бабка не увидела, а то догадается. Сказал, что подойти познакомиться с симпатичненькой девушкой злая бабка разрешила, поэтому бумажку с номером телефона Цветик взял совершенно открыто, не таясь.

— Умно, — оценил я.

— Вечерком не вполне трезвый Цветик девушке позвонил, она все сделала, как он просил, и честно прочитала ему текст по телефону. Но поскольку действие алкоголя на юные умы никто не отменял, Цветик ничего не понял и попросил прочитать еще раз, помедленнее. Потом еще раз. Девушка-то неглупая, сама заметила, что в изложении все выглядит довольно коряво и неубедительно. Разумеется, роман она никогда в жизни не читала, но даже ей заметны были дыры и нелогичности в интернетном тексте. Само изложение довольно короткое, но пока Цветик его с горем пополам запомнил и хоть как-то разобрался, прошло минут сорок, если не больше.

— Ну да, а утром за завтраком наскоро пересказал Оксане. Понятно. Полагаю, ты со мной согласишься, что кандидатуры этих двоих даже обсуждать не стоит.

— Соглашусь, — кивнул Назар. — Может, тогда уж отправим их обоих прямо сегодня? Зачем ждать до завтра? Или ты надеешься, что они еще сегодня как-нибудь себя проявят?

Я расхохотался.

— Проявят? Ну, только если как-то особенно креативно будут решать проблему туалета. О романе Горького им сказать нечего. Нет, Назар, эта парочка мне весьма неприятна, я не хотел бы больше их видеть. Но билеты для них, как и для всех, заказаны на завтра. И потом, кто сегодня повезет их в город, на вокзал и в аэропорт? Я тебя не отпускаю, ты мне нужен здесь.

— Юра мог бы отвезти на моей машине. Но ты прав, без интернета мы проблему перебронирования билетов за пять минут не решим. Ладно, пусть остаются.

Полчаса пролетели неожиданно быстро, я и опомниться не успел, как Назар заметил, что пора идти. Я с трепетом прислушивался к себе, ожидая заметить признаки сильной усталости, граничащей с раздражением: я давно не проводил так много времени в непрерывном общении, да еще с таким количеством людей. Конечно, в моей жизни есть множество многолюдных обязательных мероприятий, но от части их я научился довольно ловко уклоняться, в другой же части принимал дозированное участие, устраивая перерывы, не являясь на не интересные мне заседания, а то и вовсе прогуливая полдня. Работа с авторами и редакторами, конечно, такой возможности не давала, но там и многолюдности не было. В городке же, где я жил и который правильнее было бы называть деревней, все давно привыкли, что чудаковатый одинокий американец готов в полном объеме исполнять все обязанности проживающего, за исключением участия в общественных мероприятиях. Первое время меня активно приглашали и даже настаивали на моем присутствии, потом поняли, что это бесполезно. Подозреваю, что в городке меня из-за этого несколько недолюбливали, но мне было все равно. Я дал солидную сумму сначала на реконструкцию церкви, потом на поощрение учителей в местной школе, и местные жители более или менее простили мое затворничество и нелюдимость.

Но здесь, в этом поселке, ежедневно и постоянно общаясь с сотрудниками и кандидатами на участие в проекте, я, к своему удивлению, пока не почувствовал ни утомления, ни привычного раздражения, всегда возникавшего, когда приходилось слишком много разговаривать. То ли горячий интерес к проекту тому виной, то ли есть еще какая-то причина...

У входа в квартиру на четвертом этаже нас поджидал Юра.

— Ричард, можно мне тоже послушать? — застенчиво спросил он. — Я все сделал, что на сегодня было запланировано, продукты привез, розетку у Вилена в квартире починил, кран в ванной у Галины Александровны поменял.

Было в этом шестидесятилетнем мужчине что-то невероятно трогательное.

— Если вам интересно — разумеется, заходите и слушайте, — ответил я. — И не спрашивайте у меня разрешения, вы такой же сотрудник проекта, как и все остальные, и можете присутствовать на всех мероприятиях. Вам интересно, как дети обсуждают Горького, или вы хотите посмотреть, как выглядит на этих обсуждениях ваш юный друг Тимур?

— Да мне все интересно. Так необычно всё! Да, еще хотел спросить... — Он помялся. — Тимур хочет съездить в город, посмотреть, что продается в магазинах. Оправы для очков всякие, платки и шали ручной работы, ну, всё такое... Может, есть ателье или галереи, где продаются дизайнерские вещи, которые существуют в единственном экземпляре. Можно его отвезти, когда вы закончите? Или это правилами не разрешается?

— Разрешается, если только посмотреть. Ничего такого покупать нельзя. Вы же сами помните, что можно было купить в советских магазинах, — сказал Назар. — Поезжайте, конечно, если будете успевать в город до семи вечера. Если мальчику что-то понравится, он сможет купить это после окончания отбора, когда будет уезжать, не раньше.

— Почему до семи? — не понял я.

— Потому что в советское время продуктовые магазины работали до восьми, а промтоварные — до семи.

— Промтоварные? — повторил я еще одно новое для себя слово. — Это какие же?

— Которые не продуктовые и не книжные, а любые другие, — пояснил Назар коротко, но не очень понятно. — Промышленные товары.

Но я не был бы филологом и переводчиком, если бы пропустил очевидную несообразность мимо ушей.

— Но разве продукты — не пищевая промышленность? А аптеки — не фармацевтическая? Любые товары, которые производятся, — это промышленность. Почему в вашей стране родилось такое странное слово?

— Потому что такая страна была, — ответил мой друг еще более загадочно. — Пошли, Дик, народ собрался и ждет.

Мы вошли и расселись по местам. Началась вторая часть.

* * *

Читать Горького Дуне было совсем не интересно, но все равно читала она с удовольствием, просто потому, что не нужно было ежесекундно напрягаться и со страхом ждать звонка или сообщения Дениса. Она нисколько не кривила душой, когда говорила во время собеседования, что готова хоть полы мыть, хоть нужники чистить, лишь бы оказаться там, где Денис ее не достанет. Не достанет по совершенно объективным причинам, а не потому, что она трусливо заблокировала его и в телефоне, и в сетях. «Я не хочу с ним общаться, — твердила себе Дуня, — но я хочу, чтобы это было его свободным решением, а не вынужденным поведением. Я не хочу, чтобы он считал, будто я испугалась его и спряталась. Я хочу, чтобы он понял, что я не собираюсь быть его жертвой и, таким образом, больше не представляю для него никакого интереса, поэтому ему имеет смысл оставить меня в покое. Только мне нужно немножко набраться сил, немножко отдохнуть. И я костьми лягу, но добьюсь, чтобы у меня была возможность прожить здесь целый месяц. Этого месяца мне хватит на то, чтобы восстановиться».

Поддерживаемая такими мыслями, роман она прочитала тщательно и вдумчиво, но сперва ничего для себя важного из произведения не вынесла, кроме больно уколовших ее слов о том, что Петр «с наслаждением унижал» свою жену Наталью. С наслаждением унижал! В точности как Денис с наслаждением унижал ее саму и пытается продолжать это делать. Почему Наталья терпела? Как ей удавалось стерпеть и не дать сдачи, не ударить жестоко злобного мужа, не убить его? Какие слова она говорила сама себе, чем утешалась, чем подбадривала себя, какими аргументами сдерживала желание ответной агрессии? Или у нее такого желания не было изначально? Какая она — эта Наталья Баймакова, в замужестве Артамонова, родившая шестерых детей и вырастившая четверых? Наталья, выданная замуж по сговору за нелюбимого, Наталья, с интересом посматривавшая на двоюродного брата своего мужа, Алешу, самого ловкого плясуна и самого отчаянного бойца в городе, красивого, смешливого, легкого. Наталья, не заметившая отчаянной и безнадежной любви младшего мужниного брата, горбуна Никиты, да и не замечавшая самого Никиту, ибо горбун — не работник и не муж, а стало быть, и не человек.

Про Наталью у Горького написано было совсем немного, и Дуня сожалела об этом, стараясь помедленнее читать скупые строчки и пытаясь угадать, что скрыто за ними, что недосказано, но неожиданно, дойдя до четвертой главы, увлеклась описанием внутреннего мира Якова Артамонова. Сам по себе Яков, конечно, человек препротивный, но все, что с ним происходило, все, о чем он думал, заставляло снова и снова возвращаться к мыслям о том, что такое душевная сила, откуда она берется и до какой степени человек может позволять себе быть слабым и неумным. Или вообще ни до какой? Разрешается быть только сильным и умным? А если этой силы и ума нет, то не имеешь права считаться человеком?

Дуня хотела было рассказать о своих впечатлениях о Якове на первой части обсуждения, но испугалась, когда об этом же персонаже заговорил Сергей и психолог Вилен задал ему вопрос: почему его заинтересовал именно Яков. Сергей не ответил, но Дуня подумала, что если тоже заговорит об этом, то Вилен непременно задаст ей тот же самый вопрос. И ей придется солгать, сказать, что ответа она не знает, как и Сергей. Но ведь Сергей мог действительно не знать, а она-то, Евдокия, отлично знает! И что получится? Сказав правду, она непременно нарвется на вопрос: почему вас интересуют именно эти проблемы? Не рассказывать же всем этим чужим людям о том, что она натворила и как теперь судорожно пытается выпутаться из тягостных и ненужных отношений, в которые она вляпалась по глупости и неосмотрительности, увлекшись и потеряв голову... Значит, снова придется солгать. А ей так не хочется врать и притворяться, у нее просто нет больше сил на ношение маски, она полностью истощена. Только рядом с Ромкой она может позволить себе быть самой собой и отдохнуть. Почему Булгаков написал в «Мастере и Маргарите», что говорить правду легко и приятно? Это неточная формулировка. Сказать правду действительно легко с точки зрения энергетических затрат, а ложь требует куда больше энергии, поэтому лжецы быстрее устают. Но и правда, и ложь имеют свои последствия. И последствия от «легко и приятно» сказанной правды зачастую бывают такими ужасными... А ложь, напротив, существует именно для того, чтобы минимизировать невыносимость последствий.

Поэтому Дуня приняла решение молчать, если можно не говорить. Во время обсуждения высказалась предметно только о Наталье: тема показалась ей безопасной. В самых общих чертах упомянула о проблемах силы и слабости, смелости и трусости, ничего не конкретизируя и стараясь быть немногословной. С облегчением вздохнула, когда ей не задали дополнительных вопросов и передали слово следующему участнику, смешному мальчишке в старомодной оправе на носу. Во время перерыва не пошла в столовую вместе со всеми, чтобы избежать разговоров и попыток сближения, решила выпить чаю с карамельками на кухне квартиры в обществе своего куратора, актрисы Ирины, которая на обсуждении не присутствовала и с удовольствием смотрела по «телевизору» какой-то старый спектакль.

— Что смотрите? — вяло спросила Дуня.

— «Любовь Яровую» Тренева.

— Интересно?

— Дунечка, я же не сюжет воспринимаю, а актерскую и режиссерскую работу. Для меня нет интересных и неинтересных пьес, для меня есть только интересные и неинтересные роли. Я эту роль никогда не играла, эту пьесу уже никто не ставил, когда я начала учиться в театральном, вот я смотрю и примеряю на себя... Ты какая-то измученная, душа моя. Устала? Сильно вас там экзаменовали?

— Нормально. Умеренно, — коротко ответила Дуня. — Отпустили на полчаса на перерыв, вот зашла чайку попить. Компанию мне не составите?

Ирина подошла к видеоплееру, нажала кнопку «пауза».

— Не положено, конечно, — заметила она, — на настоящей телевизионной трансляции кнопку не нажмешь, да уж ладно. Лена придет?

Дуня пожала плечами:

— Не знаю. Вроде бы она в столовую пошла вместе со всеми. Ирина, а вы сильно устаете, когда работаете?

— Актеры всегда сильно устают, — с улыбкой ответила куратор, запахивая длинный халат и туже затягивая пояс. — Это очень тяжелый хлеб, хотя со стороны может показаться, что все шоколадно: надел красивое платье, вышел на сцену, все на тебя смотрят, аплодируют — шик и блеск! Многие актеры выпивают, и довольно сильно, как думаешь — почему? Некоторые, конечно, от дури и баловства, но только некоторые, а остальные — по необходимости, иначе с ума сойдешь. Находиться в образе другой личности очень непросто.

Дуня налила чай, разгрызла карамельку «Раковая шейка», задумчиво посмотрела на телефонный аппарат. Сегодня суббота, Ромка, наверное, или работает, или проводит где-нибудь свободное время. Может, к родителям поехал... Утром, до начала обсуждения, она звонила ему на домашний номер, но никто не ответил. Не слышал, потому что накануне поздно вернулся и теперь крепко спал? Или не ночевал дома? Ревнивые мысли Дуню не посещали, она верила своему Ромке и знала, что если он не ночует дома, то только по служебной необходимости.

Взяв чашку, она подошла к телефону, стоящему в прихожей на тумбочке, набрала номер. Ромка ответил почти сразу, снял трубку после второго же гудка.

— Ну как ты там? — обеспокоенно спросил он. — Голос у тебя не радостный какой-то.

— Я в порядке, мой хороший, — Дуня слегка улыбнулась: Ромка всегда действовал на нее успокаивающе. — Просто немножко устала.

— Неужели так тяжело? Может, зря я тебя уговорил...

— Нет-нет, не зря, мне идет на пользу! Ты правильно сделал, что отправил меня сюда. А устаю я от напряжения. Я же понимаю, что Назар Захарович составил мне протекцию, при прочих равных условиях я могла и не пройти собеседование. И все время думаю о том, чтобы не подвести его и чтобы ему не было за меня неловко. А где ты был утром? Я тебе звонила, ты не подошел.

— За едой бегал. Всю неделю ишачил, как проклятый, домой приходил поздно и сам не заметил, как припасы закончились. Проснулся сегодня, полез в холодильник, а там совсем пусто.

— Но как же так, Ромка? — испугалась Дуня. — Я перед отъездом столько всего наготовила, столько всего купила, набила тебе холодильник под завязку и была уверена, что когда вернусь — половину придется выбрасывать, ты столько не съешь... Куда же все подевалось? Я же уехала в среду вечером, а сегодня только суббота...

Роман смущенно хмыкнул.

— Дуняша, ты не ругайся, но мы все съели.

— Мы?

— Ну... Так получилось. Парень из нашего отдела с женой поссорился, горшки побили они крепко, и он попросился после суток отоспаться у меня, домой идти не хотел. Это в четверг было. Я ему дал ключи, вечером вернулся — мы посидели чуток, выпили по рюмашке, поужинали. Он и днем что-то ел, конечно. И остался у меня ночевать, а утром его супружница прискакала, он ей, оказывается, все-таки сообщил, что не погиб на боевом посту, а поехал ко мне в рамках воспитательных мероприятий. Она приехала, я их оставил мириться, а сам на службу погнал. Вернулся — а они все мирятся, правда, уже в горизонтальной позиции. Уж не знаю, что он наплел начальству, чтобы на работу не выходить. Опять поужинали, только уже втроем, и я их отправил. А сам — на бобах.

— Бедный мой голодный Ромчик. — Дуня рассмеялась впервые за все время после отъезда из Москвы. — А я уж подумала было, что ты дома не ночевал.

— Ночевал-ночевал. Жалко, что ты меня не застала. Я сам хотел тебе вчера позвонить, когда один остался, но подумал, что поздно уже, ночь, а вас там трое в квартире, перебужу всех. Антон мне вчера передал, что ты звонила в отдел, я так расстроился, что ты меня не застала! Не представляю, как люди жили без мобильников. Это ж с ума сойдешь, пока человека по городскому телефону отловишь! А вдруг что-то срочное?

— Да, трудно, наверное, было, — согласилась она. — Какой у тебя план на сегодня? Спрашиваю не с целью контроля, а чтобы знать, когда можно позвонить. Или ты сам мне позвони, когда тебе удобно, только я совсем не знаю, как тут все будет складываться. Сейчас перерыв, потом вторая часть, после обеда — третья, а потом что — неизвестно.

— Не переживай, Дуняша, созвонимся как-нибудь, или так, или эдак. Если на службу не выдернут, буду дома сидеть, расслабляться. А завтра буду работать, это уже точно. Постараюсь встретить тебя в понедельник утром, Зарубин пообещал, что если мы завтра хорошо сработаем, то в понедельник можно появиться в конторе после обеда.

— Тогда постарайся сработать хорошо. — Дуня снова улыбнулась. — Я скучаю по тебе.

— И я скучаю, моя хорошая.

Голос у Ромки был теплым и таким родным, что Дуня в который уже раз за последний год удивилась сама себе: как могла она пренебречь этим? Как могла предпочесть Роману кого-то другого? Морок какой-то, ей-богу!

Она залпом допила остывший чай, сунула в рот еще одну карамельку, посмотрела на часы: через десять минут нужно быть на второй части. Ирина, к ее удивлению, ушла переодеваться и появилась уже не в халате, а в юбке и блузке.

— Вы уходите?

— Вместе с тобой. А ты не знала?

— Чего не знала?

— Меня пригласили на вторую часть. Разве вам не сказали, что там будет?

— Нет. — Дуня растерялась. — А что будет?

— Извини, — актриса погладила ее по руке, — раз вас не предупредили, значит, так надо. Поэтому не скажу. Не обижайся.

— Ну что вы, какие обиды могут быть! Я же понимаю.

Они вместе вышли из квартиры и направились на четвертый этаж.

* * *

— А теперь, друзья мои, представьте, что вы — учителя средней школы, — торжественно произнесла Галина Александровна. — То есть каждый из вас — учитель литературы в десятом классе, и ваши ученики — юноши и девушки шестнадцати-семнадцати лет.

Девять молодых людей, сидящих за столом, застыли. На лицах написано полное недоумение и даже недоверие к услышанному. Что это им сказали? Неужели это всерьез?

— Ирина — ваша ученица.

— Одна на всех? — немедленно съехидничал Цветик.

Галина Александровна насмешливо посмотрела на него:

— Уверяю вас, Алексей, вам и ее одной будет много. Ирина в роли ученицы будет задавать своему учителю вопросы по роману Алексея Максимовича Горького «Дело Артамоновых». Роман вы все прочли, так что никаких затруднений с ответом ни у кого из вас быть не должно.

Я внимательно наблюдал за профессором, уверенно произносящим слова о том, что все прочли роман: удержится ли она от хотя бы мимолетного косого взгляда в сторону Цветика, Оксаны или Елены. Удержалась. Вот что значит опыт и мастерство педагога! Поскольку вопросы для Ирины-ученицы готовила именно она, то и вести обсуждение я попросил тоже нашего культуролога.

— Порядок действий таков: я назначаю учителя из числа участников, Ирина задает свой вопрос, учитель должен ответить. Если ответить не может — мы будем принимать ответы других участников, но до тех пор, пока назначенный учителем человек не признает свое поражение, все должны молчать. Никаких выкриков с места, никакого базара быть не должно. Относитесь с пониманием к тому, что наш руководитель, мистер Уайли, не сможет расслышать и понять слова, если вы начнете говорить все разом. Когда разберемся с первым вопросом, я назначу учителем следующего участника, и Ирина задаст следующий вопрос. Всё понятно?

На самом деле вопросов было только два, и я попросил Галину Александровну назначить на первый вопрос учителем Елену, а на второй — Оксану. В обсуждении примут участие все, так что у меня будет возможность оценить менталитет и потенциал каждого, но коль уж мы с Назаром решили, что Елена и Оксана нам вряд ли подходят, мне хотелось убедиться в справедливости наших оценок. А заодно и щелкнуть самоуверенных девиц по носу, предоставив им возможность публично расписаться в собственной недобросовестности. На всякий случай был заготовлен и третий вопрос, для хитрого Цветика.

Тут же взметнулась рука: вопрос появился у Артема.

— Вы сказали, что ответы других участников будут приниматься только после того, как учитель признает свое поражение. Значит ли это, что если учитель ответит на вопрос правильно, то мнения других уже не важны и их не будут слушать?

— Нет, не значит. Мы выслушаем мнения всех. Но первым должен полностью высказаться тот, кто назначен учителем. Еще вопросы?

Галина Александровна медленно обвела взглядом молодежь. Снова поднялась рука.

— Слушаю вас, Марина.

— А какие будут вопросы? На знание текста?

Профессор усмехнулась.

— На знание жизни. Если всем порядок работы понятен — приступаем. Первый учитель — Елена. Встаньте, пожалуйста.

Менеджер по продажам послушно поднялась. Одновременно с ней встала и Ирина, одернула блузку и посмотрела на Елену с выражением испуганной преданности. Ну точь-в-точь школьница, свято уверенная в непогрешимости и правоте своего учителя.

На столе перед ней книга, точно такая же, какую раздавали участникам для прочтения, из книги торчат закладки.

— Елена Олеговна, а что такое «птичий грех»? — спрашивает Ирина голосом, исполненным невинной любознательности.

Елена, ни секунды не задумываясь, начинает отвечать уверенно и напористо:

— «Птичий» — значит маленький, несущественный, вполне простительный.

— Значит, это такой маленький грех, который можно простить старым людям? А молодым нельзя? — продолжает «ученица».

— Да, совершенно верно.

Ни колебаний, ни сомнений. Забавно!

— А что можно прощать старым людям такого, чего нельзя простить молодым?

— Например, забывчивость, рассеянность, неаккуратность, — тоном всезнающего наставника произносит Елена.

Для меня, как, впрочем, и для Галины Александровны, уже очевидно, что эта девушка даже первую главу не дочитала с должным усердием. Вероятно, ее настолько пленила фигура Ильи Артамонова-старшего, что все эпизоды, где его нет, были пропущены. По лицам Сергея, Натальи и Артема было заметно, что они прекрасно поняли, о чем идет речь: ребята с трудом сдерживали смех. Все прочие, судя по всему, данный момент упустили.

— А со снохой баловаться? — продолжает спрашивать Ирина, хлопая большими красивыми глазами. — Баловаться означает играть во что-то. Если они просто играют, то почему Горький назвал это грехом? Они что, в карты на деньги играют?

Брови Елены недовольно сдвигаются. Полное непонимание. Учитель молчит. Потом, что-то обдумав, задает строгий вопрос:

— Как тебе не стыдно, Ира! Как такое вообще могло тебе в голову прийти!

Елена улыбается торжествующе, весьма довольная собой: ну как же, вошла в роль, назвала Ирину «Ирой» и на «ты», нашла слова, соответствующие, по ее мнению, типичному поведению школьного учителя.

— Но там же написано!

— Где написано?

— В книге.

Ирина взяла книгу со стола, открыла заложенную страницу.

— Вот, на странице тридцать один, где Петр и Наталья обсуждают своих родителей. «Они, старики, — просты; для них это «птичий грех» — со снохой баловаться». Вы же сами задавали нам этот роман прочитать. Почему мне должно быть стыдно? Вот я и спрашиваю, что такое «птичий грех», и что такое «баловаться со снохой», и почему это для Натальи лучше.

— Лучше? — переспрашивает Елена. — Что лучше?

— Не знаю, я думала — вы объясните. Тут написано: «Это и лучше: к тебе не полезет».

Руки у Елены затряслись, она как-то мгновенно утратила всю свою уверенность. Глаза ее перебегают с Галины Александровны на меня, с меня — на Ирину, потом снова на Галину Александровну.

— Я не понимаю, что здесь происходит, — наконец произносит она, и в голосе ее проступают визгливые нотки.

— Здесь происходит моделирование ситуации, или ролевая игра, называйте, как вам удобнее, — невозмутимо говорит наша дама-профессор. — Урок литературы в десятом классе в средней школе образца тысяча девятьсот семьдесят второго года. Разумеется, современные школьники гораздо более продвинуты и наверняка в курсе, что означает термин «снохачество», они вообще отличаются от своих ровесников сорокалетней давности сексуальной просвещенностью. Впрочем, судя по вашей реакции, ваше поколение тоже не знает такого слова, хотя суть его вас вряд ли шокирует. В семьдесят втором году подавляющее большинство старшеклассников не знало ни слова, ни того, что такая практика существовала и до революции, и после нее. И мы предлагаем вам ответить на вопрос ученицы, заданный при всем классе, на уроке. Вы должны ответить правду, но так, чтобы не подставить ни себя, ни девочку. Прошу вас, отвечайте.

— А в чем я могу себя подставить? — удивляется Елена. — Я не поняла.

— Сейчас увидите. Для начала ответьте ученице, а потом мы разберем последствия вашего ответа.

Елена хватает свой экземпляр романа, открывает на 31-й странице, пробегает глазами по строчкам и заливается краской.

— И что я должна ответить? — Ее голос дрожит.

— Что сочтете нужным. Вы — учитель, перед вами стоит ученик, вокруг еще три десятка школьников, и все вас слушают. Вам решать, что делать.

— А нельзя ничего не делать?

— Нельзя. Заданный на уроке вопрос требует ответа.

— Ну... — Елена переминается с ноги на ногу. — Я тогда скажу ей, чтобы подошла ко мне после урока, я объясню.

— Хорошо. — Галина Александровна кивает. — Это плохой вариант, но имеет право на существование.

Урок окончен, девочка подходит к вам. Что происходит дальше?

— Я ей все объясняю.

— Так объясняйте. Мы слушаем.

Елена снова молчит.

— Я... Не готова так сразу... Но я найду какие-то слова, чтобы...

— Чтобы — что?

— Чтобы она все поняла.

— Допустим, — снова кивает профессор. — Знаете, что будет происходить на следующий день?

— Нет, а что будет происходить?

— На следующий день вас вызовет к себе директор школы, будет долго и громко ругать, а потом объявит выговор с занесением в личное дело. Или вынесет вопрос о вашем поведении на партсобрание. Или вообще уволит с волчьим билетом.

— Но за что?! Что я такого сделала?

— Вы допустили нештатную ситуацию. Вы плохо знали предмет, который преподавали, вы не ознакомились тщательнейшим образом с произведением, которое рекомендовали ученикам для изучения, вы не заметили сложных и скользких мест в тексте и не подготовились к ответам на возможные вопросы, вы даже не предвидели возможности таких вопросов. Любые темы, так или иначе соприкасающиеся с сексуальностью, категорически запрещены для обсуждения в советской школе. И если так случится, что вопрос все-таки выплывает, учитель обязан сделать все, чтобы ученики получили ответ и при этом у них не возникало бы ощущения, что речь идет о чем-то запретном или неприличном. Это высочайшее искусство школьной педагогики, и владеют этим искусством очень немногие. Если педагог ответит неграмотно, неумело, неосторожно, директору тут же донесут, что учитель литературы растлевает несовершеннолетних своими разговорами.

— Но как же... — Елена совершенно растеряна. — Ведь я ничего такого не сказала при всем классе, я велела ученице подойти ко мне после урока. Никто не слышал моих объяснений, кроме нее самой.

— Во-первых, дорогая Елена Олеговна, эта самая ученица придет домой и перескажет маме с папой то, о чем вы с ней беседовали. Думаю, что они очень сильно возмутятся, пойдут к директору или позвонят и потребуют принять к вам меры. Во-вторых, среди тридцати учеников данного класса наверняка найдется тот, кто расскажет либо родителям, либо еще кому-то из учителей, что ученица Ирочка задала вот такой смешной вопрос. Или, как вариант, ученик спросит у родителей, что такое «птичий грех», а то Ирочка спросила у учителя на уроке, а учитель не ответил, велел ей подойти на переменке, а интересно же! Уверяю вас, даже в те времена информация проходила достаточно быстро. Если записанный на уроке ролик оказался бы в телефоне директора уже через пять секунд, то сорок лет назад на это потребовались бы максимум сутки. Максимум! А возможно, все стало бы известно уже в течение часа. Подумайте, Елена Олеговна, может быть, вы предложите нам другой вариант вашей тактики на уроке? Такой, чтобы не рисковать своим профессиональным благополучием.

Лицо Елены просветлело.

— Когда она задаст вопрос, я поверну все так, как будто она сама... Ну, типа, сама дура. Тогда ни у кого не возникнет ощущения, что Ира спросила о чем-то неприличном, о чем нельзя говорить вслух на уроке.

— Сформулируйте, пожалуйста, в виде прямой речи, — потребовала Галина Александровна.

Эта часть получилась у Елены намного лучше, девушка снова обрела напористость и говорила довольно убедительно, если не вслушиваться в слова, а ориентироваться только на интонации. Интонации недвусмысленно свидетельствовали о том, что учитель крайне разгневан тупостью и нерадивостью своей ученицы, которая подавала такие надежды и которую всегда ставили в пример всему классу, а она оказалась невнимательной, плохо прочитала роман, сделала из него неверные выводы и вообще ничего не поняла, обращая внимание на незначительные мелочи и не видя глобального замысла автора — классика советской литературы.

— И еще я бы сказала, что Ире рано интересоваться такими вопросами, пусть лучше думает об учебе, — закончила свое пламенное выступление менеджер по продажам.

— И что произойдет на следующий день? — поинтересовалась Галина Александровна.

— Ничего...

— Ошибаетесь, товарищ учитель. На следующий день вашу ученицу Ирочку вызовет к себе директор.

— Но за что?! — снова воскликнула Елена. — Ее-то за что?

— За то, что интересуется вопросами, которыми ей интересоваться рано. Она комсомолка, значит, должна быть морально безупречна и не имеет права в свои шестнадцать лет думать о сексе и уж тем более говорить о нем на уроке литературы. Причем не какой-нибудь там зарубежной литературы, созданной на загнивающем Западе, а литературы великой и советской. Персональное дело комсомолки Ирочки будет вынесено на повестку дня ближайшего комсомольского собрания, ее будут «разбирать», всячески стыдить и унижать, после чего, вполне возможно, проголосуют об исключении ее из комсомола. Вы, Елена Олеговна, понимаете, что означает исключение школьника из рядов комсомольской организации?

— Нет...

Профессор сделала паузу, обводя глазами молодых участников.

— А кто-нибудь из вас это представляет? Вы вообще в курсе, кто такие комсомольцы и что такое «комсомольское собрание»?

Молчание было ей ответом. Потом послышался неуверенный тихий голосок Натальи:

— У Галича песня была... Про это?

Галина Александровна посмотрела на Назара, тот согласно кивнул.

— «Ой, да что ж тут говорить, что ж тут спрашивать...» — да, приблизительно про это, только там партсобрание, на котором разбирают моральный облик мужа, изменившего жене, но сути не меняет. Можно считать, что одно и то же, по форме и по содержанию все одинаково было.

— Спасибо, Назар Захарович. — Профессор плавно и величественно повернула голову и снова уставилась на молодежь. — Выходит, никто, кроме Натальи, даже приблизительно не представляет себе, о чем идет речь? Тогда кратко объясню. Ирина, вы можете сесть, а вы, Елена Олеговна, постойте пока, мы с вами еще не закончили. Членство в комсомольской организации является обязательным для поступления в высшее учебное заведение, по крайней мере, в столице страны. Если ты не комсомолец и никогда им не был, у тебя есть шанс поступить в институт, если ты гений или у тебя родители на очень высоких должностях. На самых высоких, — выразительно подчеркнула она. — Но если ты был комсомольцем и тебя исключили, проще говоря — выгнали за неподобающее советскому комсомольцу поведение, то ты не поступишь никогда и никуда. Вот теперь, дорогая Елена Олеговна, подумайте как следует, какая судьба ждет вашу ученицу Ирочку, если вы поступите так, как собирались. Вы сломаете жизнь девочке, и только лишь потому, что оказались не готовы к ее вопросу. Может быть, вы найдете какой-то другой выход из ситуации, более приемлемый?

Елена снова подумала и удрученно призналась:

— Тогда я не знаю... Не знаю, что делать.

— Прекрасно. — Галина Александровна хлопнула в ладоши. — Учитель признал свое поражение, теперь мы выслушаем соображения других участников о том, как выйти из предложенной ситуации с наименьшими потерями. Кто хочет высказаться?

Несколько человек попытались заговорить одновременно, и профессор недовольно поморщилась, подняв руку в запрещающем жесте.

— Я предупреждала: никакого базара. По очереди. Поднимайте руки.

Марина оказалась первой, кто взмахнул ладонью.

— Если бы я оказалась на месте учителя, я бы постаралась перевести разговор вообще на другое, — торопливо заговорила она, словно опасаясь, что ее перебьют и не дадут изложить мысль. — Сказала бы, что роман написан очень давно и события в нем — столетней давности, в те времена люди жили совсем по-другому, у них были другие обычаи и порядки, которые нам уже непонятны, и словами они пользовались такими, каких мы никогда не слышали. Ну, то есть я бы сказала, что «птичий грех» — устаревшее выражение, и никто сегодня уже не знает в точности, что оно обозначает, но в романе в принципе много такого, и тут же привела бы пример со свадьбой, всякими гуляньями, песенками и частушками. Или про ярмарку — тоже там много такого, чего в наше время уже нет и объяснить, почему оно было так, а не по-другому, уже никто не может.

Кажется, эта девушка с ядовито-малиновой прядью в каштановых волосах была очень довольна собой. А вот Галина Александровна довольной не выглядела.

— Принимаю ваш ответ, — сказала она. — Каковы последствия?

— Так в том-то и дело, что при таком ответе никаких последствий не будет!

— Вы уверены?

— Конечно!

— Рассказываю. — Профессор скупо улыбнулась. — Могут иметь место два варианта. Поскольку вы на конкретный вопрос о конкретном выражении не ответили, ученик — любой из класса, не обязательно тот, кто задал вопрос, а вообще любой — может этим не удовлетвориться и продолжать интересоваться. У родителей, у других учителей, да у кого угодно. Обычно если собеседник подростка является старшим, то он, прежде чем отвечать на неудобные вопросы, спрашивает: а где ты услышал это слово? Ребенок скажет, что прочитал в книге, которую задал учитель литературы. Ответа ребенок может в этом случае и не получить, а вот учитель литературы свое наказание получит непременно, в этом можете не сомневаться.

Марина смотрела на культуролога с туповатым недоверием.

— Второй вариант, — невозмутимо продолжала та. — Подросток придет домой и скажет родителям, что учителя в школе сами ничего не знают и на вопросы ответить не могут. И поведает о том, что и как произошло на уроке литературы. Да, ребенок сделал вывод из слов учителя, что в книге много такого, что давно устарело и потеряло актуальность, поэтому интересоваться этим смысла нет, и с этой точки зрения решение, предложенное Мариной, безусловно, конструктивно и целесообразно. Но ребенок составил представление о том, что учитель знает далеко не все даже в рамках преподаваемой дисциплины, и учитель в его глазах мгновенно утратил авторитет, что в принципе недопустимо. Более того, это свое представление подросток принес домой и поделился им с родителями, которые вполне могут возмутиться некомпетентностью педагога и пойти жаловаться к директору. О том, что произойдет дальше, я уже рассказывала, повторяться не стану. Так что, увы, Марина, ваше предложение оптимальным не является. Пожалуйста, Артем, слушаем вас.

— Правильно ли я понимаю, что вы предложили нам патовую ситуацию?

Нет, мне решительно нравился этот молодой человек, который всегда стремится правильно понять суть, все уточнить и только потом высказывает свое мнение!

— Иными словами, — продолжал он, — либо пострадает учитель, либо ученик. Так?

— Так, если никто не придумает, как спасти положение. Пока что из всех высказанных предложений вытекает необходимость кем-то из них пожертвовать.

— Спасибо. Я подумаю.

— Конечно. Кто следующий? Прошу, Евдокия.

Немногословная Евдокия, в которой мой друг Назар был полностью уверен, заговорила, не поднимая глаз от поверхности стола:

— Прежде чем изобретать решение, учитель должен расставить приоритеты. Если жертва неизбежна, учитель должен сам для себя ответить на вопрос, что для него важнее: спасти собственную трудовую биографию любой ценой, пусть даже для этого придется загубить жизнь подростка, или спасти ученика, пожертвовав своей репутацией. С одной стороны, у учителя могут быть маленькие дети или нетрудоспособные больные родители и рисковать работой он не может. С другой стороны, подставить ни в чем не повинного ученика означало бы утратить самоуважение к себе как к личности и как к педагогу, расписаться в профессиональной несостоятельности. Выбор решения зависит от того, что́ для данного учителя является приоритетным.

— Замечу, что работой как таковой учитель не рискует, — возразила Галина Александровна. — Безработицы в советское время не было. Да, из школы такого учителя могли бы выгнать, это правда. И, вполне возможно, с такой характеристикой, что ни в какую другую школу его уже не возьмут. Но он — специалист с высшим образованием, закончил педагогический институт, и его могут взять, например, учителем в специнтернат, расположенный далеко от столицы и вообще от любого крупного города, или в колонию для несовершеннолетних, поскольку в таких колониях обязательно есть общеобразовательные школы. Без работы он не останется, вопрос только в том, где, как далеко от своего родного города и на какой должности он будет работать, кому будет преподавать. Извините, что перебила вас, Евдокия, продолжайте, пожалуйста.

— Ну, в общем, я все сказала. Если нужно ответить, как поступила бы я, то я после урока сама пошла бы к директору, все рассказала, написала бы заявление об уходе и начала бы искать работу... Такую, как вы сказали: далеко и в непрестижном месте, где имеется кадровый голод.

— А ученику на уроке что ответили бы?

— Правду. Как есть — так и объяснила бы. Ученик пострадать не должен, я сама виновата, что просмотрела этот момент, упустила, недодумала, так что если я чем-то пожертвую — это будет только справедливо.

Взметнулась рука Сергея.

— Не понимаю, почему обязательно нужно жертвовать? — сердито заговорил он. — Можно просто не участвовать в этом балагане. Ничего директору не говорить, но, как и сказала Евдокия, сразу после урока пойти и написать заявление об уходе. Если родители учеников о чем-то узнают и стукануть, то меня там уже не будет, наказывать некого.

Галина Александровна снова улыбнулась, на этот раз не так скупо, даже весело.

— А трудовое законодательство? Вы после подачи заявления об уходе обязаны отработать как минимум две недели, чтобы вам успели найти замену. Но это так, для других. А для вас лично, поскольку вы учитель, правила иные: до окончания учебного года вас никто никуда не отпустит. Замечу к слову, что Горького в школах проходили в первом полугодии, приблизительно в сентябре-октябре, так что ваше увольнение откладывается до июня, это самое раннее. А до июня, уверяю вас, может много чего произойти.

— Хорошо, а если я просто напишу заявление и уйду? Не буду отрабатывать эти две недели, а сразу начну искать новую работу, что случится?

— Вы не сможете найти никакую работу, потому что у вас на руках не будет трудовой книжки. С вами просто никто не станет разговаривать.

— А я скажу, что потерял трудовую.

— Тогда вас попросят принести справку с предыдущего места работы. И заодно спросят, почему вы не сообщили об утрате книжки в отдел кадров там, где вы работали, и не написали заявление с просьбой восстановить документ.

— Да ладно, я придумаю что-нибудь, не сомневайтесь!

— Допустим, вы придумали, и допустим, вам поверили. Я даже готова допустить, что вы произвели на руководителя и на кадровика хорошее впечатление и они захотели взять вас на работу. Они спросят, почему вы ушли из школы посреди учебного года. И вам придется что-то объяснять, причем причина должна быть уважительной. Учитель, бросающий своих учеников в разгар учебного процесса, не пользуется уважением и доверием. Кроме того, вы должны будете принести характеристику, составленную и подписанную директором той самой школы, из которой вы так постыдно и поспешно сбежали. Можете себе представить, что будет в ней написано, если поступить так, как вы предлагаете? Поверьте мне, Сергей: с такой характеристикой вас не возьмут ни в одно учреждение, связанное с педагогикой и воспитательным процессом.

Юноша помолчал, пожевал губами, рассматривая кисти рук.

— А если искать работу, не связанную с педагогикой?

— Например? — осведомилась профессор.

— Ну, я не знаю... Грузчиком, например, или дворником... Или менеджером в какую-нибудь компанию.

— Менеджеров не было, компаний тоже. Грузчиком или дворником — пожалуйста, но труд тяжелый, окружение сильно пьющее, зарплата маленькая. Вас это устроит?

Пожалуй, мне кое-то становится понятно в этом мальчике... Заявил, что он грузчик, хотя образование явно хорошее, речь тоже неплохая. Решение, которое он предлагает, заставляет думать, что он работал на приличной и высокооплачиваемой позиции, но в силу каких-то обстоятельств вынужден был уволиться и стать грузчиком. Наверное, именно так он и увольнялся: положил на стол заявление, не дожидаясь, когда поиски новой работы принесут результат, то есть ушел в никуда. Резкий парнишка, имеет обыкновение уходить сразу, хлопнув дверью, не размышляя и не пытаясь найти более мягкий и оптимальный вариант решения проблемы.

— Не устроит... Тогда я просто сменю профессию.

— Как именно? У вас диплом учителя литературы, вам не позволят преподавать другой предмет.

— А я вообще не буду преподавать, я найду что-то по другой специальности.

— Для работы по другой специальности нужен другой диплом.

— Я его получу.

Уверенности в своих силах Сергею не занимать, он молодец! И крутых перемен в жизни, кажется, не боится. Славный парень! И очень неглупый.

— Как вы его получите?

— Поступлю в институт, как все.

— То есть будете учиться и работать?

— Нет, работать не буду, зачем? У меня достаточно денег, я накопил, пока работал в школе, буду просто учиться.

— Невозможно. — Галина Александровна покачала головой. — Получить образование бесплатно на очном отделении можно было только один раз, и вы его уже получили. Второе и все последующие образования должны получаться либо на вечернем отделении, либо заочно. Даже если первое образование вы получали, будучи вечерником или заочником, второе образование на дневном отделении вам не положено.

— Но я же не бесплатное образование хочу получить! Я поступлю на коммерческое отделение, заплачу деньги и буду учиться где хочу, хоть на дневном, хоть на каком!

— Не заплатите и учиться не будете, — хладнокровно отпарировала профессор.

— Это почему?

— Потому что коммерческого образования нет. Есть только государственное, бесплатное, и для его получения установлены жесткие правила.

— А как же тогда?.. Ну ладно, тогда пойду работать и буду учиться на вечернем.

— Где собрались работать? На какой должности?

— Не знаю...

— Грузчиком или дворником?

— А почему нет? Нормальная работа, не хуже других, — огрызнулся Сергей. — Можно на завод, слесарем.

— Вы не умеете. Чтобы работать слесарем, нужно как минимум закончить профтехучилище. На завод можно, конечно, но только разнорабочим. И все то же самое: тяжелый физический труд, пьющее окружение, маленькая зарплата. А у вас семья, дети, их нужно содержать и кормить. Так что вряд ли вы согласитесь на совсем уж любую работу. Так как, Сергей? Вы все еще намерены швырнуть на стол директора школы заявление об уходе?

— Не знаю... Я не вижу выхода, — признался он.

— Хорошо. Кто следующий?

Следующим оказался бородатый хипстер Тимур, который, кажется, не склонен был видеть трудности и проблемы ни в чем.

— Если б меня поперли из школы, я бы не работал, да и всё, — беззаботно заявил он. — Я и сейчас не работаю. Жил бы на деньги предков и не парился.

— А откуда у ваших родителей деньги? — поинтересовалась Галина Александровна.

— Оттуда же, откуда и сейчас. У них бизнес, денег полно.

— А бизнеса нет. Есть только государственная служба. И доходы на ней не такие огромные, как в бизнесе. То есть существовать на родительские деньги вам пришлось бы более чем скромно. С голоду не умерли бы, конечно, но никаких излишеств. Я видела, вы приехали сюда с фотоаппаратом «ЛОМО», так вот фотоаппарата такого у вас совершенно точно не было бы.

— Да? Ч-черт, неожиданно... Тогда...

— Погодите, Тимур, это еще не всё. Вы главного не знаете: вам никто не позволил бы жить, нигде не работая. Работать вы обязаны, если не достигли пенсионного возраста и не являетесь инвалидом.

— Что значит — обязан? — опешил мальчишка. — А если я не хочу?

— Никого не интересует, чего вы хотите или не хотите. Есть закон.

— А что будет, если я не буду работать? Вот не хочу — и не буду.

— Вас посадят.

— Что?! Как это?

— Очень просто. Осудят по статье Уголовного кодекса за тунеядство и отправят в исправительно-трудовую колонию.

На лице Тимура было написано такое изумление, словно в комнату только что влетели инопланетяне на летающей тарелке.

— Вы что, серьезно?

— Серьезнее не бывает.

— Да ладно! — Он недоверчиво прищурился. — Быть этого не может!

— Может. И действительно было. Когда вернетесь домой и доберетесь до интернета, найдите Уголовный кодекс РСФСР и почитайте статью двести девять. А заодно и Трудовым кодексом поинтересуйтесь, там четко прописано, в течение какого времени человек имеет право нигде не трудиться, пока ищет другую работу. Всего один месяц, не больше. Если перерыв окажется хоть на один день длиннее, чем указано в законе, прерывается трудовой стаж.

— И чего тогда?

— От стажа зависит размер пенсии. Стаж прервался — пенсия будет существенно меньше. Так что лоботрясничать и делать вид, что ищете работу, можно было совсем недолго, имейте это в виду.

— Да-а, фигово, — протянул Тимур. — Тогда ничего не поделаешь, придется ученика сдать, пусть отдувается, а я останусь работать в школе.

— Больше ничего не предложите?

— Да что тут предлагать... Тупик прямо какой-то... Выхода нет.

— Спасибо.

Оксана и Цветик сидели притаившись, как мышки. Роман они не читали, поэтому боялись попасть впросак со своими предложениями. Да и вряд ли они были, предложения эти. Наташа тоже вела себя тихо, руку не тянула, поделиться соображениями не стремилась, хотя по ее лицу я видел ясно, что какое-то решение у нее есть. Любопытно, какое?

Галина Александровна предоставила возможность высказаться Артему, который первым задал вопрос и все остальное время сосредоточенно что-то обдумывал.

— Я не сторонник принесения в жертву ни учителя, ни ученика, — неторопливо заговорил Артем. — Если бы я оказался на месте этого учителя, то постарался бы дать такое объяснение понятию «птичий грех», которое не выходило бы из рамок цензуры и при этом вписывалось бы в контекст. Например, сказал бы, что в те времена в семьях, впрочем, как и сейчас, сноха, то есть жена сына, всегда подвергалась гонениям, критике, а иногда и издевательствам. В подтверждение напомнил бы о распространенности анекдотов об отношениях свекрови и снохи, а также зятя и тещи. «Птичий грех» есть не что иное, как дурное и жестокое обращение родителей сына с его женой. В описанной Горьким ситуации говорится именно о том, что любовные отношения между Ильей Артамоновым и Ульяной Баймаковой сделают Илью мягче, добрее, он будет больше внимания уделять Ульяне, своей любимой женщине, и не станет терзать дочь Ульяны, Наталью, свою сноху, не станет лезть к ней с критикой, замечаниями и поучениями. Такая трактовка вполне допустима исходя из контекста. А то, что она не вполне правдива, пусть останется на совести учителя. В конце концов, это лучше, чем поставить под угрозу благополучие и собственной семьи, и себя самого, и ни в чем не виноватого ученика.

Очень разумно! И достаточно изящно, как мне кажется. Особенно понравились мне соображения Артема о необходимости «вписаться в контекст романа». Положительно, у этого парня отличные мозги.

— Наташа у нас молчит, — мягко произнесла Галина Александровна. — Вам нечего сказать? У вас нет никаких идей?

— Есть, но... Ладно, я скажу. В общем, я согласна с Сергеем и с Евдокией, я бы тоже поступила, как они. Сразу после урока пошла бы и уволилась. Директору сказала бы, что ученица не виновата, что я сама совершила ошибку. Только дальше я бы не стала делать так, как предлагают Евдокия и Сергей, не пыталась бы найти работу по специальности, а завербовалась бы в какую-нибудь экспедицию и уехала в тайгу.

Ничего себе! Современная девочка, с рождения окруженная интернетом и девайсами, собралась в тайгу, где ничего этого нет?

— Чтобы работать в экспедиции, нужно иметь образование, быть, например, археологом, геологом, нефтяником, — заметила наш профессор.

— Ничего, люди без образования там тоже нужны.

— Нужны мужчины, физически сильные рабочие, если без образования.

— Повара тоже нужны. Я готовить умею.

— Хорошо, я приму ваш ответ как вариант выхода из ситуации, — кивнула Галина Александровна. — Но что будет, когда вы вернетесь из экспедиции?

— Завербуюсь еще в одну.

— И так до самого конца?

— Да. Я хочу жить в тайге, где только природа, деревья, цветы, звери... А людей и всей этой глупости с инстаграмом там нет. Там по вечерам разжигают костер, сидят вокруг него и разговаривают о... В общем, не о том, о чем в интернете.

Ну, все понятно. Девочка, как и предполагал мой прозорливый друг Назар, хочет найти тот мир, который живет по законам романтических самодеятельных песен шестидесятых–семидесятых годов. Замечательная девочка!

— Есть еще желающие высказаться? — Галина Александровна наконец дала себе волю и уставилась черными немигающими глазами в упор на сидящих рядышком Алексея-Цветика и Оксану. Парочка как-то сжалась и постаралась стать как можно более незаметной. — Если больше ни у кого соображений и решений нет, переходим к следующему вопросу. Вопрос задаст Ирина, а вот учителем на этот раз будет...

Профессор откровенно развлекалась, переводя взгляд с Цветика на Оксану. Больше ни на кого она не смотрела. Молодые люди в торце стола замерли.

— Учителем будет... Алексей. Прошу вас.

Вообще-то мы планировали Оксану, но я вспомнил сам вопрос, который сейчас задаст Ирина в роли ученицы, и подумал, что выбор культуролога, пожалуй, более удачен, чем наш первоначальный. Пусть мальчик отвечает, вопрос-то чисто мужской, к девочке даже трудно будет предъявить претензии, если она не сможет внятно объяснить трудное место.

Цветик поднялся, храбро улыбнулся и сделал вид, что ему все нипочем и он готов к любым испытаниям. Ирина тоже встала, снова одернула блузку и сделала бровки домиком.

— Алексей Валерьевич, а за что Петр Артамонов убил ребенка?

На дальнем от Алексея конце стола грохнул дружный хохот. Сергей протянул руку Артему, хлопнул по его ладони.

— В чем дело? — недовольно спросила Галина Александровна.

— Извините, — проговорил Артем, широко улыбаясь, — мы приносим свои извинения, господа, мы больше так не будем.

— И все-таки, что случилось? Что вас так насмешило?

— Да я Сергею предложил угадать, о чем будет второй вопрос, и он назвал именно этот, а я не угадал, я думал, вопрос будет другим. Еще раз извините, мы не сдержались.

Я с трудом подавил удовлетворенную улыбку. Да, Артем и Сергей — просто находка для моего замысла. Оба соображают быстро, но мыслят в разных направлениях. Именно то, что нужно.

— Извинения принимаются, но постарайтесь в дальнейшем не нарушать порядок. Итак, Алексей, вопрос задан, мы ждем ваш ответ.

— Я... Я не помню точно, что там произошло, — пробормотал Цветик. — Вы дали слишком мало времени, я читал быстро, чтобы успеть. Наверное, не заметил. Или забыл. Но вы сами виноваты, дали всего один день. Если бы два-три дня, то я бы не торопился и читал более внимательно.

— Вы не поняли, Алексей, — со всей возможной мягкостью проговорила Галина Александровна. — Вы не на экзамене, и отвечаете вы не преподавателям, которые должны проверить уровень ваших знаний. Вы отвечаете ученику на уроке. Вы — учитель и должны априори знать ответы на все вопросы в рамках вашего предмета. Ответ «я не помню» недопустим. Ищите другие варианты.

— У меня нет вариантов, — буркнул веб-дизайнер. — Я не помню. Считайте, что я сдался.

— Вот так и сдались, даже без попытки боя?

— А чего тут пытаться... Ясно же, что уровень я не прошел.

— И что теперь?

— Надо перезагрузиться и снова войти в игру.

— Хорошо. — Галина Александровна демонстрировала чудеса сговорчивости. — Даю вам такую возможность. Ирина, будьте любезны, переформулируйте вопрос.

Актриса заглянула в лежащий поверх книги листок.

— Алексей Валерьевич, я не поняла, за что Петр Артамонов убил подростка. В книге написано, что за детский грех, но я не знаю, что это такое.

Бедные Артем и Сергей! Они буквально корчились от хохота, напрягаясь изо всех сил, чтобы не издать ни звука. Теперь к ним присоединился и Тимур, которому тоже стало весело. Девушки реагировали по-разному, и сразу можно было определить, кто из них внимательно читал роман, а кто не читал вовсе. Наталья, Евдокия и Марина сидели, опустив глаза, Елена и Оксана недоуменно переглядывались.

Услышав о «детском грехе», Цветик вздохнул с облегчением, ему показалось, вероятно, что найти приемлемый ответ нетрудно. Вон с «птичьим грехом» как ловко разобрались! И он сумеет не хуже.

— Детский грех — это шалость, которую можно простить ребенку. Ребенок же маленький, он еще не понимает, что такое хорошо и что такое плохо. Ребенок может, например, взять чужую вещь, у взрослых это называется кражей, а ребенка мы же не посадим в тюрьму за это, мы его накажем и объясним, что брать чужое нельзя.

— Но в книге ничего не написано про то, что мальчик взял что-то чужое, — упорствовала настырная ученица Ирочка. — Там такого нет.

— Я просто привожу пример того, что называется «детским грехом», — продолжал разглагольствовать Цветик. — Маленькие дети часто говорят неправду, нарушают запреты и вообще делают много такого, что для взрослого человека непростительно или считается грехом. Но детям мы все это прощаем. Вот за такой проступок Артамонов и убил мальчика.

Ему казалось, что он отлично выкрутился, во всяком случае, вид у Цветика был весьма самодовольный.

— Неужели за это можно убить? — На выразительном лице нашей актрисы смешались недоверие и ужас.

— В те времена — да, такое случалось.

— Но я все равно не поняла, Алексей Валсрьевич, какой проступок можно было совершить в сарае? Ведь Артамонов застал мальчика в сарае, и написано, что мальчик занимался там детским грехом. Вот я и думаю, чсм таким он мог заниматься? Может, лобзиком выпиливал?

— Или крестиком вышивал, — вставила Марина ехидным голоском.

— Тишина! — прикрикнула профессор.

Лицо Алексея медленно багровело: до него начало доходить, о чем шла речь в романе Горького. И что делать с таким вопросом, еще более, пожалуй, скользким, чем вопрос о сексе между свекром и снохой, юноша сообразить не мог.

— Я сдаюсь, — выдавил он, наконсц. — Ничего не могу придумать.

— Прекрасно. Вы можете сесть. Следующий учитель — Марина. Прошу.

Второй вопрос занял намного меньше времени, ибо не пришлось заново объяснять условия задачи и советские правила игры и рассказывать про комсомольское собрание и карьерные перспективы. Кроме того, все участники в основном поняли, ответы какого рода не принимаются, и решение, предложенное Евдокией, показалось всем, в том числе и мне самому, наиболее приемлемым.

— Ничего нельзя пускать на самотек, — заявила девушка, когда настала ее очередь играть роль учителя. — Прежде чем приступать к изучению какого-то произведения, учитель должен внимательнейшим образом его проработать, и если в нем есть такие места, которые могут вызвать неудобные вопросы, нужно заранее получить инструкцию о том, что в таких случаях делать, как отвечать на вопрос.

— Как вы думаете, кто мог бы дать учителю литературы подобную инструкцию?

— Не знаю... Наверное, директор школы. А кто еще?

— Директор может быть учителем физики или биологии по образованию, он не обязан разбираться в литературе. Но мыслите вы конструктивно. Для тех, кто не знает, скажу, что существовала организация под названием Управление народного образования, это на уровне города или области, ей подчинялись Отделы народного образования, они были в каждом районе. И в этих организациях существовали инспекторы, можно было обратиться к ним, но ответа они наверняка не знали, зато могли переадресовать вопрос учителя в республиканское Министерство просвещения, которое разрабатывало и утверждало школьные программы по всем предметам. Либо министерские чиновники спохватятся и исключат неудобное произведение из списка обязательных для изучения, либо дадут рекомендации, как отвечать на вопросы. Тогда учитель будет во всеоружии и не попадет в положение, при котором придется жертвовать либо своей карьерой, либо будущим ученика.

Все согласно загудели и заулыбались. Евдокия не была последней, пока еще не высказались Сергей и Елена, но оба сразу заявили, что ничего лучше придумать все равно не смогут.

— Два паса — в прикупе чудеса, — пробормотал тихонько Назар.

— Что? — переспросил я.

— Не обращай внимания, поговорка такая есть у преферансистов.

Взметнулась рука Сергея. Неужели он все-таки придумал вариант получше?

— Хочу спросить: а в советское время Достоевского в школе проходили?

— Проходили, — кивнула Галина Александровна.

— Какие произведения?

— «Преступление и наказание» являлось обязательным для прочтения и изучения, обо всех остальных произведениях учитель и учебник рассказывали в краткой форме.

— А «Бесы»?

— «Бесы» обязательной литературой не являлись.

— Тогда я не понимаю: если решение, которое предложила Евдокия, действительно оптимальное, то почему им никто не воспользовался? Ну ладно, допустим, «Бесов» не проходили и про педофилию Николая Ставрогина дети не прочитали. Но ведь по Свидригайлову ученики могли задать точно такие же вопросы. Неужели учителя не боялись? Почему ваше министерство разрешило подросткам изучать «Преступление и наказание»? Или у учителей были на этот счет какие-то правильные инструкции?

Пресвятая Дева! Выходит, среди девятерых молодых людей нашелся все-таки один, который хотя бы приблизительно помнил школьную программу. Это огромная удача, ведь Галина Александровна предупреждала, что, скорее всего, не найдется ни одного.

Культуролог вздохнула.

— Поскольку я не нахожусь в данный момент на позиции учителя в ролевой игре, то скажу вам честно и прямо: у меня нет ответа. Я не знаю. И никогда не пыталась это выяснить. Но поскольку сама жила в то время и хорошо его помню, рискну предположить, что инструкция вполне могла быть. Какая-нибудь секретная, с грифом ограниченного распространения. Но точно так же вероятно, что никакой инструкции не было. Существовало убеждение, что советские дети чисты и невинны по определению, а у комсомольца в шестнадцать лет не могло возникнуть никаких грязных мыслей, тем более о таком отвратительном и позорном явлении, как педофилия.

— Да ладно, — недоверчиво протянул Цветик. — Быть такого не может! Все дети уже лет в десять порнуху смотрят тайком от родителей, в интернете полно сайтов, смотри — не хочу. А в шестнадцать все уже вообще полностью в курсе обо всем и имеют собственный богатый опыт.

— Напоминаю, — сердито отозвалась Галина Александровна, видимо, раздосадованная невнимательностью веб-дизайнера, — интернета не было. И порнофильмов не было тоже. Они существовали где угодно, только не в советском пространстве. Алексей, я была бы вам признательна, если бы вы все-таки слушали объяснения, которые здесь даются, и не вынуждали меня тратить время на повторение.

Я кратко подвел итог и объявил перерыв на обед.

— А после обеда что будет? — спросили разом несколько человек.

— Увидите.

— Опять будем в школу играть? — презрительно усмехнулась Елена.

— Будем проверять креативность вашего мышления, — ответила профессор. — Ждем вас в четырнадцать часов, прошу не опаздывать.

* * *

За обедом к Наташе и Маринке подсел Артем, следом за ним подтянулся Сергей.

— Девчонки, а что вы вообще помните про Горького? — спросил Артем. — Я, например, помню только роман «На дне», больше мы ничего не проходили.

— Это пьеса, — тихо поправила его Наташа, стараясь не издавать неподобающих звуков при поедании супа. Маринка всегда ругала ее за то, что девушка громко прихлебывала. Ну а как еще втянуть в себя жидкую еду с ложки? Наташа очень старалась научиться вести себя за столом прилично, но пока ничего не получалось.

— Да? — удивился Артем. — Надо же... Ну ладно, пусть будет пьеса. Я уже все забыл, помню только, что там есть Лука, а мы должны были писать сочинение о том, прав ли он и нужно ли обманывать человека, чтобы облегчить его страдания. А вы что помните?

— Я помню, что еще была какая-то «Старуха Изергиль», мне название понравилось, а что там и почему — забыла сразу же, как только ЕГЭ сдала, — отозвалась Маринка.

— Я вообще ничего не помню, — признался Сергей. — В голове осталось только, что в честь Горького переименовали Нижний Новгород, потому что он там родился. А ты, Наташа, что скажешь?

Наташа отодвинула тарелку с недоеденным супом, хотя рассольник очень любила: не хотелось рисковать и выглядеть невоспитанной. Лучше уж котлеты с серым водянистым картофельным пюре, это блюдо безопасное, хлюпать нечем.

— Я помню все, что в школе проходили. То есть я хочу сказать, что помню названия и примерно про что. Но ничего больше не читала, кроме того, что по программе.

— Понравилось? — с живым интересом спросил Артем.

Она покачала головой:

— Нет, если честно. Скучно очень.

— Да что там может понравиться-то? — воскликнула Маринка, двумя пальцами вытаскивая изо рта рыбью косточку и пристраивая ее на край тарелки.

«Хорошо, что я взяла котлеты, а не рыбу, — мелькнуло в голове у Наташи. — Попалась бы мне кость, и Маринка стала бы прилюдно делать замечания и отчитывать. И перед парнями неудобно. Артем этот странный какой-то, непонятный, а вот Сережа такой симпатичный...»

— Муть и отстой, — продолжала Маринка. — Вообще непонятно про что. Хорошо бы узнать, в чем тут замутка. Вам никто не говорил?

— Мне — не говорили, — ответил Сергей.

— Мне тоже не сказали, — подхватил Артем. — А насчет того, что будет после обеда, тоже никто не в курсе?

Никто из них ничего не знал. Какое-то время все четверо пытались строить предположения о содержании следующего этапа испытания, потом Маринка перехватила инициативу и начала выпытывать у молодых людей, что им известно о руководителе проекта, Ричарде Уайли. Почти сразу выяснилось, что девушки знают несколько больше, они хотя бы поискали информацию в интернете и прочитали интервью, а парни личностью организатора не озаботились, когда еще была такая возможность. О том, сколько человек планируется отсеять, а сколько оставить и пригласить на основное мероприятие, сведений тоже не было.

— Непонятки кругом, — констатировал Сергей. — Никто ничего не объясняет и не рассказывает. Как-то подозрительно это.

— Да брось, — Артем допил компот светло-желтого цвета, потряс стакан, чтобы в рот скатились две одинокие изюминки, — завтра все узнаем. Ничего подозрительного я не вижу, нормальные разговоры, ролевые игры. Наоборот, очень интересно узнать про то время. А тебе самому неужели не интересно?

— Не-а, — мотнул головой Сергей.

— Зачем же ты приехал? Зачем заявку подавал?

— Мне перекантоваться нужно где-то.

— А-а, понял, личные проблемы. А вам, девчонки, интересно?

— Очень! — дружно ответили девушки.

Сергей отодвинул стул, поднялся, взял со стола пластмассовый поднос с тарелками, из которых ел. Следом за ним то же самое сделал и Артем.

— Приятного аппетита, а мы пойдем на лестницу покурим. До встречи!

Девушки проводили их глазами.

— Приятные мальчики, — осторожно заметила Наташа.

Маринка поморщилась.

— Ой, да перестань! Сопляки совсем. И наверняка нищие. Никакого толку от них. Если хочешь мой совет — обрати внимание либо на переводчика, либо на психолога. Переводчик, конечно, жиртрест, но зато наверняка окажется легкой добычей, у таких всегда проблемы с женщинами, никто на толстых не западает. А психолог вообще красавчик, с ним будет потруднее, у него сто пудов баб навалом. Но они хотя бы из Москвы.

— Почему ты думаешь, что из Москвы?

— А я у Галины спросила. Она сказала, что сама она из Петербурга, а все остальные — столичные. Наташ, я серьезно тебе говорю, займись кем-нибудь из этих двоих, они как раз в таком возрасте, когда молодого мяса хочется. Уедешь в Москву, а там уж как-нибудь пристроишься. Главное — начать. А ты сидишь, как ступа, и ухом не ведешь! Ленка эта — вот сто пудов! — уже кого-то себе наметила, она вообще активная, сама видишь.

— Мне Сергей понравился, — робко произнесла Наташа.

— И думать забудь! Нищеброд, — вынесла подруга свой категорический вердикт.

Наташа решила больше этот вопрос с Маринкой не обсуждать. Никогда они не сойдутся во мнении, если вопрос касается парней.

* * *

Когда без пяти два поднялись на четвертый этаж, стоящий в прихожей завхоз Юрий неожиданно указал девушкам на дверь, ведущую не в ту просторную комнату, где проходили предыдущие обсуждения, а в другую, поменьше.

— Девочкам — сюда, — объявил он, загадочно улыбаясь.

Они зашли, сели за стол — самый обычный, обеденный, прямоугольный, вокруг которого стояли шесть стульев. Здесь уже расположились Галина Александровна и Евдокия, Елены и Оксаны еще не было. Перед профессором лежал маленький диктофон.

— А это не нарушение правил? — ехидно спросила Маринка. — Диктофон последней модели, таких в семидесятые годы наверняка не было.

— Это производственная необходимость, — сухо ответила Галина Александровна. — На этой части обсуждения будут присутствовать только женщины. Мистер Уайли должен иметь возможность потом все прослушать.

Глаза Маринки зло прищурились.

— Будете выпытывать интимные подробности? Про первый сексуальный опыт и все такое, как на психоанализе, да? Имейте в виду, мы подопытными мышами у вас не будем! Хватит того, что вы нас заставили про онанизм рассуждать, больше мы ничего такого терпеть не собираемся.

Наташе стало очень неприятно и почему-то стыдно. Она искоса посмотрела на подругу. Маринка всем своим видом демонстрировала праведное негодование. Галина Александровна оставалась спокойной, похоже, Маринкина выходка ничуть ее не задела.

— Ничего такого и не будет. И чтобы вы не стеснялись, мы и разделили юношей и девушек.

— Все равно, если вы заставите рассказывать про интимное, мы уходим, так и знайте.

— Хорошо, так и буду знать.

Евдокия не произнесла ни слова и на девушек не смотрела, листала какой-то старый журнал. Елена и Оксана появились почти одновременно. Когда Оксана протискивалась мимо Наташи на свободное место, девушка уловила вполне явственный запах винного перегара. Не паров, а именно перегара. Надо же! Эта особа вчера, оказывается, успела не только книгу прочитать и с Цветиком пофлиртовать, но и выпить. «Вот бы мне так уметь. Люди столько всего успевают за день, и делами занимаются, и удовольствие получают, а я — полный тормоз, медленная, ни на что времени не хватает», — с внезапной горечью подумала она.

— Все в сборе? — Профессор окинула девушек спокойным и, как показалось Наташе, довольно равнодушным взглядом. — Тогда приступим. Я обрисую вам ситуацию, вы должны предложить ее решение. Действие, как и прежде, происходит в семидесятые годы в России. Чтобы вам было проще, будем считать, что в Москве.

— Почему именно в Москве? Почему не в другом городе? — недовольно спросила Оксана. — Я, например, никогда там не жила и ничего не знаю.

— Вы и в своем родном городе не жили в семидесятые годы, — заметила культуролог, — и о жизни в нем тоже ничего не знаете. Столицу как место действия мы выбрали для того, чтобы вам было легче. Давайте начнем работать, и вы поймете почему. Представьте себе, что вы встречаетесь с молодым человеком, который вам очень нравится и который пригласил вас на свидание. Вы проводите вместе час, другой, третий. И вдруг вы понимаете, что нестерпимо хотите в туалет. Как вы поступите? Оксана, прошу вас ответить.

— А чего тут отвечать-то? — пожала плечами Оксана. — Ну, захотела в туалет — и пошла. В чем проблема-то?

— Куда вы пойдете? В какой туалет?

— Да в любой!

— Например?

— Ну, в любое кафе зайду, в бар, в ресторан, они на каждом шагу. Чего вы...

— Оксана, вы плохо слушали то, что вчера вам объяснял Назар Захарович. Во-первых, кафе, бары и рестораны — не на каждом шагу, их очень мало по сравнению с тем количеством, к которому вы привыкли. Во-вторых, чтобы туда войти, нужно отстоять очередь, это не меньше часа, а обычно и дольше. В-третьих, даже если вы нашли кафе, где очереди нет, что крайне маловероятно, то вам никто не позволит просто зайти в туалет. Пользоваться туалетом имели право только посетители, то есть те, кто сидит за столиком и делает заказ. Девушки, я еще раз напоминаю вам о необходимости быть внимательными и не заставлять меня тратить время на повторение. Итак, Оксана, в какой туалет вы пойдете?

— Если нельзя в кафе, пойду в любой другой.

— В какой? Где вы его будете искать?

— Да господи! — раздраженно воскликнула Оксана. — Ну что за проблема туалет найти! Общественный какой-нибудь. Или в любую парикмахерскую зайду, или в магазин.

— Общественных туалетов на улицах не было. В парикмахерских и магазинах посетителей в туалеты не пускали, они предназначались только для сотрудников.

Наташа слушала, цепенея от ужаса. Она живо представила себе описанную ситуацию. Какой кошмар! Даже если бы туалет был доступен, нужно же как-то объясниться с кавалером, а как? Какими словами? И вообще, это немыслимо! Что парень подумает о ней? Девушка должна быть нежной и воздушной, питаться лепестками роз и запивать их росой, а тут... Такая пошлость...

Но что же делать-то? Неужели вокруг действительно нет ни одного туалета? Нет, не может быть, наверняка есть какое-то очень простое решение, просто Оксана его не видит.

— Ладно, тогда можно зайти в кино. Кино-то было в это ваше тухлое время?

— Было, — слегка улыбнулась Галина Александровна. — Интервал между сеансами примерно час пятьдесят минут, если одна серия. Но пускать в кинотеатр начинают за тридцать минут до начала. То есть если сеанс начался недавно, то придется долго ждать, прежде чем вас впустят и вы сможете пройти в туалет. И, кстати, придется сначала зайти в кассу и купить билет. Не бог весть как дорого, но тоже деньги, самые дешевые билеты на вечерний сеанс стоили тридцать пять копеек, это семь поездок на метро, чтоб вам было понятнее.

— Ну и ладно, я куплю билет и подожду, когда впустят.

— А если вы ждать уже не можете? Дотерпели до крайнего предела и счет идет буквально на минуты?

— Скажу своему парню, что мне нужно в туалет, пусть он сам думает, как решить проблему. Мужчины для того и существуют, чтобы решать проблемы женщин.

— Оксана, вам придется принять во внимание, что в семидесятые годы было не так-то просто для юной девушки объявить своему кавалеру о такой проблеме, — заметила культуролог. — Вероятно, вам трудно это осознать, сейчас все стало намного проще и люди не очень стесняются своих естественных потребностей, но в те времена все было иначе. Тем более в романтической ситуации.

«Вот именно! — подумала Наташа. — Все-таки эта Оксана ужасно тупая, не понимает таких очевидных вещей. Ей, кажется, не в лом сказать парню, что ей нужно в туалет, а я умерла бы от стыда».

Оксана немного подумала, потом снова заговорила:

— Можно сказать парню, что мне нужно поправить косметику или прическу, и пусть он найдет место, где это можно сделать. Мне нужно место, где есть зеркало. Он сам и отведет меня в туалет. Вот и все. Если уж нельзя признаваться, что я сейчас описаюсь, то можно обмануть.

— С косметикой и прической вариант не очень удачный, у девушек не было таких сложных причесок, которые нельзя поправить, просто махнув расческой. И говорить о проблемах прически и косметики своему кавалеру тоже чаще всего не считалось допустимым. Но я готова принять ваш вариант, хотя и с оговорками. Любое правило имеет исключения, и если мы говорим «чаще всего», это не означает «всегда». Итак, вы заявили своему спутнику, что вам нужно поправить прическу, и просите его найти подходящее место. Куда он вас поведет?

— Как куда? В туалет и поведет. В кино или куда там еще...

— До «куда там еще» мы пока не дошли, а киносеанс начнется не скоро. Юноша, поверив в вашу ложь, зайдет с вами в ближайший универмаг и предложит вам воспользоваться примерочной, где прекрасные большие зеркала в полный рост. Что вы будете делать дальше?

— Я... — Оксана совершенно растерялась.

Внезапно глаза ее вспыхнули яростной решимостью.

— Если я совсем не смогу больше терпеть, я написаю прямо там, в примерочной. Меня же никто не видит. Ну что, довольны?

Галина Александровна пропустила последние слова мимо ушей и продолжала опрос как ни в чем не бывало.

— Действительно, вас никто не увидит. Но продавщица может заметить вытекающую из примерочной лужу и ворвется туда, не спрашивая разрешения, а вы в этот момент пребываете в непотребном виде и в неприличной позе. Либо она увидит безобразие, как только вы выйдете оттуда. Результат один в обоих случаях: поднимается страшный крик, вас догоняют и хватают за руку, вас позорят на весь магазин, громко объявляя всем о вашем прегрешении, на вас все смотрят и показывают пальцем. Более того, вас не отпускают, держат, вызывают милицию, на вас составляется протокол за мелкое хулиганство, вам выписывают штраф. А копию протокола отправляют по месту вашей учебы или работы, так что через пару дней ваши соученики или сотрудники узнают о том, что вы отправляли естественные надобности в общественном месте. Вас устроит такое развитие событий? Если нет, то предлагайте другой вариант.

— Нет у меня другого варианта! — с ненавистью выкрикнула Оксана. — Я вообще не понимаю, как можно было так жить! Гестапо какое-то! И вы тут тоже гестапо устроили, пытаете нас, заставляете выдумывать неизвестно что!

Профессор некоторое время молча смотрела на пылающую гневом девушку, потом все так же спокойно сказала:

— Прекрасно. У Оксаны больше нет вариантов. Хотелось бы послушать Марину.

По тому, с какой готовностью Маринка начала говорить, Наташа поняла, что у подруги есть какое-то решение, которое ей самой кажется вполне удачным.

— Я бы затеяла склоку, устроила скандал, развернулась и убежала, чтобы ни в чем не признаваться. Пусть парень думает, что мы поссорились, потом еще будет себя виноватым чувствовать.

— Что, устроили бы скандал на ровном месте? — уточнила Галина Александровна. — Без всякого повода?

— Ну, повод-то всегда найдется, а если не найдется, то можно выдумать, это несложно. Парни — идиоты, всегда можно найти, к чему придраться.

— Я поняла. И что будет дальше? Вот вы убежали. Куда? Проблема-то не исчезла, ее надо как-то решать.

— В ближайший кинотеатр побегу. Если пускают уже, то отлично, а если еще нет, то буду ловить такси, чтобы ехать домой.

— Не все так просто, — усмехнулась профессор. — Во-первых, ловить такси можно очень долго. Во-вторых, поездка на такси стоит денег, которых у юной девушки может не быть. И, кстати, денег на билет в кино у вас тоже может не быть. А на ближайший сеанс все билеты могут оказаться уже проданными, если фильм новый и особенно если он зарубежный, например, французский или итальянский. Да, билеты стоили относительно недорого, но даже таких небольших денег у вас могло с собой не быть, если вы школьница или студентка и не получаете зарплату.

— Ладно, тогда побегу к подружке, подружек-то у меня много, и кто-нибудь обязательно живет неподалеку.

— Вовсе не обязательно, — возразила Галина Александровна. — Город огромный. Если вы школьница, то большинство ваших подружек живет в том же районе, что и вы, а гуляете с кавалером вы в другой части столицы, и расстояние измеряется десятками километров. Если же вы студентка, то ваши соученицы разбросаны по всему городу, и вам может не повезти: рядом никто из них не проживает. До дома далеко, до подружек тоже. Что будете делать?

— Не знаю...

— Спасибо. Наталья, слушаю ваш вариант.

Наташу зазнобило от страха. Маринка, такая умная, всегда знающая, как правильно думать и поступать, всегда руководящая Наташей, признала свое поражение. Кроме того, она совершила ошибку, придумав решение, рассчитанное на поселок, в котором обе они выросли: там действительно до каждой одноклассницы можно было добежать максимум минут за пять. А речь-то о Москве... «Ну как же Маринка могла забыть об этом?! — в отчаянии думала Наташа. — Ведь Галина Александровна предупреждала, чтобы мы всё запоминали и не вынуждали ее тратить время на повторение». Но если уж Маринка не смогла дать удачный ответ и заслужить одобрение своего куратора, то Наташа и подавно будет выглядеть совсем глупой. Правильно Маринка всегда говорила: неприспособленная она. И ногам неудобно — просто ужас! Вчера она надела теннисные тапочки, понимала, что смотрится в них уродливо, но зато день прошел вполне терпимо. А сегодня ей хотелось выглядеть поприличнее, Наташа надела туфли, и ее ноги в этих «испанских сапогах» уже несколько часов стонут и плачут. Она то и дело тайком снимает их под столом, но как только Галина Александровна завершает разговор с очередным испытуемым и наступает очередь следующего, Наташа быстро всовывает ноги в туфли: а вдруг вызовут именно ее и заставят встать? Пока еще никто не вставал, все отвечали с места, но мало ли... Очень больно, но, наверное, надо терпеть... Терпеть...

— Я терпела бы, сколько смогла. Не знаю... Но сказать мальчику, что я хочу в туалет, я бы точно не смогла. Я бы умерла от стыда, если бы пришлось сказать.

— У вас всё?

Наташа поежилась под пристальным взглядом девушек. Господи, какой позор! Да, и Оксана, и Маринка не предложили ничего дельного, но у них была масса вариантов, они так много говорили, а ей и сказать больше нечего. Не возьмут ее на основное мероприятие, кому нужны такие недотепы, как Наташа?

— Да, всё. Я не знаю, что еще сказать.

А Галина Александровна смотрит вовсе не презрительно, как Наташа ожидала, а скорее мягко и сочувственно. И, пожалуй, даже одобрительно. Или это ей только кажется с перепугу?

— Спасибо. Елена, слушаем вас.

Менеджер по продажам неожиданно вскочила со своего места, хотя все отвечали сидя, никого не просили вставать.

— Я не понимаю, что здесь происходит! Все несут какой-то бред! И вопросы задают бредовые! Горького заставили читать не пойми для чего, с какой-то ерундой прицепились про птичий грех, теперь вот с туалетами... Я не понимаю, что все это означает и для чего нужны эти ваши издевательства, но я не намерена больше участвовать в этом балагане! Оставайтесь тут и рассуждайте дальше, куда пойти справить нужду, а меня увольте. Я ухожу!

Наташа в испуге посмотрела на Галину Александровну, ожидая резкого ответа, но профессор оставалась по-прежнему невозмутимой, даже голос не повысила.

— Прекрасно. Марина, поскольку вы сидите ближе всех к двери, я попрошу вас выйти в коридор и пригласить сюда Юрия.

Маринка, обескураженная недавней неудачей, послушно выскользнула за дверь и через секунду вернулась вместе с завхозом.

— Юрий, посмотрите, пожалуйста, билеты: когда уезжает Елена?

Завхоз раскрыл папку, которую держал в руках.

— Елена... Елена — вот, вылет завтра в семнадцать часов тридцать пять минут.

— Прекрасно. Вы могли бы отвезти ее в город? Прямо сейчас.

— Как — сейчас? — взвизгнула девушка. — До самолета больше суток. Что я буду делать в городе?

Галина Александровна смотрела на нее с интересом.

— Здесь находятся только те, кто готов соблюдать правила, — спокойно пояснила профессор. — Тот, кто правила соблюдать не намерен, может считать себя свободным. Дверь на выход открыта для любого и в любой момент, мы никого силком не удерживаем. Пожалуйста, Юрий, будьте так любезны, отвезите девушку в город и отдайте ей билет.

— Да, конечно, — кивнул завхоз.

По его лицу было видно, что он изрядно удивлен.

— А где мне ночевать? — капризно спросила Елена.

— С этой минуты наш режим на вас не распространяется. Вы вольны принимать любые решения, актуальные в текущей действительности. Отели, мотели, хостелы, апартаменты — выбирайте сами.

— И вы все оплатите?

— Вот уж нет. — Наконец-то профессор позволила себе усмехнуться, и от этой усмешки Наташе почему-то стало жутко. — Оплачивается только пребывание участника в период соблюдения правил. Если участник отказывается выполнять правила, он автоматически возвращается к своей обычной жизни. Дорогу мы вам оплатили, а все остальное за ваш счет.

— А я хочу остаться здесь до завтра, — вдруг заявила девушка. — Мы так договаривались, и вы обещали, что проживание и питание будут бесплатными.

— Бесплатно — только для тех, кто играет по правилам, — холодно отрезала Галина Александровна. — Вы отказались соблюдать правила и тем самым выбываете из игры. Вы снова вынуждаете меня повторяться, а я этого очень не люблю. Юрий, проводите Елену в ее квартиру, пусть соберет вещи. И попросите Назара Захаровича прерваться на несколько минут и выдать ей технику.

— Понял, — четко ответил завхоз, сделал несколько шагов по направлению к Елене и аккуратно взял ее за локоть. — Пошли-пошли, не задерживай, видишь — люди работают.

Лица у всех девушек были озадаченными и слегка напуганными. Никто не ожидал подобной акции протеста, и уж тем более никто не предвидел такой реакции со стороны профессора. Улыбалась только Маринка.

— Одним конкурентом меньше, — едва слышно шепнула она Наташе. — Эта Ленка для меня была самой опасной, а теперь она выбыла и можно расслабиться.

Вечно у Маринки одни «перспективы» на уме!

— Что ж, продолжим. Высказались все, кроме Евдокии. Слушаем вас.

Галина Александровна перевела взгляд своих очень темных глаз под густыми черными бровями на молчаливую девушку, о которой Наташа не знала ничего, кроме того, что она — геммолог, специалист по драгоценным, полудрагоценным и поделочным камням.

— Если бы парень пригласил меня на свидание, я попросила бы немного времени, чтобы подумать и дать ответ, и провела бы проектирование прогулки.

— То есть?

— Если мы говорим о Москве, то в городе в те годы наверняка были не только кинотеатры, но и музеи, планетарий, зоопарк, парки культуры и отдыха, и во всех этих местах наверняка были общественные туалеты именно для посетителей, а не только служебные, для сотрудников. Да, еще ГУМ, там тоже совершенно точно был туалет для покупателей. Это первый этап проектирования. На втором этапе я бы подумала или постаралась специально узнать, в каких из этих мест продают мороженое. Например, в музеях и планетарии — вряд ли.

— Верно, — кивнула Галина Александровна, и вид у нее при этом был очень довольный. — Там не продавали.

— Мне родители рассказывали, что в ГУМе мороженое продавали всегда, стояли тетеньки с лотками-холодильниками, и мороженое было в вафельных стаканчиках, — говорила Евдокия. — И в парках культуры, я уверена, тоже продавали. Таким образом, сочетание туалета и мороженого дает искомый результат. Если парень дождется моего ответа и повторит приглашение, то я предложу ему погулять именно в таком месте.

— А мороженое-то при чем? — недоуменно спросила Маринка.

Наташе тоже непонятно было насчет мороженого, но она молчала, боясь сказать лишнее слово и оказаться в таком же провальном положении, в каком только что была Елена.

Галина Александровна укоризненно покачала головой.

— От вас, Марина, я никак не ожидала подобного вопроса. Неужели вы сами не догадываетесь? Вы же считаете себя мастером создания искусственных ситуаций.

Маринка сердито закусила губу. Опять ее уличили в глупости! Ее, умницу и красавицу! Наташе даже стало жалко подругу.

— Я тоже не поняла, — отважно произнесла она.

Пусть Маринка знает, что она не самая тупая из присутствующих, ей будет не так обидно.

— А вы, Оксана? Вы тоже не поняли?

Подружка поэта Цветика, нимало не смущаясь, дерзко посмотрела прямо в глаза профессору.

— А что тут понимать? Послала парня поискать и купить мороженое, а сама в это время — бегом в сортир, вот и все дела.

— Подозреваю, что вы ошибаетесь, но Евдокия сейчас расскажет нам суть своего замысла.

Внезапно Наташа почувствовала, что от строгой дамы-культуролога исходят волны веселья. Лицо Галины Александровны оставалось по-прежнему невозмутимым, голос — ровным и чуть холодноватым, и откуда взялось это ощущение, Наташа объяснить не смогла бы. Но оно было таким отчетливым, ощущение это! Казалось, профессор изо всех сил терпит и сдерживается, чтобы не расхохотаться. «Надо же, и она тоже терпит, — с удивлением подумала Наташа. — Все терпят, только каждый свое: вымышленная девочка из предложенной ситуации терпит, я терплю боль в ступнях, Галина... А я всегда думала, что люди в ее возрасте уже ничего никогда не терпят, потому что терпеть им нечего, жизнь осталась позади, они старые совсем, и ничего у них не происходит...»

— Я буду есть мороженое и перепачкаю руки или капну на платье, например. При помощи мороженого можно создать благовидный предлог воспользоваться туалетом, чтобы вымыть руки или отмыть пятно, — сказала Евдокия.

— А если мороженое по каким-то причинам не продают? — уточнила Галина Александровна. — Всегда продавали, а в этот день почему-то лоток не приехал.

— Можно постоянно носить в кармане шоколадную конфету. От тела исходит тепло, и в кармане шоколад размягчится и подтает. Если такую конфету съесть, то тоже можно очень удачно испачкать пальцы.

— Превосходно! — заключила профессор. — Итак, девушки, поздравляю вас, мы закончили это испытание. Можете быть свободны до завтрашнего утра. Вечером мистер Уайли проведет совещание с сотрудниками, мы обсудим ваши ответы, и завтра в девять утра будут объявлены результаты отбора. Желаю вам приятно провести остаток дня.

Наташа мечтала только об одном: скорее снять эти ужасные туфли, сделанные непонятно из чего, но уж точно не из натуральной кожи. Стопы горели огнем, и даже при тех минимальных расстояниях, которые ей пришлось преодолеть, переходя с этажа на этаж, она умудрилась стереть пятки грубым швом. Осторожно ступая и стараясь не кривиться от боли, она поковыляла на второй этаж. Маринка пошла вместе с ней.

— Слушай, я не пойду к себе, — сказала она негромко. — Там Галина эта, я ее боюсь.

Чтобы Маринка кого-то боялась? Немыслимо! Да и что страшного в Галине Александровне?

— Давай сходим погуляем, — предложила Маринка. — Чего в квартире сидеть? Погода шикарная, солнышко, и не жарко уже.

Наташа собралась было отказаться, объяснив, что до крови стерла ноги, но испугалась, что подруга опять начнет называть ее неприспособленной и учить жизни. Но тут ей в голову пришел другой аргумент.

— Нас предупреждали, что выходить на улицу можно только с кураторами. Надежда Павловна не может, она в столовой все время занята, значит, с нами пойдет твоя Галина, а ты же с ней не хочешь...

— Точно! — с досадой воскликнула Маринка. — Это я не подумала. Вот же старая карга! Слово сказать невозможно, тут же клещами вцепляется.

Они уже стояли на втором этаже, Наташа открывала дверной замок, когда наверху послышались голоса и топот ног: мальчики закончили обсуждение и расходились с четвертого этажа. Первым вниз сбежал Тимур, лицо его сияло.

— Ну что, красотки? — закричал он, вприпрыжку сбегая по ступенькам. — Нашли дабл? Или у вас другое задание было?

Наташа знала, что «даблом» раньше называли туалеты, поскольку общепринятое их обозначение на английском — WC, то есть «дабл-ю-си», но среди их ровесников слово это давно не употреблялось и считалось устаревшим. Маринка, похоже, такого выражения не знала и озадаченно взглянула на бородатого юношу в очках. «Оказывается, есть что-то такое, чего Маринка не знает, а я, выходит, знаю», — с удивлением подумала Наташа.

— Кто-то нашел, кто-то нет, — ответила девушка.

— Красотки, а как насчет прошвырнуться? Приглашаю!

— Я — за! — тут же ответила Маринка.

— А с кем? — спросила Наташа. — Ты же говорил, что с завхозом живешь, верно?

— Ну, — кивнул Тимур. — И чего?

— Так он уехал.

— Куда это? За продуктами, что ли?

— Он Лену в город повез, — объяснила Наташа.

— Ага, ее выгнали, — злорадно добавила Маринка. — За несоблюдение правил. Круто, правда? Здесь все так по-серьезному, как у больших.

— Ну, в город — это недолго, — махнул рукой Тимур. — Предлагаю завалиться в буфет и натрескаться плюшек с соком, а там и завхоз вернется. Кто со мной?

Маринка вопросительно посмотрела на Наташу, но та отрицательно покачала головой:

— Я не пойду. А ты иди, конечно, прогуляйся.

— И что, ты будешь сидеть в этой своей квартире? Песенок твоих любимых тут нет, интернета нет. Сдохнуть можно от скуки!

— Телевизор посмотрю, кино какое-нибудь старое.

Тимур вытащил из кармана смятую бумажку, разгладил и принялся читать.

— У меня тут списочек, Юра надиктовал, когда чего можно смотреть. Кино только вечером, после семи часов, а если днем, то детское.

— Хорошо, буду смотреть детское, — согласилась Наташа.

Она готова была смотреть хоть про Буратино, хоть про приключения Желтого чемоданчика, только бы скинуть наконец эти кошмарные туфли и всунуть ноги в мягкие разношенные шлепанцы без задников. «Завтра возвращаться домой, — думала она, — а у меня такие мозоли, что я даже в своих самых удобных слипонах шагу сделать не смогу. Нужно сидеть дома и дать ногам хоть чуть-чуть зажить».

Сверху не спеша спускались Артем с Сергеем, что-то обсуждая оживленно и негромко.

— Я уговариваю красоток пойти в буфет за плюшками, а потом погулять, — обратился к ним Тимур. — Присоединитесь?

— А что красотки говорят? — насмешливо спросил Сергей. — Соглашаются?

Маринка бросила на Наташу предостерегающий взгляд, мол, не забудь, о чем я тебе говорила: Сергей — не тот кадр, на который имеет смысл тратить время. Наташа смутилась, толкнула уже отпертую дверь в квартиру, потом, не зная, что делать дальше, заходить внутрь или продолжать стоять на площадке, снова притворила ее. Понимала, что выглядит, наверное, глупо, но ничего придумать не могла. «Вот же тормоз!» — мысленно обругала она себя.

— Я согласилась, — заявила Маринка. — А Наташа не пойдет, даже не мечтай. У нее другие планы. Она будет сидеть дома и смотреть протухшее кино из жизни детского сада.

— А мне тоже мечтать нельзя? — неожиданно спросил Артем. — Я бы с удовольствием посмотрел что-нибудь старое. Можно, Наташа? Возьмешь меня в компанию?

— У тебя в квартире есть точно такой же плеер, там и смотри, — грубо встряла Маринка.

Наташа испугалась, что Артем обидится на Маринку. Ну разве можно так разговаривать с человеком, тем более почти незнакомым, с которым ты общалась всего один раз, за обедом?

— А вдвоем веселее. Так как, Наташа? Можно?

Она распахнула дверь.

— Конечно. Заходи.

Сергей шутливым тычком подтолкнул его в спину.

— Иди-иди, развивайся интеллектуально и духовно. А я чувак простой, грузчик, мне высокое искусство недоступно, я пойду в буфет, а потом гулять с ребятами.

Тимур и Сергей с двух сторон подхватили Маринку под руки и потащили в столовую. Артем вошел следом за Наташей в квартиру, закрыл за собой дверь, снял ботинки и остался в одних носках.

— Сейчас я тапочки поищу. — Наташа кинулась искать тапки для гостя.

Тапки никак не находились, и она растерянно посмотрела на Артема.

— Зачем ты разувался? Ты же не с улицы пришел, ботинки все равно чистые. Не знаю, есть ли здесь гостевые тапочки...

— Не знаю, как насчет тапочек, а правила здесь точно есть. И я не собираюсь вылететь из проекта из-за какой-нибудь ерунды, для меня очень важно попасть на основное мероприятие, — серьезно и спокойно произнес Артем. — Ты не колотись, я могу и в носках посидеть.

Наташа с облегчением скинула туфли и сунула ноги в шлепанцы. В комнате они сразу принялись перебирать диски, сложенные в большую тумбу, на которой стоял экран. Улучив момент, она выскользнула на кухню, стянула колготки, достала из навесного шкафчика аптечку, быстро заклеила пластырем кровоточащие мозоли. Пластырь был неудобный, в рулоне, его нужно было отдирать и отрезать ножницами, приклеивать прямо на раны без всяких прокладок, которые по определению имеются на любом современном пластыре. Хорошо, что Надежда не позволила ей надевать туфли на босу ногу, сказала, что так в те годы обувь не носили, исключением могли быть лишь открытые босоножки. Обязательно нужно было надеть либо колготки, либо чулки. Носки и гольфы, конечно, тоже были в продаже, но не тонюсенькие, как сейчас, а толстые нитяные, их покупали только деткам или для ношения со спортивной обувью. Наташа пыталась сопротивляться, очень не хотелось в жару упаковывать ноги в синтетику, она всю жизнь носила только вещи из натуральных тканей, а также предпочитала матерчатые мокасины, лоферы или спортивные туфли, в которые совершенно безопасно можно всовывать босые ступни. Хороша бы она была, если б не послушалась Надежду и настояла на своем! Наверное, грубый шов протер бы мясо до кости. Уж Надежда-то Павловна наверняка знала, чем чревато ношение советской обуви на босу ногу.

Сунула аптечку на место и вернулась в комнату.

— Тимур сказал, что днем можно смотреть только детские фильмы, — озабоченно заметила Наташа, заметив, что Артем заинтересовался диском в коробке, фотографии на которой свидетельствовали о том, что кино явно не из детской жизни. Старинные костюмы, старинные интерьеры, бородатые лица...

— А Вилен сказал, что классику и днем показывали, — возразил Артем. — Смотри, что я нашел! Это же «Дело Артамоновых», восемьдесят первого года. Вот его мы и будем смотреть.

Нельзя сказать, что Наташе это очень понравилось. Во-первых, зачем ей смотреть фильм, если она только вчера прочла книгу? Она все прекрасно помнит и ничего нового не узнает, да и сама книга не сказать чтоб безумно интересная, Наташа прочитала ее от корки до корки только потому, что таково было задание, а по своей воле ни за что не стала бы. А уж кино смотреть — тем более. Во-вторых, ее покоробила та уверенность, с какой Артем принял решение за них обоих. «Вот его и будем смотреть». Это ж надо было до такого додуматься! Да что он о себе воображает?

— Зачем? — как можно холоднее спросила она. — Я не хочу это смотреть. Мы книгу только что прочитали, зачем еще и смотреть?

Артем, не обращая внимания на ее слова, продолжал копаться в тумбе.

— Это информационные программы... Так... «Международная панорама», выпуски семидесятых годов... «Спокойной ночи, малыши»... «Семнадцать мгновений весны»... «Место встречи изменить нельзя»... Это я смотрел... Это тоже смотрел... «Клуб кинопушествий», выпуски тоже семидесятых годов... О! Еще одно «Дело Артамоновых», только сорок первого года. Супер! Сначала мы посмотрим более ранний вариант, а потом фильм восемьдесят первого года.

Теперь Наташа уже не на шутку рассердилась. Смотреть кино, снятое в сорок первом году! Уму непостижимо! И главное — зачем? Она собралась было вслух выразить свое возмущение и категорический отказ тратить время на всякую муть, но внезапно осеклась, увидев горящие от возбуждения глаза Артема.

— Думаешь, это скучно? — Он словно прочитал ее мысли, и ей стало неловко и немножко страшно. Экстрасенс он, что ли? — Ты просто не сечешь фишку. Горький написал свой роман фиг знает когда, в сорок первом году его экранизировали, а через сорок лет экранизировали еще раз. Государство-то было тем же самым, и если сняли другое кино по той же книге — значит, изменилась ментальность, или идеология, или законы цензуры — короче, что-то обязательно должно было измениться, чтобы можно было снять совсем другой фильм, а не точную копию первого. Понимаешь?

— Ну... приблизительно да.

— Вот я и хочу посмотреть, что изменилось за сорок лет. Оба режиссера читали один и тот же текст, и мне важно понять, какой смысл они в нем вычитали с интервалом в сорок лет.

«А я не хочу! — хотелось выкрикнуть Наташе. — Я хочу посмотреть фильм про любовь или про семейные отношения. Или что-нибудь романтическое про то, как молодые люди из большого города бросают налаженный устоявшийся быт и работу и уезжают «за туманом и за запахом тайги». Я точно знаю, такие фильмы были, я их в интернете находила и смотрела, и их наверняка можно здесь выкопать». Но вместо этого она, сама не понимая почему, спросила:

— Зачем тебе это понимать? Для тебя это так важно?

— Очень важно. Это нужно мне для работы. Ну и вообще, для жизни тоже не помешает.

— Разве у тебя в квартире этих дисков нет?

— Нет, я там уже все прошерстил. Вилен, мой куратор, объяснил, что дисков получилось огромное количество, и их просто распихали по разным квартирам, чтобы мы могли обмениваться.

— Тогда возьми их с собой и посмотри дома, — предложила Наташа, все еще надеясь, что сможет избежать скучного кинопросмотра.

Артем поднялся с корточек, держа обе коробки в руке, посмотрел на Наташу взглядом, который она не смогла ни истолковать, ни расшифровать.

— Мне было бы приятнее посмотреть фильмы в твоем обществе, — спокойно заявил он. — Сделай мне одолжение.

Она совсем растерялась.

— Почему... в моем... — беспомощно пробормотала девушка.

— Ты мне очень нравишься, ты не похожа на других, у тебя неординарное мировосприятие. И ты можешь оказаться очень полезной при интерпретации различий в трактовках.

Она окончательно запуталась. Слова о том, что она ему очень нравится, оказались рядом с другими словами, больше похожими на резюме, и ей трудно было понять, сказал ли Артем комплимент, признался в личных симпатиях или озвучил инструкцию по использованию механизма. Наташа — всего лишь вещь, полезная при интерпретации различий? Или она — привлекательная умная девушка?

Утратив способность сопротивляться натиску, она забралась с ногами на диван и свернулась клубочком, прикрыв залепленные белым пластырем ступни полой длинной широкой юбки. Ладно, Артамоновы — так Артамоновы. Главное — никуда не нужно идти.

* * *

Я попросил Назара, переводчика, психолога и Галину Александровну подняться ко мне в квартиру. Назар позвонил в столовую Надежде, и через несколько минут в моей гостиной стояло блюдо с выпечкой и две вазочки — с каким-то печеньем и с конфетами в изумрудно-зеленой обертке, на которой была нарисована рыже-коричневая белка.

— «Белочка», — с уважением протянула дама-профессор. — Жуткий дефицит в советское время.

Она положила в центр журнального столика диктофон, Вилен и я раскрыли свои блокноты и приготовились делать заметки.

— Я чуть не лопнула от смеха, — призналась Галина Александровна. — Приходилось изо всех сил сдерживаться, чтобы не уронить реноме в глазах девочек. Но девчонки просто уморительные! Да вы сами послушайте.

Мы прослушали запись, периодически включая паузу, чтобы я мог выслушать переведенные на английский идиомы или разобрать невнятно произнесенные слова. Да, в этом обсуждении характеры и мышление девушек проступили достаточно ярко, добавив красок в те портреты, которые сложились у меня в ходе обсуждения романа Горького. С юношами произошло то же самое.

Тимур и Артем утверждали, что они не парились бы ни одной секунды и прямо заявили бы своим спутницам, что хотят в туалет и больше терпеть не могут. Казалось бы, решение совершенно идентичное, однако мотивация у ребят оказалась различной. Артем просто не пожелал считаться с тем, что подобное признание «неприлично» и недопустимо.

— Я не понимаю и не хочу понимать, почему то, что предусмотрено природой, должно стать чем-то постыдным, чем-то таким, чего нельзя касаться в разговорах. Я знаю, что практика таких смысловых ограничений существовала всегда, и всегда существовало табуирование определенных вопросов и тем, но я считаю подобные правила нелепыми и следовать им не стану, — твердо произнес он. — В них нет ни здравого смысла, ни логики. Кроме того, эти правила сильно осложняют жизнь людей и затрудняют взаимопонимание.

Тимур, который отвечал на вопрос следующим после Артема, сказал:

— Я бы тоже сказал девушке прямым текстом, как есть. И посмотрел бы, как она будет краснеть, смущаться и мяться. Это же прикольно: нарушить общепринятое правило и смотреть, как люди реагируют.

Сергей был единственным, кто озаботился вопросом: а как девушка относится к ситуации и к существующим правилам «романтической этики».

— Прежде чем предлагать свой вариант, я хотел бы понять, как моя подруга реагирует на проблему в принципе. Если я скажу, что мне нужно в туалет, неужели она меня не поймет, обидится, сочтет грубым или невоспитанным? Дайте нам хотя бы тезисно отношение противоположной стороны к обсуждаемому вопросу.

Вот именно поэтому Вилен и просил разделить девушек и юношей во время данного обсуждения: не только для того, чтобы молодые люди не стеснялись, но и для того, чтобы никоим образом, ни словом, ни жестом, ни мимикой или выражением глаз, они не могли подсказывать друг другу.

— Отношение противоположной стороны вам неизвестно. И не станет известно, вероятно, до тех пор, пока вы не женитесь. Но чаще всего даже годы, прожитые в супружестве, не избавят вас от стеснительности в вопросах, касающихся посещения туалета, — заметил ему Вилен.

— Тогда я, скорее всего, сделаю вид, что внезапно вспомнил о каком-то невероятно важном и срочном деле, попрощаюсь и убегу. Буду искать туалет, ну, в самом крайнем случае, забегу во двор или в подъезд, вы же вроде говорили, что в те годы домофонов не было и в любой подъезд можно было зайти.

— Хорошо, вы убежите, — согласился Назар, — а девушку бросите посреди бульвара. Вы ведь понимаете, что она смертельно обидится, и вашим отношениям, только-только начавшим расцветать, уготована печальная судьба? Она вас не простит. И больше никогда с вами не встретится.

— Я потом, на следующий день, придумаю, что ей сказать, — ответил Сергей. — А что вы предлагаете? Дотерпеть до обморока и ходить в обоссанных штанах? Вокруг срочного дела можно выстроить хоть какую-то концепцию, а вокруг мокрых штанов никакой концепции не выстроишь.

Эти слова мне понравились. Сергей демонстрировал умение мыслить стратегически. Но больше всего и меня, и всех присутствующих развеселил Алексей-Цветик. Он сперва, как, впрочем, и все остальные, перебирал разные варианты, невозможные в семидесятые годы, а потом, поняв, что не может предложить ничего толкового, вдруг сорвался.

— Да всё вы врете! — почти закричал он. — Не может быть, чтобы было так, как вы говорите! В таких условиях жить невозможно! Это вы просто какой-то концлагерь описываете! Не могло так быть, вы специально ставите задачу, не имеющую решения, чтобы повозить нас фейсом об тейбл!

Использование англицизмов меня позабавило, я-то был уверен, что времена употребления подобных выражений канули в Лету вместе с «шузами» и «герлами». В нынешнее время из английского языка заимствуют преимущественно слова, имеющие отношение к компьютерам, программированию, бизнесу, финансам... Ан нет!

— И тем не менее, уверяю вас, все было в семидесятые годы именно так, — ответил Назар. — Никто здесь никого не обманывает.

Но Цветик продолжал гнуть свою линию:

— Значит, вы просто ничего не помните. Столько лет прошло, что вы вообще можете помнить? Это прошлый век! А вы все уже старые, у вас склероз, вы не можете помнить, как было на самом деле, вот и выдумываете всякие небылицы.

Мои сотрудники слушали его с улыбками. Мне тоже было весело. Ах, мальчик, мальчик! Насколько же ты уверен, что все кругом — глупцы и склеротики и ты можешь обмануть кого угодно, обвести вокруг пальца и задурить голову! Бедный ребенок... Его ждет трудная жизнь, полная разочарований и обид. Как он будет существовать, когда осознает всю глубину своих заблуждений? Не завидую я ему. Хотя вроде бы он молод, здоров, полон сил, и вся жизнь у него еще впереди, а не завидую. Жалко мне его.

Мы пили чай с печеньем и конфетами и обсуждали услышанное на сегодняшних дискуссиях. Окончательное решение мы примем попозже, когда соберемся на четвертом этаже полным составом, вместе со всеми кураторами, чьи впечатления очень важны для меня. А пока с помощью психолога Вилена делали предварительные выводы.

— Самые слабые звенья — Оксана, Марина, Тимур и Алексей, — сказал Вилен. — Но Тимура я бы посоветовал оставить, хотя мозги у него более чем средние.

Тимур мне и самому не нравился, он производил впечатление существа поверхностного, не глубокого и довольно-таки легкомысленного. В этих качествах, разумеется, не было ничего дурного: приятный веселый парнишка, комфортный в общении, как утверждает его куратор Юра. Но в нем не было ничего, хоть сколько-нибудь напоминающего Владимира Лагутина. Какой прок от Тимура с его попытками делать все так, как «не принято»?

— У нас есть Наташа, которой искренне не нравится современная жизнь с ее правилами и установками. И есть Тимур, которого все в принципе устраивает, но он ищет возможность найти то, что вне правил, чтобы утвердить собственную индивидуальность, собственную непохожесть на других. Он приехал одетым как типичный хипстер, даже фотоаппарат привез с собой хипстерский, зеркалку «ЛОМО», а при обсуждении последнего вопроса сказал прямым текстом, что с правилом он согласен, но ему в кайф нарушить. Если для Наташи правила жизни и поведения сорок-пятьдесят лет назад кажутся привлекательными и подходящими лично для нее, то для Тимура прежний порядок — всего лишь желанная возможность выделиться и показать свою особость. То есть мы, как и в случае с Артемом и Сергеем, имеем одинаковые решения при различной мотивации. Это может оказаться полезным, — объяснил психолог.

— Если все обстоит так, как вы говорите, то у Тимура, вероятно, очень сильная мотивация остаться в проекте, — добавила Галина Александровна. — Участие в основном мероприятии даст ему множество знаний и впечатлений, благодаря которым он станет звездой своего окружения.

Назар тоже был сторонником того, чтобы Тимура оставить.

— Юра мне говорил, что мальчишка всю плешь ему проел вопросами: когда можно будет сфотографироваться в одежде семидесятых? И еще он очень интересуется музыкальными группами, которые были популярны в те времена, и советскими, и зарубежными. С дисциплиной у парня не очень, это правда, но нашим периодом он действительно интересуется.

— Хорошо, — согласился я, — давайте предварительно решим, что Тимура мы оставляем, если вечернее совещание не заставит нас прийти к другому решению. По поводу Оксаны и Алексея какие мнения?

Мнения у всех оказались одинаковыми: на основном мероприятии им делать нечего. Оба они — хитрые и ловкие, считающие себя умнее других, и этим отличаются от моего троюродного племянника, иными словами, они ни при каких условиях не будут смотреть на мир и на произведения Горького его глазами. Ребята не хотят или не умеют относиться к порученному делу серьезно и ответственно, не демонстрируют вдумчивости и умения приспосабливаться к неудобным правилам. Если оставить их в проекте, то в течение первых же дней они допустят столько нарушений, что невозможно будет не отправить их домой, и деньги, затраченные на дорогу, окажутся выброшенными на ветер. Я не беден, но чрезмерное расточительство не в моем характере.

— Что скажете о Марине?

По мнению Галины Александровны и Вилена, хорошенькая девушка с малиновой прядью в темных волосах моему проекту совершенно не подходила. Я был согласен с такой оценкой, а вот мой друг Назар неожиданно выступил с противоположным суждением:

— С тем, что Марина — пустое место, я полностью согласен. Но без нее не приедет Наталья, а вот Наталья нам как раз очень нужна.

Профессор ожесточенно спорила с Назаром, я поддерживал Галину Александровну, ссылавшуюся не только на результаты обсуждений, но и на собственные личные наблюдения, поскольку Марина являлась ее подопечной. Вилен ничего не говорил, молча перелистывая свой блокнот и отмечая ручкой отдельные записи.

— А знаете, — наконец произнес он, — я, пожалуй, соглашусь с Назаром Захаровичем. Мы только что, слушая диктофонную запись, убедились, что Наташа готова кинуться выручать подругу из психологически некомфортной ситуации, даже жертвуя своей репутацией. Вера Максимова передала мне все записи, сделанные во время собеседований, и я хорошо помню, как распределены роли у девушек. Марина всегда являлась лидером для Натальи, а Наталья принимала свое подчиненное положение как должное и за два дня ни разу не продемонстрировала стремления выйти из роли и занять в паре лидирующую позицию. Вспомните, что нам вчера рассказывала Ирина о ситуации в столовой. Назар Захарович прав, существует большая вероятность, что если мы оставим Наталью и исключим Марину, то Наталья откажется от участия просто из солидарности, чтобы ее подруга не чувствовала себя в чем-то ущемленной.

Профессор колебалась, я пытался упорствовать, но Назар и Вилен сумели нас переубедить. Это решение можно было счесть окончательным, поскольку в нем учитывалось мнение куратора.

Кандидатуру Елены мы не обсуждали, ибо вопрос решился сам собой. Прочие участники сомнений у нас не вызывали: им будет предложено вернуться сюда на более длительный срок.

* * *

В самолете, на пути домой, Маринка трещала без умолку, вслух строя планы подготовки к основному мероприятию, пребывание на котором должно, по ее представлениям, дать толчок ее вхождению в новую жизнь. Еще в поселке, едва получив из рук Назара Захаровича телефон и айпад, она уткнулась в гаджеты и не выпускала их из рук, пока не оказалась в салоне самолета: читала сообщения и посты, отвечала, писала комментарии, посылала эсэмэски, разговаривала с подружками и поклонниками. И, само собой, тут же сделала кучу фотографий, которые немедленно разместила на всех доступных ресурсах. Маринка не видела ничего вокруг, погрузившись в виртуальное общение, но как только в самолете объявили о необходимости выключить электронные средства связи, тут же переключилась на болтовню с Наташей.

— ...И нужно обязательно позаниматься английским, чтобы легче было общаться с Ричардом, — говорила она.

— Он прекрасно разговаривает по-русски, — улыбалась Наташа. — Ты с ним еще даже толком не познакомилась, а уже мечтаешь, как будешь общаться с ним!

— Неужели ты думаешь, что я за месяц не успею все провернуть? — возмущалась Маринка. — Целый месяц! Может, я даже замуж выйти смогу за это время, не то что просто познакомиться.

Слушая болтовню подруги, Наташа никак не могла избавиться от вертящейся в голове песни про тридцать лет:

Тридцать лет — это время свершений,
Тридцать лет — это возраст вершины,
Тридцать лет — это время сверженья
Тех, кто раньше умами вершили.
А потом начинаешь спускаться,
Каждый шаг осторожненько взвесив:
Пятьдесят — это так же, как двадцать,
Ну а семьдесят — так же, как десять.

— Ну а семьдесят — так же, как десять, — невольно пробормотала она вполголоса.

Маринка не расслышала и остановилась на полуслове.

— Что ты сказала?

— Я говорю, что Ричард уже очень старый. Тебе с ним будет скучно.

— Вот ты даешь! — расхохоталась Маринка. — Я что, ради развлечения и веселья хочу его захомутать? Мне для дела нужно. Для жизни.

— Но это как-то нехорошо...

— Нормально.

— Получается, что ты собираешься его использовать.

— И что? Пусть он меня тоже использует, я не возражаю. Выгода должна быть обоюдной. И вообще, не морочь мне голову. Лучше скажи: поможешь быстро найти репетитора по английскому, чтобы был дельный и брал недорого? Или имеет смысл какие-нибудь онлайн-курсы поискать, чтоб совсем бесплатно получилось? Онлайн, конечно, удобнее, можно заниматься, когда хочешь, а не тогда, когда тебе назначили... В общем, ты подумай, пока мы до дома добираемся, и скажешь мне, как лучше, — распорядилась Маринка.

Наташа готова была согласиться с любыми указаниями, только бы ее оставили в покое и дали возможность подумать в тишине. Ей хотелось повспоминать Сергея и помечтать о том, как они вместе будут в проекте целый месяц... Правда, мистер Уайли предупредил, что проект может закончиться и раньше, причем намного раньше, если будет достигнут искомый результат. Но что это за результат и чем они будут заниматься, так и не сказал. Упомянул только, что в первый же день объяснит всем приехавшим суть задачи со всеми подробностями. Раньше — это когда? Через три недели? Через две? Через неделю? Непонятно. Но даже если основное мероприятие продлится всего неделю, это все равно больше, чем какие-то жалкие два дня. Ей было досадно, что накануне она не смогла пойти гулять по поселку в компании Сергея, Тимура и Маринки, а вместо этого смотрела с Артемом два практически одинаковых фильма подряд, причем второй, более поздний, оказался двухсерийным. Артему было очень интересно, он смотрел фильмы внимательно и то и дело что-то записывал в толстую тетрадь, но ничего не обсуждал с Наташей, пока не просмотрел оба фильма. Наташа первые полчаса откровенно томилась от скуки, но потом неожиданно для себя втянулась, включилась и начала получать удовольствие. Периодически пыталась сказать:

— А в книге этого не было...

Или:

— А в книге не так...

Но Артем каждый раз останавливал ее жестом, дескать, не мешай смотреть.

— Да сделай ты паузу! — не выдержав, воскликнула она однажды.

— Нельзя, — строго ответил Артем. — Не положено.

Ну да, конечно. Надежда Павловна объясняла в первый же день, но так трудно контролировать себя и не использовать те возможности, которыми пользуешься всю сознательную жизнь.

Наташе в первом, более раннем, фильме очень понравился актер, игравший роль Алеши Артамонова, светловолосый ясноглазый красавец, чем-то напоминавший Сергея. А во втором фильме Алеша ей совсем не понравился, зато горбун Никита заставлял ее сердечко разрываться на части от сострадания к его боли. Пару раз она даже чуть не расплакалась, но сумела сдержаться: неудобно реветь в присутствии малознакомого молодого человека, да еще такого умного.

Когда закончился второй фильм, Артем сказал:

— Я был прав, хвост про революцию выглядит совершенно чужеродным в этой истории. Ты обратила внимание, что в первом фильме революционные мотивы звучат более гармонично? А во втором очевидно, что режиссер ощущает текст романа примерно так же, как я.

Ничего такого про чужеродный хвост Наташа не заметила, но ей не хотелось показаться совсем уж глупой, поэтому она кивнула, якобы соглашаясь.

— А про убийство подростка ни в первом, ни во втором фильме ничего не показано, — заметила она, желая продемонстрировать свою наблюдательность. — Почему, как ты думаешь?

— Думаю, что нам во время обсуждения сегодня сказали правду. Эта тема была полным табу, тем более в кинофильме, предназначснном для широкой публики. Нельзя же было просто показать, как Петр Артамонов убивает мальчика, нужно как-то объяснить, дать причину. А какую причину можно вывести, если не ту, которая у Горького? Ту — нельзя, а придумать новую — смелости не хватило портить классика. Или не разрешили, дескать, не положено искажать то, что написано великим писателем, лучше обойти скользкий момент полным молчанием.

— Мне Петра жалко, — осторожно призналась Наташа. — Все-таки он очень мучился из-за этого убийства и даже почти сказал сыну об этом, мол, я, может, ради тебя человека убил. А сын его не понял и перевел разговор на то, что, само собой, отец-фабрикант по определению является причиной смерти множества людей — рабочих со своей фабрики, для которых он не создает нормальных условий труда и мало платит. Мне и в книге в этот момент очень больно было, и когда мы кино смотрели. Я все надеялась, как дура, что сын скажет не те слова, которые в романе, а какие-то другие, спросит, что отец имеет в виду, вытянет у него признание... Не знаю почему, но мне кажется, что Петру было бы легче, если бы он кому-нибудь признался. Тихон знал об убийстве, но Петру это облегчения не приносило, потому что Тихон его не жалел.

Артем внимательно посмотрел на нее.

— Думаешь, ему было бы легче, если бы его пожалели?

— Ну, хотя бы посочувствовали.

Он немного поразмышлял, потом кивнул:

— Петр боится Тихона, не из-за убийства мальчика, а вообще боится, по жизни. Потому что Тихон явно умнее, говорит непонятные Петру вещи, а у Петра только две модели восприятия того, чего он не понимает: либо отторжение, либо страх. Но поскольку Петр Артамонов понимает с каждым годом все меньше и меньше и разобраться даже не пытается, то к концу жизни остается в одиночестве. От тех, кого боится, он отгородился, а остальных отверг. Любимым остался только сын Илья, всех прочих Артамонов послал... Да, пожалуй, ты права, сочувствие именно со стороны Ильи могло быть ему нужно... А ты молодец, Наташа! Ущучила самую суть! Значит, я правильно сделал, что предложил тебе вместе посмотреть фильмы.

Ей было немного странно слышать такие слова и в то же время приятно. Ее так редко хвалили! Нет, в колледже, конечно, хвалили преподаватели, но это было не совсем то. Когда такой умный и нестандартный парень на второй день знакомства заявляет, что она молодец и ущучила самую суть, это звучит... Наташа не смогла додумать мысль до конца и смутилась. Никакой сути она на самом деле не поняла, просто поделилась смутными ощущениями, невнятным впечатлением, а сформулировать так, как это сделал Артем, и выстроить целую логическую цепочку она никогда не смогла бы. Артем ее переоценил, и очень скоро он в этом убедится и разочаруется. Впрочем, Наташу это не особенно беспокоило. Вот если бы подобная опасность существовала с Сергеем, она бы расстроилась. Жаль, что не Сергей предложил вместе посмотреть кино... Ну, ладно.

Артем ушел около девяти, сказав, что пойдет в столовую ужинать. Наташа тоже очень проголодалась, но идти в домашних шлепанцах, которые были размера на три больше и сваливались с ног, ей показалось неудобным, а ни в какую другую обувь из разряда «приличной» она влезть пока не могла. А вдруг в столовой окажется Сергей и увидит ее, шаркающую ногами в этих сваливающихся тапках? Сперва хотела было попросить Артема принести из буфета хоть что-нибудь, но постеснялась. Как ему объяснить, почему она сама не может зайти в соседнюю квартиру? Не рассказывать же про стертые пятки! Это примерно так же стыдно, как признаться, что хочешь в туалет. Лучше подождать, когда придет Надежда Павловна. Или самой что-нибудь приготовить.

Оставшись одна, Наташа обследовала кухонные шкафчики и старенький холодильник с отваливающейся ручкой, обнаружила одно яйцо, остатки творога, из которого вчера утром Надежда Павловна делала сырники, немного муки и пачку геркулеса. Можно попробовать сделать запеканку, а если размолоть геркулес и добавить в творог, смешанный с мукой, то объем получится больше. Правда, сметаны нет, и купить негде, их предупредили, что магазин работает до восьми вечера, но это ничего, она всыплет в тесто внушительную порцию сахару для вкуса. Размолоть геркулес она собиралась в кофемолке, но кофемолки не нашлось, пришлось использовать миску и деревянный пестик. «Ничего, — думала Наташа, — в тайге и на костре готовили в более сложных условиях, и продуктов многих не было вообще, и технику никуда не подключишь, розеток нет, все вручную делали. И все равно люди радовались жизни, любили, мечтали». Запеканка получилась совсем невкусной, но Наташа ее съела всю, без остатка.

Маринка явилась в одиннадцатом часу, усталая и недовольная. Завхоз Юрий — старый зануда, никуда не отпускает и ничего не разрешает, Сергей — скучный и непродвинутый, Тимур — вообще балбес, хотя и веселый, прикольно анекдоты рассказывает.

— Но самый ужас — это ходить по улицам в нашем зашкварном прикиде, — говорила подруга. — Все пялятся, как в цирке, особенно девки. Они же видят, что у меня волосы сделаны, как надо, стрижка свежая, прокрашено все по модели, а прикид — полный отстой. Парни и то приличнее выглядели, им выдали «поло», правда, Юрий сказал, что в семидесятые годы они назывались «бобочка», прикинь! Уму непостижимо! Сортиров нигде не было, мобильников не было, интернета не было, а рубашки «поло» уже были. Ну, не «Ла Коста», конечно, но все равно, зашкварность не так в глаза бросается.

— Почему ты называешь Сергея скучным? — спросила Наташа.

Ей хотелось еще поговорить про этого мальчика, но Маринка только отмахнулась:

— Да ну его! Нашла кем интересоваться! Я тебе что велела? Я тебе велела заняться психологом или переводчиком, а ты что делаешь? Дома сидишь?

— Мы с Артемом кино смотрели.

— Кино они смотрели, — пробурчала Маринка. — Вот так и просмотришь свое заплесневелое кино до самой старости. А кто за тебя будет жизнь устраивать?

Пришла Надежда Павловна, закрывшая в десять вечера буфет и перемывшая всю посуду.

— Что-то вы сегодня долго, — заметила Наташа. — Вчера вы раньше пришли.

— Так совещание же было, пришлось еще наверх сбегать, принять участие. Обсуждали, кого из вас оставить, а кого выгнать.

Заметив горячий интерес на лицах девушек, повар-буфетчица тут же замахала руками:

— Ничего не спрашивайте! Хозяин сказал, что сам все объявит завтра в девять утра. И нам наказал молчать.

Наташа приняла это как должное, а Маринка, конечно, сразу же прицепилась.

— Но почему молчать, Надежда Павловна?! Какая разница, узнаем мы сегодня вечером или завтра утром? Что изменится-то? Ну скажите, пожалуйста, а то мы умрем от неопределенности, — ныла она. — Ну что вам стоит?

Но Надежда Павловна стояла как скала.

— Хозяин сказал, что выслушал наши мнения, и будет еще думать до утра, а утром скажет, что решил.

— Ну вы хотя бы расскажите, какие там мнения были, — умоляла Маринка.

— Не велено.

Потом позвонила Галина Александровна и спросила, нет ли у них Марины, а когда подопечная взяла трубку, то получила команду: «Немедленно домой!»

Маринка, по самую макушку погрузившаяся в роль «умолять и ныть», продолжала по инерции делать то же самое и в разговоре с куратором.

— Ну почему, Галина Александровна? Ну можно я еще немножко побуду?

— Это неприлично, — отрезала профессор. — После двадцати двух часов неприлично даже звонить по телефону, не то что в гостях сидеть. Находиться в гостях допоздна допустимо только в тех случаях, когда тебя пригласили, а если ты пришла без приглашения, то будь любезна оставить хозяев в покое и дать им отдохнуть. Надежда Павловна только что пришла с работы, она на ногах с шести утра, имей же совесть.

— А может, меня как раз и пригласили! — нахально заявила Маринка. — Откуда вы знаете, что меня не приглашали?

— Марина, — профессор устало вздохнула, — не имей привычки врать на каждом шагу. Со мной эти номера не проходят, я слишком хорошо знаю молодежь твоего возраста и твоего склада ума. День был длинным и напряженным, все нуждаются в отдыхе, и Надежда Павловна, и я. Тебе следует проявить уважение к нашему возрасту.

— Если вы такая старая, что вам трудно работать, зачем же вы нанимались в этот проект? — ляпнула Маринка.

Наташа сгорала от стыда и стояла рядом ни жива ни мертва. Прежний обладатель этого телефонного аппарата, вероятно, был искусным инженером-радиотехником и ухитрился вставить в старую модель мощнейший динамик, позволяющий тому, кто стоит рядом, слышать все, что говорил абонент. Ну что Маринка несет? Совсем ничего не соображает, что ли?

— Я не нанималась, — сухим и ровным тоном ответила Галина Александровна. — Меня нашли и пригласили. Если тебе интересно обсудить данный вопрос, то имеет смысл все-таки прийти домой. Заодно и спать ляжешь.

Маринка надулась, посидела еще несколько минут и ушла к себе.

Утром объявили результаты. Маринка нервничала и кусала губы от напряжения, но услышав, что ее оставляют, а Оксану — нет, не сдержалась и торжествующе улыбнулась.

— Ну, всё, — прошептала она Наташе, — дело в шляпе! Оксану выперли, а представь, что могло получиться, если бы ее оставили, а Цветика — нет? Сейчас-то она вроде как с ним, а без него начнет активность разворачивать и все карты мне спутает. Хорошо, что ее не будет!

— А Евдокия? — тоже шепотом спросила Наташа. — Ты ее не боишься?

— Эту мышь-то? — Нос Маринки презрительно сморщился. — Вот еще!

Девушка была непоколебимо убеждена в том, что является самой неотразимой из трех оставшихся участниц женского пола и соответственно, ее шансы на покорение сердца Ричарда Уайли, переводчика, затворника и богача, неизмеримо выше, чем у всех других. Утолив голод, вызванный отсутствием возможности пользоваться интернетом и мобильником, она теперь повисла на ушах Наташи. «Скорей бы долететь, — тоскливо думала Наташа, — Маринка снова уткнется в гаджеты и отстанет от меня со своими планами. А дома я надену наушники, буду слушать песни и мечтать...»

* * *

Сергей уезжал поездом, Артему выдали билет на самолет, но время отправления у обоих было около шести вечера, поэтому в город Назар Захарович вез их вместе.

— Счастливо, ребятки, берегите себя, ждем вас через месяц. Не забудьте сообщить заранее, если передумаете приезжать, мы билеты аннулируем, — напутствовал их Бычков.

Они помахали рукой вслед удаляющейся машине. Назар Захарович высадил их возле вокзала, откуда Артем мог добраться до аэропорта на электричке за 10 минут. Молодые люди посмотрели расписание и отправились на платформу, с которой пойдет электропоезд в нужном направлении.

— Зря ты отказался ехать прямо в аэропорт, — заметил Сергей. — Придется теперь в поезде трястись, а так на машине домчался бы с ветерком, как белый человек.

— Риски нужно минимизировать, — усмехнулся в ответ Артем. — Ты же с финансами работал, должен понимать. От вокзала до аэропорта дорога сложная, через центр, там улицы узкие и всюду одностороннее движение, то есть любая авария — и ты встаешь намертво и на неопределенный срок. Электричкой куда надежнее.

— Да какие пробки могут быть в воскресенье? — удивился Сергей.

— Все случается именно тогда, когда оно не может случиться. А самолет ждать не будет. Плохо только, что тебе тут одному придется куковать до поезда, мне же нужно на регистрацию успеть, так что я через... — он посмотрел на часы, — через семь минут уеду, а тебе еще долго ждать.

— Ерунда, — улыбнулся Сергей. — Ты какой-то задумчивый был всю дорогу, пока в машине ехали, не разговаривал. С Наташкой, что ли, замутил и теперь грустишь, что расстались на целый месяц?

Артем посмотрел на него с таким выражением, словно не мог понять, о чем вообще речь и кто такая Наташка.

— С Наташкой? — медленно повторил он. — С какой?.. А, ну да, дошло! Нет, она ни при чем. Я хочу сказать, что она отличная девчонка, симпатичная очень и мысль хорошо ловит, но я ни одной минуты не парюсь на ее счет. Через месяц встретимся, и если сложится — то хорошо, а если не сложится — да и фиг с ним. Конечно, я был бы не против, но не факт, что я ей нужен. Может, она с кем-то уже давно и прочно. Во всяком случае, думал я не о ней.

— А о ком?

— Да так, по работе... Родились кое-какие идеи... Вот ты же финансами занимался, верно?

— Верно, — осторожно подтвердил Сергей.

Только одному Артему он рассказал о своих злоключениях с поисками работы, для всех остальных он хотел оставаться грузчиком.

— Значит, ты лучше многих понимаешь, в чем основной диссонанс современного маркетинга в России. Восемьдесят процентов рекламы и компаний по продвижению ориентированы на контингент в возрасте до тридцати пяти лет, то есть на тех, кто больше всех хочет потреблять. Заметь себе: именно хочет. Но не потребляет, потому что у них нет денег. Молодые еще не заработали на все эти цацки с баснословными ценами. Они либо их не покупают, либо просят денег у родителей. А восемьдесят процентов держателей денег — это как раз поколение родителей. Как заставить молодых захотеть — все отлично знают, а вот как заставить родителей за это заплатить — большой вопрос. Кроме того, родители у нас такого хорошего возраста, когда у них есть не только подросшие дети, но еще и собственные родители, которые в подавляющем большинстве своем вообще неплатежеспособны, но потребности-то у них есть, и дети этих стариков, то есть родители наши, готовы покупать для них товары и услуги. Мне нужно сделать проект, разработать маркетинговую стратегию, которая позволит формировать у старшего поколения потребности, а у среднего поколения — готовность их оплачивать наряду с готовностью платить за желания собственных детей.

— Так ты именно поэтому ввязался в эту историю с семидесятыми?

— Конечно. А ты почему? Ты вроде говорил, что у тебя какие-то личные мотивы, типа перекантоваться нужно до новой работы, но почему ты так стремительно уволился, не объяснил.

К платформе подошла электричка, и Сергей с облегчением ухватился за возможность не отвечать на сложный вопрос.

— Счастливо тебе доехать, — сказал он Артему, — через месяц увидимся.

— Не знаю, не уверен. Мне кажется, я уже понял достаточно, чтобы доделать свой проект. Буду через неделю подавать на конкурс, у нас в городе построили сетевые гипермаркеты, и головной офис набирает маркетологов, работа интересная и зарплата очень хорошая, хочу попытать счастья. Если меня возьмут, то через месяц я не приеду.

Артем вскочил в тамбур, двери закрылись. Сергей долго еще стоял на платформе, глядя сначала вслед уходящему поезду, потом на опустевшие рельсы. Ему было грустно. Почему-то он был уверен, что Артема непременно возьмут на интересную и высокооплачиваемую работу. И это означало, что на основном мероприятии его не будет. Жаль.

В кармане блямкнул телефон, извещая, что пришло сообщение. Сообщение было от закадычного друга Вовки. «Ты куда пропал, Гребенев? Работа все еще нужна? Деньги скромные, но с проживанием». Сергей собрался было перезвонить, поговорить, но вспомнил, что теперь нужно жестко экономить. Сообщение обойдется дешевле. Конечно, если переписываться в вотсапе, то получилось бы вообще бесплатно, но для вотсапа нужен интернет, а Сергей в целях экономии перешел на самый дешевый тариф без доступа в сеть, тем более что и телефон у него совсем старой модели, интернет не поддерживает. Быстро написал: «Что нужно делать? Свободен до конца июня». Ответ не заставил себя ждать: «Соседи построили дачу, заезжать будут в июле, до заезда нужно охранять».

Вот и отлично. Снимаемая квартира обходится дороговато, а тут — бесплатное жилье. Он вернется в свой родной город, пойдет в магазин, где подрабатывал грузчиком, попросит отдать ему пса Филю на месяц, и будут они вдвоем охранять свежепостроенную дачу какого-то богатея. Потом он приедет снова в поселок на целый месяц, а потом... Потом что-нибудь да будет, не может же быть, чтобы ничего не было. Однако жизнь-то налаживается!

Только ему все равно почему-то очень грустно и очень горько.

* * *

В вокзальном буфете Сергей купил чизбургер и банку джин-тоника. До поезда оставалось чуть меньше часа, и молодой человек бесцельно слонялся то по зданию вокзала, то по одной из четырех платформ. Объявили прибытие поезда из Москвы, и Сергей нос к носу столкнулся с завхозом Юрием.

— Ты еще здесь? — удивился завхоз. — Вроде вы с Артемом давно уехали из поселка...

— Мы пораньше выехали, чтобы Артем на самолет успел. А вы что тут делаете?

— Московский поезд встречаю, доктор приезжает.

— Какой доктор?

— Тот, который через месяц всех вас лечить будет. Извини, парень, мне к восьмому вагону надо, а то разминемся.

Юрий быстро направился к нужному вагону. Сергею стало интересно, и он не спеша двинулся следом. Через короткое время он увидел, как завхоз подошел к вылезшему из поезда высокому сухопарому мужчине с длинным хмурым лицом, пожал ему руку. Сергей двинулся им навстречу.

— Здравствуйте, — дружелюбно произнес он, когда завхоз и доктор приблизились. — Юрий сказал, что вы тоже будете на основном мероприятии. Я — Сергей, меня отобрали для участия в проекте.

Доктор посмотрел на него не сказать, чтоб уж очень приветливо, но руку все-таки протянул:

— Эдуард Константинович Качурин. Да, я врач-терапевт, буду оказывать первую медицинскую помощь.

— По протоколам семидесятых годов, — непонятно добавил Юрий и почему-то усмехнулся. — Так что если ты привык, что тебе на каждый чих дают таблетку, а занозы вытаскивают под наркозом, то лучше не приезжай.

Они втроем шли в сторону выхода на привокзальную площадь, где Юрий оставил свой пикап.

— Не понял про протоколы, — вопросительно произнес Сергей.

Качурин откашлялся, прежде чем начал отвечать.

— Мне сказали, что медицинскую помощь я должен оказывать ровно в тех объемах и теми средствами, которые официально существовали в семидесятые годы в советских медицинских учреждениях. Например, если вы пораните сь, то рану я буду обрабатывать веществами, которые вызывают сильное щипание и жжение. Сейчас существует множество дезинфицирующих средств, в которых нет спиртовой составляющей, и они не причиняют больным ни малейшего дискомфорта. Но в семидесятые годы у нас таких средств не было. А если у вас заболит зуб, то я ничего не смогу предложить вам, кроме анальгина или тройчатки. Никаких сильных обезболивающих, которые сегодня вы можете купить в любой аптеке.

— Ничего себе, — протянул Сергей. — А если что-то серьезное?

— Вы получите все предварительные разъяснения об оказании вам медицинской помощи, и с вас возьмут расписку в том, что вам все объяснили и вы со всем согласны. Но не беспокойтесь раньшс времени, в экстренных случаях вас просто отправят в нормальную современную больницу.

Этот доктор Качурин говорил так, словно зачитывал протокол. Сухарь какой-то! То ли дело актер Гримо, шутник и весельчак, который за словом в карман не лезет и всегда имеет в запасе какую-нибудь остроту.

— Ты, парень, слово-то такое слыхал — тройчатка? — насмешливо спросил Юрий. — Если надумаешь приехать через месяц, сходи предварительно к зубному, челюсть пролечи, а то если по советским протоколам, так страшнее стоматолога ничего не было. Думаешь, почему у тех, кому за шестьдесят, почти поголовно зубы плохие? Потому что зубных врачей боялись панически, очень уж больно было, вот и не ходили к ним, терпели, таблетки глотали да водочкой или коньячком рот полоскали. А когда терпеть становилось невозможно — шли, конечно, да только спасать уже было нечего.

Сергей вспомнил вчерашнюю эскападу Цветика, утверждавшего, что жизнь в советское время не могла быть похожа на концлагерь. Сергей тоже думал, что не могла. А вдруг все-таки могла? Лечить зубы без обезболивания — это, наверное, совсем караул...

— А зачем вы сейчас приехали? — спросил он, даже не успев подумать, насколько прилично задавать подобный вопрос. — Ведь мероприятие только через месяц.

— Я должен подобрать помещение для медкабинета, составить список оборудования и препаратов из расчета на количество участников и сотрудников, — отчеканил длиннолицый Эдуард Константинович, как будто отвечал на экзамене. — Именно поэтому меня попросили приехать тогда, когда станет известно число отобранных участников.

Они уже подошли к пикапу, Юрий забросил на заднее сиденье дорожную сумку доктора и открыл дверь со стороны водителя.

— Думаешь, так просто сейчас достать оборудование и инструменты, которыми пользовались в семидесятые? — сказал он, насмешливо глядя на Сергея. — Да мне и месяца может не хватить. Придется, наверное, какой-нибудь медицинский музей ограбить, не иначе. Ладно, парень, поедем мы. Ты сам-то на поезд не опоздаешь?

— Подождите, еще минуточку, — взмолился Сергей. — У меня вот такой вопрос: а если заболеет сам мистер Уайли, вы как будете его лечить? По советским протоколам? Или по канонам современной медицины? Он — иностранный гражданин, и если вы не окажете ему медицинскую помощь в полном объеме, вас могут привлечь к суду за халатность, а то и посадить. Не боитесь?

Почему-то этот сухопарый доктор с протокольной речью вызывал у Сергея необъяснимую ненависть, и ему, совершенно по-детски, захотелось вывести его из равновесия или хотя бы просто поддеть.

Доктор смотрел на него пристально, впалые щеки подрагивали. Наконец он разлепил плотно сжатые тонкие губы.

— Я, молодой человек, уже ничего не боюсь. И не вам меня пугать. Всего вам самого доброго. Надеюсь на встречу через месяц. И не забудьте посетить стоматолога, Юрий дал вам дельный совет.

Стоматолога... На какие шиши, хотелось бы знать? До поступления на новую работу каждая копейка на счету. Эх, не надо было брать джин-тоник в буфете, обошелся бы без него! Перед отъездом Надежда Павловна всем предлагала взять в дорогу бутерброды, но никто не взял. Все, наверное, как и Сергей, хотели быстрее вырваться на свободу современного потребления и, оказавшись в городе, кинулись по кафешкам, барам, а то и ресторанам. Он сам мечтал о каком-нибудь бургере, поэтому от предложения Надежды Павловны тоже отказался. Ну и дурак! Взял бы бутербродики и мог бы сэкономить, не покупать ничего в вокзальном буфете. Лишняя трата получилась... Но после трех суток на «советской» еде ему так захотелось чего-то привычного, вкусного!

* * *

Он и сам не ожидал, что, оказывается, соскучился по ангельскому голоску. Но что ж поделать, если до возвращения домой после окончания отборочного тура ему было совершенно нечего сообщить...

Собственно говоря, ему и сейчас докладывать особо не о чем. И голосок, поняв это, не скрывал неудовольствия.

— Всегда знала, что ты тупой, — процедила обладательница голоса.

— Разве я виноват, что ничего не понял? Твой американец не больно-то делится своими соображениями.

— Ладно, рассказывай хотя бы то, о чем знаешь точно.

— На мероприятии будет шесть человек, три парня и три девчонки. Что будут делать — неизвестно. Из сотрудников остаются все, кто изначально намечен. Слышал краем уха, что вроде американец собирается отказаться от второго переводчика-синхрониста, говорит, что вполне освоился и ему хватит одного.

— Когда начнут?

— В конце июня, в двадцатых числах. Среди ребят есть студенты, им нужно сессию сдать.

— И что он собирается делать почти месяц? Останется в Москве? Или уедет?

— Говорит, что останется. И сотрудников попросил не разъезжаться.

— Зачем?

— Ты меня спрашиваешь? — усмехнулся он. — Сказал, что будет заниматься подготовкой и каждый из сотрудников может в любой момент понадобиться.

— И ты тоже?

— Выходит, и я тоже. А что тебя смущает? Ты хотела в это время пригласить меня в гости?

— Размечтался! Скажи-ка лучше: тот дед с дурацким именем все еще при нем?

— Назар? Да, он теперь правая рука нашего американца. А что, он тебя беспокоит?

— Он мне не нравится! — отрезал ангельский голосок. — Кто он такой? Откуда взялся? Ты хотя бы это выяснил?

— Откуда взялся — сказать не могу, мне не докладывали, но он полицейский в отставке.

— Полицейский... — задумчиво протянула она. — Ну, тогда ладно, это не опасно. Полицейский, значит... Это ничего, это нормально, менты всегда были тупыми.

— Неужели тупее меня? — поддел он, не удержавшись.

Она так и не избавилась за все эти годы от своей привычки называть тупыми всех, кого не могла понять или заставить делать то, что ей хочется. Когда-то его это забавляло и даже умиляло, теперь же стало раздражать. Но раздражение показывать не нужно, иначе денег не заплатит.

— Ты вообще чемпион, тебя никто не переплюнет, — едко ответила она. — Давай занимайся делом, следи за всем, держи руку на пульсе. Если проворонишь что-то важное — не прощу.

— И не заплатишь? — поинтересовался он, хотя прекрасно знал ответ.

— Само собой, никаких денег не будет. Не обеспечишь результат — считай, что работал за «спасибо».

И кто сказал, что люди с возрастом меняются? Ни фига они не меняются.

ЧАСТЬ ЧЕТВЕРТАЯ

Подготовка

Работать в номере даже такого славного отеля, как тот, в котором я жил, было неудобно. Мне требовался, во-первых, достаточно большой письменный стол, на котором я мог бы раскладывать многочисленные листы распечаток, а во-вторых, нужно было общаться с людьми, и их присутствие в номере меня нервировало, а вести долгие беседы в баре отеля надоело, да и не всегда оказывалось приемлемым. Например, переводчика Семена Хорвата я попросил подобрать для меня какой-нибудь современный сериал, по которому можно было бы тренировать бытовой разговорный русский, но в этом случае для работы бар совершенно не годился. С петербурженкой Галиной Александровной, для которой я снял номер в этом же отеле, тоже посиделки в баре не подходили: нам нужно было работать с текстами, а для этого требовались и большой стол, и тишина.

Через несколько дней после возвращения в Москву я начал подумывать об аренде апартаментов на предстоящий месяц, но тут с неожиданным предложением выступил Назар.

— А хочешь — поселю тебя у нас на даче. Конечно, лето пока еще не жаркое, но все равно воздух в городе отвратительный. Правда, теперь и за городом не намного лучше, но все-таки кислорода чуть побольше.

Заметив мое смущение, он прибавил:

— Если ты насчет комфорта беспокоишься, то зря. На зарплату и пенсию полковника полиции ничего приличного, конечно, не построишь, но сын у меня хорошо зарабатывает, он хирург в частной клинике, отгрохал хороший домик, там всем места хватает, и ему с женой и детьми, и нам с Элкой, и даже Элкиным племянникам с их потомками.

Смущение мое возросло многократно. Жены, дети, племянники и потомки — это совсем не тот контингент людей, среди которых я привык пребывать. Маленьких детей я рядом с собой не терпел совершенно: их звонкие голоса, радостные визги и отчаянный плач легко могли спровоцировать приступ. В течение ближайшего месяца я планировал не принимать таблетки, поэтому следовало сделать все возможное, чтобы минимизировать риски.

— Спасибо, Назар, но ты же знаешь, — осторожно начал я, — у меня проблемы и с характером, и со здоровьем. Боюсь, что для вашего семейного корабля я — не самый приятный пассажир.

Он усмехнулся.

— Ничего, я как-нибудь твое соседство переживу, навык имеется. А больше там никого не будет, если сам не пригласишь.

Я попросил время, чтобы обдумать его слова. Общество Назара мне нравилось, более того, я успел привыкнуть к нему. И если действительно на этой даче не будет никаких родственников с детьми, то почему бы нет? Правда, есть ряд организационных вопросов, которые надо бы предварительно решить.

Например, как будут добираться за город сотрудники, которые не водят машину? О том, насколько хорошо работает в России муниципальный транспорт, я был давно осведомлен и никаких иллюзий не питал.

— Сам буду привозить, кого скажешь, и потом отвозить, никаких проблем, — ответил Назар.

— Как мы будем питаться? Кто будет нам готовить? — задал я следующий вопрос.

— Зависит от того, насколько ты капризен. Можно покупать полуфабрикаты в магазине, это недорого и просто, но не полезно для здоровья. Можно покупать готовую еду в кулинариях при дорогих магазинах, это надежнее, но абсолютных гарантий качества тоже нет. Можно попросить Элку готовить дома, а я буду каждый день привозить, нам только разогреть останется.

— А это удобно? — засомневался я. — Все-таки твоя жена не повар, а переводчик, и ей придется целый месяц каждый день стоять у плиты.

Назар издал свой воркующий дробный смешок.

— Можно подумать, она меня не кормит! Да она и так каждый день у плиты стоит. Но если стесняешься напрягать Элку, то могу предложить тебе нашу Надежду. Кормить сотрудников — ее прямая обязанность, а зарплату за этот месяц ты ей все равно платишь, вот и пускай отрабатывает.

Мысль показалась мне привлекательной, я ведь уже упоминал, что пристрастился к выпечке Надежды Павловны.

— Как насчет стирки, уборки, смены постельного белья и прочих бытовых услуг? — осведомился я.

— Подумаем. Решим, — пообещал Назар.

И я согласился.

* * *

Дом у семьи Бычковых был и в самом деле просторным, а поскольку я всегда был неприхотлив и привык жить очень скромно, меня все устроило. Участок вокруг дома засажен кустарниками и молоденькими невысокими деревцами, едва достававшими до середины окон первого этажа.

— Недавно построились, три года назад всего, — пояснил Назар. — Участок был совсем голым, никаких старых посадок, все сажали заново, так что вырасти ничего не успело. Вот лет через десять приедешь — увидишь, какая будет красота!

Насчет того, проживу ли я еще десять лет, у меня были большие сомнения. А вот у моего друга Назара таких сомнений, похоже, не было, он демонстрировал полную увсрснность в том, что увидит обещанную красоту.

Большого письменного стола в доме не оказалось, но Назар предложил использовать для работы раздвижной обеденный стол, сказав, что вдвоем мы прекрасно уместимся для приема пищи за барной стойкой, а если погода будет не сильно ветреной и холодной, то и вовсе застолье можно будет устраивать на крытой террасе. Наш умелец офис-менеджер Юрий помог с переездом, внимательно выслушал мое весьма, надо признать, невнятное описание предполагаемого образа жизни на даче и составил список всего, что, по его мнению, следовало закупить и доставить в загородный дом, дабы обеспечить нам более или менее комфортное существование.

— Кого из сотрудников вы планируете приглашать? — спросил он, вооружившись блокнотом и ручкой.

— Всех, — уверенно ответил я.

— Вместе или по очереди?

— Пока не знаю. А это важно?

— В принципе не очень. Я уже представляю, кому что нужно, кто что пьет и ест, кому какая вода нужна, какой чай, кофе, печенье-конфеты, так что все куплю и привезу. Просто если вы будете проводить общие совещания и собирать всех сотрудников разом, мне нужно убедиться, что хватит и посуды, и канцтоваров. А если общих сборов не предвидится, тогда все проще. Я могу раз в три-четыре дня приезжать и проверять, сколько чего осталось и что еще нужно.

— Посуду лишнюю мыть не будем, — вставил Назар, — так что одноразовых тарелок купи побольше. С чашками и приборами, так и быть, сами совладаем.

Решив все вопросы с Юрием, я принялся составлять график работы с другими сотрудниками, чем вызвал некоторое удивление со стороны Назара.

— Они у тебя на окладе, должны сидеть с мытыми шеями и быть готовыми примчаться по первому свистку, — заявил он.

Не знаю, может, в России так принято, но я привык сам распоряжаться своей жизнью и своим временем, планировать все заранее и придерживаться по возможности установленного расписания. Да, мигрень постоянно вносила коррективы в мои планы, это правда, и я всегда страшно расстраивался и переживал, если подобные коррективы затрагивали интересы других людей, и злился на себя самого и свою болезнь. Я полагал, что если сам люблю жить по четкому графику, то должен уважать стремление других людей иметь возможность планировать свое время и свои дела. Поэтому слова Назара не только не понравились мне, но и озадачили. В дискуссию я ввязываться не стал, но сделал так, как считал нужным: составил календарный план и отправил каждому сотруднику электронное письмо с расписанием его визитов, сделав приписку о том, что приступ мигрени может это расписание изменить, но только в одну сторону: визит будет перенесен на более поздний срок, но никак не на более ранний. Формулируя этот текст, я поймал себя на мысли о том, что, может быть, не нужно пока отказываться от таблеток... Неизбежные последствия, которые так мне не нравились, наступят не завтра и даже не через месяц, а регулярный прием препарата гарантирует мне бесперебойную работу по графику.

Я решил посоветоваться с Назаром.

— Даже не вздумай, — отрезал тот. — Дай организму вздохнуть. Тебе известно только одно: при приеме таблеток примерно раз в две-три недели через примерно тридцать лет наступает разрушение личности. Правильно? Ты ведь именно так мне объяснял?

— Да, мне так сказали эксперты, которые проверяли препарат.

— А что будет, если принимать их каждый день в течение двух месяцев? Не боишься?

— Назар, мне уже поздно бояться, тридцать лет я не протяну.

— Но вдруг последствия наступят через год-другой, если ты сейчас начнешь употреблять лекарство ежедневно? Нет, Дик, как хочешь, а я не разрешаю.

Я оторопел. Полвека я не слышал этих слов в свой адрес. После похорон родителей никому даже в голову не приходило разрешать или не разрешать мне что бы то ни было, касающееся моей и только моей жизни.

— Ты не... что? — переспросил я, не веря собственным ушам.

— Не раз-ре-ша-ю, — отчеканил Назар. — Ты, разумеется, можешь не послушаться и сделать по-своему, но позицию мою знать должен. Побереги себя. А сотрудники пусть прилаживаются к твоим обстоятельствам, в конце концов, это небольшое неудобство учтено в их гонораре, разве нет?

— Да, — согласился я, — учтено.

Нерешительно покрутив в пальцах флакон со спасительными таблетками, я все-таки убрал его в чемодан. Назар прав: мне нужно постараться сохранить голову в рабочем состоянии хотя бы до момента окончания исследования, затем сдать текст, дождаться решения конкурсной комиссии, убедиться, что победил кто угодно, но только не Энтони Лагутин, а там уже будь что будет.

* * *

С переводчиком Семеном я запланировал работать через день, по четным датам, а с Галиной Александровной и Виленом — тоже через день, по нечетным. Первый визит доктора Качурина я наметил на тот день, когда, по моим предварительным прикидкам, дело дойдет до 1975 года: в записках Зинаиды Лагутиной упоминается о длительной болезни сына Владимира, во время которой и она сама лежала дома с сотрясением мозга.

Актеров я попросил приехать всех вместе, назначив день, приходящийся на нечетную дату: для формулирования задания без Галины Александровны мне не обойтись.

— Можно я буду называть вас настоящим именем, а не этой русифицированной подделкой? — попросил я. — Здесь молодежи нет.

Галия Асхатовна пожала плечами:

— Как вам удобнее — так и называйте, я ко всему привыкла.

Профессор была мне очень симпатична, я ценил в ней и обширнейшие знания, и чувство юмора, и готовность рассмеяться в любой момент. Необходимость скрывать ее неславянское происхождение казалась мне оскорбительной, и если среди молодых людей ей проще было именоваться Галиной Александровной, то в отсутствие оных я посчитал правильным пользоваться подлинным именем.

— Вы старше меня, так что обращайтесь ко мне без отчества, — предложила она. — Будем экономить время. Тем более у вас, Дик, тоже отчества нет. С Назаром и Полиной мы уже давно обо всем договорились, и только вы один разводите китайские церемонии.

Мне стало весело, даже не знаю почему. В присутствии Галии Асхатовны — прошу прощения, просто Галии — мне всегда хотелось улыбаться, и настроение поднималось.

— А Виссарион Иннокентьевич? — поинтересовался я. — Как вы его называете? Виссарионом?

— Вот еще! — фыркнула Галия. — Он у нас просто Вася. Или Гримо.

Назар отправился в город за Надеждой Павловной, а мы с Галией приступили к работе.

Начали с записей Ульяны Макаровны, которые та вела до конца шестидесятых. Вдова моего двоюродного дяди Майкла Линтона проявила себя не только истовой коммунисткой, но и весьма прозорливой бабушкой. Она писала: «Дочь Зину я воспитала правильно с политической точки зрения, но не сумела привить ей навыков педагогики. Зинаида — прекрасный работник, честный, целеустремленный, преданный своему делу, но на детей у нее остается слишком мало времени. С моим мнением Ульяна и Володя не считаются, так что заниматься их воспитанием мне не с руки. А крепкая узда им обоим не помешала бы. Ульяна слишком своенравна и любопытна для своих малых лет, Володя же нуждается в твердой руке, которая направляла бы его мышление». Это было написано, когда Владимиру Лагутину исполнилось тринадцать лет, а его сестре Ульяне — одиннадцать.

Зинаида подключилась к ведению записей чуть позже, приняв вахту у матери, когда та по состоянию здоровья уже не могла этим заниматься, поэтому в текстах Зины дети описывались более взрослыми, и это были уже совсем другие дети, словно их подменили. Ульяна оказалась милым подростком, увлекающимся рисованием и иностранными языками, «маминой радостью» и «солнышком», Владимир — вдумчивым серьезным юношей, ответственно готовящимся к карьере либо дипломата, либо журналиста-международника (по утверждениям Зинаиды, сын до самого окончания выпускного класса школы не мог определиться, на какой факультет МГИМО ему поступать). И ни единого слова ни о своенравии и чрезмерном любопытстве девочки, ни о «неправильном» мышлении Володи. Это меня не удивляло: о Зинаиде я уже многое понял и мог с уверенностью утверждать, что правды в ее записях совсем мало.

— Ну, положим, бабушка тоже за словами следила, — заметила Галия. — Насчет деловых качеств Зинаиды Михайловны она, конечно, слегка переборщила. Представляя себе реалии того времени, рискну предположить, что ваша сестра приходила с работы, быстро готовила ужин и садилась на телефон, причем решала не служебные вопросы, а занималась сплетнями: кого куда вызывали, кого за что наказали, кто у кого что достал и сколько переплатил, кто кого о чем попросил и кто кому чем теперь обязан. Может, иногда и мелькало упоминание о том, кто как выглядит и как одет, но в основном все по делу. Со стороны и в самом деле могло показаться, что человек обсуждает рабочие вопросы. А девочка — ушки на макушке, слушает, жизни учится. Вот отсюда и родились слова Ульяны Макаровны о том, что Зина слишком много работает и мало внимания уделяет детям, а внучка излишне любопытна. Уверена, что девочка поначалу пыталась прояснить у бабушки непонятные места в разговорах, но получила от нее хорошенькую взбучку, дескать, подслушивать нехорошо и детям лезть в дела взрослых не полагается.

Версия показалась мне вполне правдоподобной. Я уже научился более или менее сносно отделять зерна от плевел и вытаскивать из записок Зинаиды именно то, что было на самом деле, а не то, что она хотела бы довести до сведения компетентных органов, цензурирующих ее письма в США: все слова о замечательных детях и крепкой советской семье я отбрасывал сразу.

Зину очень беспокоил вопрос невесты для сына. Обсуждению его знакомств и отношений с девушками посвящено было немало места, девушки названы по именам и фамилиям, но никакой Аллы среди них я не нашел. А ведь «Записки молодого учителя» начинались со слов о том, что автора «Записок» «спасла Алка». Неужели такая явная взаимная симпатия не переросла хотя бы в дружбу? Девочка из немецкой спецшколы, умная, отличница и с хорошей внешностью, должна была заинтересовать Зинаиду. Ну, хорошо, пусть не романтические отношения, пусть какие-то другие, но они наверняка сложились, ведь в «Записках» то и дело мелькали упоминания: «Я поделился этими наблюдениями с Алкой», «Алка надо мной смеялась и называла идеалистом», «Алка подумала и согласилась со мной»... Однако Зинаида ни разу эту Аллу ни в каком контексте не упомянула, зато с удовольствием и подробно описывала какую-нибудь «Танечку Парфенову, дочку Петра Борисовича», которая «совершенно не умеет себя вести за столом и даже набралась нахальства попросить пепельницу и закурить». Валечка Лысенко, дочка Тамары Григорьевны из Минтяжмаша, одевалась слишком вызывающе, а Леночка Шумова демонстрирует нездоровый интерес к западной культуре, хотя ее родители — такие уважаемые люди, настоящие коммунисты, отец работает в Отделе культуры ЦК КПСС, мама — главный редактор издательства...

Когда я показал эти отрывки Галие, она сначала вздернула брови, потом расхохоталась от души. Смеялась так долго, что я начал сомневаться в собственной интеллектуальной полноценности: ну что тут такого безумно смешного? Неужели я настолько поглупел от старости и утратил чувство юмора, что не понимаю очевидного?

— Ну и хитра же ваша сестрица! — выдавила Галия сквозь хохот. — Мимоходом еще и напакостить решила! В МГИМО ребята «с улицы» поступить не могли, там учились только дети родителей определенной категории. Любого наугад возьми — у него окажется либо папа при должности, либо мама, либо оба сразу. И ведь как удобно получилось: нужно только намекнуть, что, мол, отпрыск-то немного не того, не соответствует, а где надо — прочитают, выводы сделают и кому надо доложат. Петр Борисович Парфенов и Илья Николаевич Шумов были большими шишками, на Мавзолее вместе с руководством страны стояли.

Сейчас-то их, конечно, никто не помнит, а тогда... Зина ваша не скрывала, что крайне озабочена перспективами брака своего сыночка, но под эту марку еще и личные счеты сводила, как я понимаю. Остроумный ход!

Я вздохнул. Н-да, гордиться троюродной сестрой мне не приходилось. Хорошо, что Галия так хорошо разбирается в том периоде, иначе я бы ни за что не догадался, что́ стоит за этими многочисленными «девушками из института, которых Володенька иногда приглашал к нам на чашку чаю или вместе с которыми занимался и готовился к зачетам и экзаменам».

И все-таки: кто такая Алла и почему Зина о нсй ничего не написала? Галия предположила, что Алла — имя вымышленное, а на самом деле девушку звали по-другому.

— «Записки молодого учителя» — это все-таки не дневники, а нечто полухудожественное, близкое к эссеистике, так что вымысел вполне может иметь место. Но я согласна с вами, Дик: концы с концами не сходятся. Если эта Алла действительно умная и вдумчивая девушка, к тому же из приличной семьи, то почему Володя прятал ее от матери, не приглашал в дом и даже не рассказывал о ней? Если бы Зинаида хоть что-то знала об Алле, она бы обязательно упомянула ее, хотя бы в сравнении с Танечками и Леночками, которые, на ее взгляд, не дотягивали до требуемого уровня.

— Почему вы решили, что она из приличной семьи?

— Просто сделала вывод из сопоставления того, как девочка была одета в момент знакомства с Володей, и того, где она жила.

— Одета? — удивился я. — А во что она была одета?

— Она надевала в гардеробе красивый блестящий плащик.

Да? А я этого совершенно не помнил. Взял папку с «Записками», посмотрел на первую страницу. Все верно.

— Ну и память у вас! — искренне восхитился я.

— Память самая обычная, соответственно возрасту, — улыбнулась Галия, — а вот женское начало умрет только вместе со мной. Красивый блестящий плащик я не могла не отметить при первом же прочтении. Эпизод относится к семьдесят второму году, в обычных магазинах ничего красивого и блестящего не найдешь, это нужно было или покупать в «Березке» на чеки Внешэкономбанка, либо доставать через спекулянтов или иметь знакомства в комиссионках, куда сдавали вещи, привозимые из-за границы. Можно предположить, что у родителей девочки есть определенные связи. Или они хорошо зарабатывают, чтобы переплачивать спекулянтам.

— Или и то, и другое, — задумчиво продолжил я. — А что с местом жительства?

— Если бы связи, деньги или наличие чеков были следствием высокой должности или принадлежности к определенной профессиональной среде, то семья жила бы в престижном районе города, а не в Бескудникове. Бескудниково в те годы считался новостройкой, находился очень далеко от метро, добираться туда было крайне неудобно и долго. Значит, семья обеспеченная, но не находилась рядом с кормушкой власти. Девочка учится в языковой спецшколе и участвует в городской олимпиаде, стало быть, отличница, по крайней мере по одному предмету, гордость класса, отрада преподавателя немецкого языка. Почему же Зинаида не в курсе, что у ее сына есть такая замечательная подружка?

Я задумался. А не могло ли так случиться, что Владимир в Записках действительно использовал вымышленное имя, на самом же деле девочку звали, к примеру, Леной или Таней, и она тоже поступила в МГИМО, и об их отношениях прекрасно знала Зинаида и писала об этом... Нет, не получалось. Во-первых, если верить моей наставнице-профессору, проживание в новостройке далеко от метро плохо увязывалось с возможностями «поступить» чадо в МГИМО. Но даже если и допустить такой вариант, существует неопровержимое «во-вторых»: если девушка, поименованная в «Записках молодого учителя» Аллой, стала сокурсницей Владимира Лагутина, была вхожа в дом и не нравилась его матери, то Зина непременно написала бы что-нибудь вроде «Леночка (или Танечка, или Манечка) изменилась в худшую сторону, а ведь какой была чудесной девочкой, когда еще в школе училась!» Ну, или что-то подобное, дающее основания думать, что Володя знал девушку давно, еще до поступления в институт. А уж если девушка Зине понравилась, то более чем странно, что о ней ничего не сказано.

Получалось, что либо Володя по каким-то причинам скрывал от родителей Аллу, либо не скрывал, но Зинаида о ней молчала, как партизан на допросе. Ни единого упоминания.

— Давайте еще раз перечитаем семьдесят второй год, — предложил я. — Начиная с сентября. Они ведь познакомились в сентябре.

Мы уткнулись в распечатки записок Зинаиды за 1972 год. Про участие в олимпиаде по иностранному языку она, разумеется, написала с гордостью, длительную же болезнь сына (ангину с осложнениями на сердце) упомянула лишь вскользь, не акцентируя внимания на этом.

— Почему так? — снова удивился я. — Неужели Зина была настолько невнимательной матерью? Как-то непохоже, она же столько усилий прилагала к тому, чтобы ее дети получили возможность пользоваться деньгами Уайли-Купера, вела и отсылала записи, копила деньги, заботилась о том, чтобы дать им образование, которое позволит выезжать за рубеж. Она искренне хотела своим детям лучшей жизни. И вдруг такое невнимание к здоровью сына...

— Дело в другом. Те, кого посылали работать за рубежом, должны были иметь отменное здоровье, чтобы во время пребывания в загранкомандировке их не пришлось лечить за валюту. Если Зина хотела, чтобы ее мальчик учился в МГИМО и впоследствии получил хорошее назначение, нужно было стараться скрывать все, что могло вызвать подозрения у медкомиссии. Ангина — ничего страшного, а вот осложнения на сердце — это уже не годится, — объяснила Галия.

В целом тон, которым описывались события второй половины 1972 года, был у моей сестрицы приподнятым. Она много говорила о том, как гордится вся ее семья (и дети, разумеется, тоже) победами советских спортсменов на Олимпиаде в Мюнхене, как радовались муж и сын победе «наших» хоккеистов над канадскими профессионалами с разгромным счетом 7:3; немало внимания уделено было и подготовке к 50-летию образования СССР, празднование которого должно было состояться в конце декабря. Одним словом, Зиночка изо всех сил старалась произвести впечатление на компетентные органы: муж днями и ночами руководит работой парторганизаций крупных предприятий, а сама она не покладая рук обеспечивает снабжение москвичей продуктами и промышленными товарами, чтобы каждый советский человек, проживающий в столице, мог достойно встретить юбилей великой страны. В конце октября Лагутины всей семьей ходили на премьеру фильма «А зори здесь тихие...», и Зинаида, подробно описав впечатления от новой кинокартины, отметила, что «Ульяна рыдала и долго не могла остановиться, и даже Володя, которого я всегда считала мальчиком не эмоциональным, несколько дней ходил грустный и молчаливый, хотя в последнее время он постоянно находился в хорошем настроении».

— Видите: постоянно находился в хорошем настроении. — Галия постучала концом ручки по строчкам. — Влюбился ваш Володя. И совершенно понятно, в кого. Непонятно только, как девочку звали на самом деле, то ли Аллой, то ли еще как-то.

— И куда же эта Алла потом делась? — глупо спросил я.

— Ох, а то вы сами не знаете, куда девались из нашей жизни мальчики и девочки, — рассмеялась Галия. — В юности все мгновенно вспыхивает и так же мгновенно гаснет. Давайте разметим в «Записках молодого учителя» все места, где так или иначе Володю заинтересовали любовные отношения персонажей, а потом посмотрим, как дело пойдет. Помнится, по «Делу Артамоновых» он довольно много написал о ситуации между Мироном, молодой Поповой и Горицветовым, а ведь у Горького в романе, если я не ошибаюсь, вся ситуация изложена чуть ли не в одной фразе, максимум — в двух. Среднестатистический незаинтересованный читатель мимо этой фразы проскочит и внимания не обратит, тем более для сюжета она ровно никакого значения не имеет, она нужна была только для того, чтобы показать злорадство Якова по поводу того, что у Мирона невесту увели. А Владимира это место зацепило и, судя по всему, долго не отпускало.

Я молча кивнул, соглашаясь, и записал крупно на отдельном листе: «У Владимира и Аллы были серьезные отношения, но внезапно Алла бросила его и вышла замуж за другого». И три огромных вопросительных знака.

* * *

Уж не знаю, каких материалов в интернете начитался мой друг Назар, но он вбил себе в голову, что для профилактики приступов мигрени очень важно соблюдать режим отдыха и сна. Как будто я сам об этом не знал! Это я-то, мигренозник с семидесятилетним стажем, испробовавший все мыслимые и немыслимые способы лечения! Но с силой воли у меня, надо честно признать, дело обстоит не очень хорошо, и если я чем-то увлечен, то оторвать меня от работы в положенное время и заставить вместо этого идти на прогулку перед сном невозможно.

Однако Назар считаться с этим не желал. Как бы ни складывался рабочий процесс, как бы ни был я погружен в работу, в восемь вечера он увозил Галию, возвращался около десяти и в любую погоду тащил меня гулять. В дни, когда я работал с Семеном, ситуация упрощалась: переводчик был за рулем, и ровно в восемь Назар его выпроваживал, если, конечно, к тому времени Семен еще был у нас. Вместе с Семеном уезжала и Надежда Павловна, которую переводчик утром привозил с собой. Мы с Назаром подумали, поприкидывали графики и поняли, что в те дни, когда работает Галия, потребуется слишком много времени, чтобы утром привезти и вечером отвезти обеих, если же установить для Надежды график «через день», то ее может транспортировать наш Семен, живущий с поваром в одной части города.

В первый же раз, приехав на дачу к Назару, Надежда Павловна приготовила еду на два дня и заявила:

— Вы мне платите за обслуживание двадцати человек, а по факту я готовлю на троих-четверых, вот я к обеду полностью управилась, а домой только вечером поедем. Мы с Назаром сейчас съездим на рынок, я закуплю продукты на послезавтра, чтобы было из чего готовить, а потом что? Груши околачивать? Так что давайте-ка я у вас тут горничной поработаю, а то мне стыдно за три часа работы такую зарплату получать.

Я поначалу пытался сопротивляться, но Надежда проявила недюжинную твердость. Таким образом, все бытовые вопросы мы решили быстро и бескровно.

Семен для тренировки выбрал какой-то сериал из жизни семьи в провинциальном городе. Достаток семьи — ниже среднего, имеется дед-алкоголик, героиня-труженица, сестра героини — беспутная девица, мечтающая о выгодном замужестве, и двое весьма проблемных детей, каждый со своим окружением. Разговаривают все в быстром темпе и далеко не литературно. Одним словом, как раз то, что нужно.

Смотреть решили по сериям: сперва целиком, без пауз, чтобы я мог хотя бы примерно прикинуть процент того, что удалось расслышать и понять, потом второй раз, уже с остановками, во время которых я пересказывал реплики, а Семен оценивал правильность моего понимания и разъяснял незнакомые идиомы и сленговые выражения, после чего мы с ним вдвоем подбирали наиболее адекватный аналог в английском языке, который я старательно записывал: мало ли когда пригодится при переводе.

Назар то болтал с Надеждой, пока та готовила, то присоединялся к нам с Семеном, сидел, слушал, хихикал и иногда вставлял реплики.

— Ты и так в прошлом году жарила булки в Турции, — произносила героиня на экране.

— Ты в прошлом году подрабатывала на кухне ресторана в Турции, — делился я своим пониманием. — Или, как вариант, «Турция» — это название того ресторана, где девушка подрабатывала.

Назар фыркал, а Семен терпеливо объяснял:

— «Булки» — сленговое обозначение мягких частей тела, чаще всего — ягодиц. Жарить булки — загорать. Героиня упрекает дочь в том, что та в прошлом году отдыхала на курорте.

К выражению «вскрыть кочан» у меня никакого объяснения, кроме буквального, не нашлось. Оказалось, оно означает «нанести травму черепа». Словосочетание «ващетипафиолетово» я переслушивал раз десять, пока не сдался:

— Никаких идей.

— Это три разных слова. «Ваще» — вульгарное произношение слова «вообще». Типа — это именно типа, как бы, как будто. Фиолетово — безразлично. «Ваще типа фиолетово» переводится как «как будто мне это совершенно безразлично».

Мне пришлось некоторое время тренировать слух, чтобы вычленять и правильно переводить все эти «ваще» вместо «вообще», «смареть» вместо «смотреть» и «чё» вместо «что».

На «мажорские замуты» мы потратили кучу времени: сначала Семен рассказывал про мальчиков-мажоров, потом про вариации использования глагола «мутить». Зато со словами «харэ деприть» разобрались очень быстро, поскольку про депрессию я был в курсе, только не знал, что от этого существительного можно образовать такой куцый глагол. Дольше всего мы застряли на «Доме-2», с которым кто-то из персонажей сравнивал сложившуюся по ходу действия ситуацию. Сама по себе идея телевизионного проекта была мне хорошо известна, но ни одной передачи я не видел, посему с любопытством слушал про судебные запреты, обращения к Генеральному прокурору и разборки с депутатами по поводу программы. Наконец, суть сравнения я уяснил, и мы двинулись дальше.

На сериал ушло почти две недели, после чего Семен предложил другое произведение телевизионного искусства, на сей раз из жизни школьников-старшеклассников. Я внимательно вслушивался в их речь, запоминал интонации, а перед глазами стояли картинки, впечатавшиеся в мозг, когда мы с Назаром еще до переезда за город заходили во время прогулок в кафе на полчасика, чтобы выпить кофе и перехватить что-нибудь легкое: юные парни и девушки за столиками, по двое, по трое, а то и по одному, уткнувшиеся в смартфоны или планшетики. У многих наушники. Лица одновременно сосредоточенные и безразличные, пальцы порхают по виртуальной клавиатуре. «Они другие, — удрученно думал я все чаще и чаще. — Они чужие. Они недоступны пониманию таких стариков, как я, Назар, Галия... И мы для них такие же чужие и непонятные. Ничего у меня не выйдет. Зря я все это затеял. Ведь говорили же мне, что мой проект — это полный идиотизм! А я не послушал, самоуверенный индюк...»

* * *

Приступ подкрался, как всегда, внезапно, но разворачивался в этот раз прямо-таки ураганно. Если обычно с момента появления ауры у меня было минут двадцать-тридцать, а то и все сорок, за которые я должен был успеть остаться в одиночестве, тишине и темноте и в шаговой доступности от санузла, то в этот раз все прелести мигрени обрушились на меня, когда после сверкания в левом глазу не прошло и десяти минут.

— Только не бойся, — едва успел я сказать Назару и поплелся в свою комнату.

Назар поспешил за мной следом, обогнал, быстро задернул шторы на окнах, открыл дверь в ванную, проследил, чтобы я не рухнул, стягивая джинсы. Половина головы стремительно наливалась горячей звенящей болью, сознание начало мутиться, поле зрения сузилось, желудок с кишечником отчаянно боролись за право первым погнать меня к унитазу.

Все инструкции я оставил Назару заранее: ко мне не входить без острой необходимости; сразу позвонить всем заинтересованным лицам и отменить встречи, запланированные на ближайшие три дня; следить, чтобы в моей комнате всегда была бутылка с водой и нарезанный лимон; громко не разговаривать; отключить вызывной звонок у всех телефонов; если я выйду из комнаты, чтобы поесть или выпить кофе, разговаривать со мной вполголоса, а лучше шепотом, и не обращать внимания, если я буду путать или вовсе забывать слова и имена.

— Чьи имена? — не понял Назар, когда я в первый раз излагал ему основы «техники безопасности в обращении со страдающим от мигрени».

— Да чьи угодно. Могу и твое имя забыть. Так что не обижайся, я тебя предупредил.

— Ну ладно, допустим, имя ты забыл, а вообще кто я такой — будешь помнить?

Конечно, он мне не верил, это было видно по его насмешливому взгляду. На самом деле никто не может поверить, что приступ тяжелой мигрени настолько ужасен, пока сам не переживет или хотя бы не увидит со стороны собственными глазами.

— Как повезет, — уклончиво ответил я. — Могу вспомнить, но могу и забыть. И насчет еды: аппетита у меня не будет, но поскольку есть нужно обязательно — моя мигрень голода не любит, — следи, чтобы всегда под рукой было что-то со свежим кисловатым вкусом. Моя экономка, например, в таких случаях делает салат из сырой моркови с яблоком и лимонным соком.

— И что, все три дня ешь один этот салат? — изумился Назар.

— Нет, я только привел пример. Можно печеное яблоко с изюмом, если оно кислое, а если сладкое, то опять же лимон добавить. Йогурт тоже хорошо.

— Кефиром обойдешься, — хмыкнул Назар. — Или простоквашей. Ладно, я все понял.

Он действительно все понял и запомнил правильно, хотя ничего не записывал. Уложив меня в постель, принес сразу несколько бутылок воды и нарезанный тонкими ломтиками лимон на блюдечке. Примерно раз в два часа он бесшумно открывал дверь в мою комнату, приближался к кровати, проверял, до какой степени я еще жив, и, не говоря ни слова, так же бесшумно удалялся.

В первый день приступа я из комнаты не выходил, а на второй день около полудня выполз, шатаясь от слабости, изнуренный рвотой и поносом, и с трудом взгромоздился на табурет у барной стойки. Назар немедленно материализовался, словно ниоткуда, и шепотом спросил:

— Что?

Вопрос я понял, но затруднился с выбором слов, чтобы адекватно ответить. Подумал и выдавил:

— Поиграть...

Я понимал, что сказал что-то не то, но как ни силился — не мог вспомнить, каким словом обозначается намерение поесть и выпить чего-нибудь горячего.

Назар огорченно покачал головой и полез в холодильник, вытащил стеклянную миску с морковным салатом и два разных йогурта — натуральный и фруктовый.

— Пальцем покажи, — попросил он.

С кормлением больного мы с горем пополам справились, и я снова скрылся в своей норе.

К вечеру стало полегче. Слабость была все еще ужасной, я вынужден был при передвижении опираться о стену, и голова сильно болела, но кишечник с желудком утихомирились, и слова я вспоминал без труда. На третий день я, как и обычно, был еще неработоспособен, но уже вполне мог общаться при условии соблюдения уровня громкости и освещенности. Увидев себя в зеркале, привычно ужаснулся: щеки запали, под глазами страшные черные круги, лицо землистое и более морщинистое, чем раньше.

— Это всегда так? — сочувственно спросил Назар. — Или в этот раз как-то особенно сильно?

— Всегда примерно так. Иногда бывает и хуже, но редко.

— И что, все люди, у которых мигрень, вот так страдают?

— У всех по-разному. Мой случай еще не самый тяжелый. Я читал про одну больную, у которой приступы бывали три раза в месяц, при этом перед приступом она прибавляла в весе по пять килограммов, два дня держался отек, потом начинался собственно приступ, головная боль длилась без перерыва от суток до полутора, потом все заканчивалось, и вода сходила. Организм у нее воду задерживал, потом сбрасывал. А ведь это была молодая женщина, чуть за двадцать.

Представь, в какой кошмар превратилась ее жизнь: то отек, то приступ, то с горшка не слезть — эти пять литров воды должны выйти, и так три раза в месяц. А жить как? А работать? А с молодыми людьми встречаться? Никто так и не понял до сих пор, что это за механизм и как с ним бороться.

Я действительно прочитал за свою жизнь уйму литературы о диагностике и лечении мигреней, поэтому с удовольствием развлекал Назара описанными в монографиях и учебниках историями болезни. Назар слушал с неподдельным интересом. Особенно поразила его история одной дамы, которую врач наблюдал, когда той уже стукнуло семьдесят пять лет. Во время приступов больной казалось, что у нее исчезает левая половина тела и все, что она видит в левой части поля зрения. В этом состоянии она, например, не может опереться на левую ногу, так как сомневается в ее существовании. Во время приступов несчастная женщина испытывает смертельный страх, потому что ей кажется, будто слева не существует ничего, остается темнота, какая-то дыра, которая подобна смерти, и эта дыра в один прекрасный день станет настолько большой, что поглотит ее целиком. Приступы преследовали больную с детства, но когда она пыталась рассказать о своих страданиях родителям, ей никто не верил, и ее называли врушкой.

— Даже представить себе не могу, в какой ад превратилась ее жизнь, — со вздохом заметил мой друг. — Теперь я немножко лучше представляю себе суть проблемы. Действительно, когда знаешь, что в любой момент может наступить такой кошмар, трудно удержаться от соблазна проглотить таблетку, которая гарантирует, что кошмара не будет. Последствия, даже если о них помнить, наступят еще не скоро, а приступа не будет уже сейчас. Феномен отложенной жертвы психологам хорошо известен. Ты уж извини меня, Дик, но дом у нас гулкий, так что каждый твой поход в санузел я слышал, не в деталях разумеется, а так, по факту, когда вода сливалась. Ну, и на время посматривал, чтобы представлять себе интенсивность и периодичность. Скажу честно: я б такого не вынес, особенно в юности, когда друзья-товарищи, девушки и все прочее...

— Вот и я не вынес. Хотя и пытался, даже жениться хотел, надеялся, что смогу приспособиться. А когда понял, что приспосабливаться придется не только мне, но и всем близким, которые не смогут на меня положиться, то и бросил эту идею. Теперь живу так, как живу.

Назар долго молчал, что-то обдумывая, инспектировал содержимое холодильника (на время приступа Надежду Павловну не привозили, чтобы в доме не было запахов готовящейся пищи), подсчитывал запасы бутылок с водой, одним словом, делал вид, что занимается хозяйством. Я сидел в шезлонге на террасе и наблюдал за ним через открытую дверь. Мне показалось, что он хочет что-то сказать и собирается с духом... Впрочем, я плохо разбираюсь в людях, так что мог и ошибаться. Что уж такого серьезного и сложного мог сказать мне Назар, перед чем нужно было собираться? Мы не деловые партнеры по бизнесу, не любовники, не родственники, делящие наследство, мы просто два старика, не связанные ничем, кроме взаимной теплой симпатии и временного проекта. Никому, в сущности, не нужные и не интересные.

Назар закончил изображать эконома, теперь он сидел рядом со мной, за столом на террасе, курил и смотрел в темнеющее небо в черных оборочках верхушек деревьев.

— Дик, а может, не нужно всего этого? — наконец произнес он. — Ты на время мероприятия опять начнешь глотать эти чертовы таблетки, угробишь здоровье окончательно, а что в итоге получишь? Само по себе исследование никому не нужно, ни науке, ни человечеству, проблема давно изучена, тысячи умных монографий написаны. Твой предок не мог знать, что через сто пятьдесят лет материалы утратят актуальность, но тебе-то это прекрасно известно. Ты вкладываешь столько сил в проект, а для чего?

— Для того чтобы Энтони не получил деньги и не выпустил свой препарат, — твердо ответил я. — Мне казалось, мы с тобой неоднократно это обсуждали. К чему твои вопросы?

— Именно к этому. Ты взял на ссбя смелость решать за других людей, нужен им препарат или не нужен. Ведь сколько душераздирающих историй о страдающих мигрснью ты мне только что рассказал! Ты сам болеешь, ты знаешь, как плохо этим людям, как тяжело, как они мучаются, как не могут нормально работать и вообще наладить свою жизнь! Но ты за них, за всех, решил, что им лекарство не нужно.

— Но распад личности... — начал было я.

— Да, распад. А у алкоголиков — не распад? У наркоманов — не распад? Но ведь пить и колоться — это было их собственное решение, хотя о последствиях знают даже дети. Почему ты лишаешь больных мигренью права принять свое решсние? Почему ты решаешь за них? Не гордыня ли это, друг мой Ричард?

Я оторопел. Гордыня? Почему? С какой стати?

— Назар, ты прекрасно знаешь, насколько человек слаб и подвержен соблазну. Как только препарат будет сертифицирован и появится в продаже, все, у кого бывают приступы мигрени, тут же начнут его принимать, особенно молодые, и не только в ответственных ситуациях, когда нельзя допустить, чтобы приступ помешал какому-то действительно важному событию, а каждый день, на всякий случай. Просто чтобы приступа не случилось и не пришлось терпеть длительную боль и всякие неудобства. Эксперты сказали, что при приеме двух-трех таблеток в месяц распад личности наступает через двадцать пять – тридцать лет. И ты сам совсем недавно задал правильный вопрос: а что будет, если принимать препарат ежедневно? И не так, как я, на протяжении двух недель, а годами? Молодые не остановятся, поверь мне. Люди вообще быстро привыкают ко всему удобному и комфортному. Юноша или девушка, страдающие мигренью, получат препарат, начнут принимать его и уже через месяц-полтора сообразят, насколько удобно и хорошо жить без приступов. И все! Никакие уговоры, никакие предупреждения на них не подействуют. Даже если Энтони решится указать в описании возможные побочные действия, никто не примет их во внимание. А Энтони, насколько я понимаю, собирается эти побочные эффекты вообще утаить от контролирующих органов.

— Я все понимаю. — Назар снова вздохнул и выпустил в воздух очередную струю сигаретного дыма. — Я понимаю твою озабоченность, Дик. Но я не считаю правильным твое намерение принимать решение за других людей. Тем более за людей страдающих и нуждающихся в помощи.

— Я сам страдаю и всю жизнь страдал. И ничего, справился как-то, — буркнул я. — Приспособился. И они справятся.

— Не могу согласиться. Во-первых, ты сейчас принимаешь препарат, значит, не так уж хорошо справляешься, — язвительно заметил мой друг.

— Принимаю, потому что до распада личности, если бог даст, не доживу. И я ничего не имею против того, чтобы разработку Энтони использовали люди преклонного возраста. Но я категорически против того, чтобы эти таблетки употребляла молодежь. А что во-вторых?

Назар усмехнулся.

— А во-вторых, дорогой мой, никогда не сравнивай свое страдание со страданиями других людей, ибо это и есть гордыня. Ни один человек не может в точности представить себе, как страдает кто-то другой, даже если обстоятельства идентичны. И если лично тебе кажется, что ты со своим тяжелым страданием вполне справляешься и, стало быть, другой человек в такой же ситуации тоже должен справиться, то ты впадаешь в одно из глубочайших и опаснейших заблуждений. Ты — не эталон и не единое мерило. Вот как раз это и есть гордыня.

Повисла пауза, но в ней не было ни напряжения, ни раздражения. Мне уже хватало сил на то, чтобы думать, но их было еще недостаточно на то, чтобы испытывать эмоции.

— Ты когда-нибудь жил в России так же долго, как в этот раз?

Перемена темы оказалась столь резкой, что я не сразу сообразил, о чем спрашивает Назар.

— Нет, не приходилось. Обычно дней пять-семь, но зато каждый год. Откуда такой вопрос?

— Акцент у тебя стал заметно меньше. И говоришь теперь свободнее, не так академично и выверенно, как вначале.

Он снова помолчал, вытащил из пачки новую сигарету, щелкнул зажигалкой.

— Знаешь, Дик, я много лет работал в уголовном розыске и постоянно имел дело не только с преступниками, но и с потерпевшими. И по молодости, когда еще совсем глупым был, все удивлялся: вот двое терпил, то есть потерпевших, у обоих квартиры обокрали или, к примеру, обоих на темной улице избили и ограбили. И сумма ущерба приблизительно одинаковая, и телесные повреждения одинаковые — синяки, на голове шишка да нос разбит. Казалось бы, должны вести себя одинаково, и страдать одинаково, и переживать... Ан нет. Все по-разному у всех. И страдание у всех разное, и силы, чтобы его перенести, тоже разные. Я на своей правоте не настаиваю, но ты все-таки подумай над моими словами, Дик.

Я молча кивнул. Думать над словами Назара мне не хотелось, я не считал, что он хоть в чем-то прав, но создавать конфликт не хотелось еще больше.

— Обещаешь подумать? — настаивал он.

Я снова кивнул.

— Дай слово, — не отставал Назар. — Не обязательно думать прямо сейчас, можно потом когда-нибудь.

— Хорошо, даю слово. Подумаю.

Я устал от необходимости говорить, но идти спать было жаль: вечер такой чудесный, тихий, ароматный... Пусть теперь рассказывает Назар, а я буду слушать.

— Со мной все понятно, я старый и упрямый осел, а вот ты-то для чего ввязался в мой проект? И не надо мне повторять, что ты просто хочешь помочь и тебе нечем заняться, я это уже слышал в первый же день нашего с тобой знакомства. Но мне тогда показалось, что у тебя есть какой-то личный интерес, личный мотив. Не поделишься?

Назар ответил не сразу.

— Поделюсь, если интересно. Давно это было... Как раз в середине семидесятых. У нас в районном управлении внутренних дел был начальник, а у него, как положено, заместители. Начальник был так себе, профессиональный вполне, но злобный и хамоватый, а вот один из замов у него тогда был просто золотой мужик! Волосов Дмитрий Дмитриевич, Дим-Димыч. Во все наши проблемы вникал, все понимал, поддерживал, прикрывал перед руководством, если нужно, всегда удар на себя принимал. И в деле разбирался отлично. А вот с сынком Димычу не повезло: связался не пойми с кем, отца не слушал, сильно выпивал, то и дело попадал в милицию и там орал, что всех посадит, потому что его папаня — крутой начальник. Одним словом, Димыч от него натерпелся досыта. И вот однажды у нас на территории труп в подъезде нашли, бомж какой-то, весь грязный, насквозь проспиртованный. Забит насмерть, лицо в крови, травма черепа, ребра сломаны... Короче, ничего приятного. Мы начали работать, как положено, почти сразу нашелся свидетель, который видел, как из подъезда, где труп потом нашли, выбегал молодой парень. Лица не разглядел — темно было. Следователю доложили и побежали дальше искать. Мобильных телефонов в то время не было, так что если опер в поле работает, то его уже не достать. Мы целый день пробегали, вечером возвращаемся в отдел, а нас дежурный прямо у входа ловит, лицо бледное, перекошенное: Димыч у себя в кабинете застрелился.

Я охнул. Такого я никак не ожидал, готовился услышать рассказ о том, как умный и профессиональный Дим-Димыч помог оперативникам раскрыть убийство в подъезде...

— Как же так? Что произошло?

— Вот и мы дежурному такой вопрос задали. Оказалось, что ночью в медвытрезвитель был доставлен сын Димыча, пьяный вусмерть и в перепачканной кровью рубашке. Забрали его с улицы, где он громко орал и приставал к группе молодых людей, собравшихся в сквере попеть песни под гитару. Димыч, конечно, расстроился ужасно, но это ж не в первый раз было, ему не привыкать, тем более начальник того вытрезвителя был нашему заму хорошо знаком, так что все шансы оставались решить вопрос без шума и пыли. И тут один из наших умников решил перед начальством прогнуться, зашел к Димычу и говорит: так, мол, и так, ваш сынок ночью был сильно пьян, и рубашка в крови, и склонности у него криминальные, а я краем уха слышал, как следователь говорил, что по тому ночному трупу в подъезде свидетель нашелся, который видел, как от места преступления убегал молодой человек, по описанию похожий очень на вашего сыночка. Так вы уж там постарайтесь, меры примите, чтобы на вашего сына это убийство не повесили, вы же с вытрезвителем контакт имеете, можете подсуетиться насчет рубашки и всего прочего...

Я ошеломленно молчал. Потом спросил:

— Неужели ваш умный и профессиональный Димыч вот так сразу и поверил, что его сын — убийца? И даже ничего проверять не стал? Да не может такого быть!

— Знаешь, Дик, если б ты спросил меня об этой истории в другое время, я, может, и не стал бы рассказывать. А сегодня как раз к слову пришлось. Что и как думал Волосов, чему он поверил или не поверил — никто и тогда не знал, а теперь уж точно не узнать. Но результат налицо: Димыч свел счеты с жизнью. А сын его оказался ни при чем, хотя следователь, конечно, вцепился в него мертвой хваткой, все повторял: «Раз Волосов сразу поверил в то, что его сын убийца, значит, у него были веские основания так думать, и моя задача — эти основания найти». Рубашку со следами крови отправили на экспертизу, быстро выяснилось, что кровь не убитого бомжа, а какого-то совсем другого человека, с которым сын Димыча в подпитии подрался. И человека этого нашли, и алиби у парня оказалось... Ну и скандал, конечно, на все управление внутренних дел города: замначальника районного управления застрелился на рабочем месте, это не шутки. Выговоры посыпались на всех подряд, некоторые офицеры даже неполное служебное соответствие получили.

Назар сделал паузу, снова прикурил.

— А убийство бомжа мы так и не раскрыли, хотя старались изо всех сил. Мы, опера, Димыча уважали и ценили, и когда выяснилось, что его сын не причастен, посчитали для себя делом чести вычислить и найти преступника. Ну, как бы в память о нашем Димыче. Чтобы никто о нем не думал как об офицере милиции, воспитавшем в своей семье убийцу. Всю агентуру на уши подняли, всех трясли — ничего. Но руководство нам особо долго возиться с этим убийством не позволило, бомж — он и есть бомж, чай, не председатель исполкома и не народный артист. Это преступление даже на контроль на уровне города не поставили. Как нынче говорят, за бомжа никто вписываться не стал. Знаешь такое выражение?

— Раньше не знал, теперь выучил, — улыбнулся я. — И ты надеешься сейчас раскрыть то давнее убийство?

Он рассмеялся своим журчащим, дробным смехом.

— Что ты, Дик, такие глупости мне даже в голову не приходят. Убийство бомжа в подъезде, да спустя сорок лет... Нереально. Да и зачем? Даже если допустить невероятное и поверить, что я найду убийцу, то что с ним делать? Сроки давности вышли, к ответственности привлечь невозможно.

— Тогда зачем тебе мой проект?

— Хочу попытаться понять Димыча. Не дает мне покоя его самоубийство. Все сорок лет думаю о нем, думаю, а понять не могу. И с каждым годом от этого понимания отдаляюсь все дальше.

— Почему?

— Потому что Димыч, подполковник Волосов то есть, был мужиком сорока восьми лет от роду, жившим в середине семидесятых, имевшим жену, единственного сына и любимую работу. У меня был шанс, небольшой, но был, приблизиться к пониманию Димыча, когда мне самому перевалило за сорок и у меня были жена, единственный сын и любимая работа. Потом я овдовел, потом сын создал свою семью, потом меня поперли с любимой работы, поскольку стар стал, не гожусь больше. Теперь, когда я думаю о Димыче, все мысли пропускаются через мой жизненный опыт, как сквозь фильтр, понимаешь? О чем бы я ни рассуждал, я все равно рассуждаю как старик, которому хорошо за семьдесят. Я еще помню, как я думал и чувствовал, когда был в возрасте Димыча, но период-то был уже другой, время другое. Перестройка, воздух свободы и все прочее... А в середине семидесятых я был моложе и еще не мог понимать жизнь так, как понимал ее Димыч. Вот я и понадеялся, что если меня поместить в обстановку, хотя бы отдаленно напоминающую семидесятые годы, то, может, какое-то понимание придет. Глупо, да?

— Совсем не глупо. Я ведь, в сущности, в своем проекте пытаюсь сделать то же самое: заставить современных молодых людей мыслить и чувствовать так же, как их ровесник сорок лет назад. Спасибо, что рассказал.

— Чайку? — предложил Назар.

— С удовольствием, — отозвался я.

* * *

Нужный офис Артем нашел далеко не сразу: дома на указанной на сайте улице строились хаотично и в разное время, и номера им присваивали с обозначением «корпусов» и «строений», да еще с дробями — не пойми в каком порядке. Ну как, как можно с первого раза найти дом 12/4, корпус 3, строение 1, если рядом с домом 10 находится дом 16, корпус 7? На половине зданий хотя бы указатели висели, но другая половина существовала анонимно. Хорошо, что Артем вышел из дома с запасом времени, как чувствовал, что придется долго плутать.

— Алена Игоревна скоро освободится и примет вас, — с важным видом объявила веснушчатая девушка за стойкой напротив входа.

Артем молча уселся на единственный стул для посетителей. Он пришел за две минуты до назначенного времени. Если Алена Игоревна примет его через две минуты, можно считать, что с этой дамой ему повезло. И почему так мало людей в деловом мире, которые умеют рассчитывать время? Еще ни разу в жизни Артему не удалось войти в чей-нибудь кабинет точно в назначенный час.

Прошли две минуты, потом еще пять, потом еще пятнадцать.

— Прошу прощения, — обратился он к веснушчатой девушке, — вы уверены, что Алена Игоревна помнит о нашей встрече? Время, которое она назначила, истекло двадцать минут назад.

— Алена Игоревна занята. Ждите, — невозмутимо, но строго ответствовала та.

За свой проект Артем был спокоен, ему удалось даже за короткий срок пребывания в поселке нащупать то важное отличие в ментальности людей среднего возраста, которое прежде ускользало от него, и теперь он был уверен, что его маркетинговая стратегия окажется лучшей из всех предложенных. Если же его проект не примут, это не будет означать, что он не прав. Это будет означать только то, что он понял проблему недостаточно глубоко и недостаточно точно. Тогда он поедет на основное мероприятие и попытается усовершенствовать свои знания, чтобы довести проект до ума и снова предложить, пусть и не в эту компанию. Все равно проект будет убойным, его с руками оторвут. Ну, а уж если примут в том виде, как он его подает сейчас, тогда и в поселок он больше не вернется, делать там Артему совершенно нечего. Но как же его бесит эта необязательность и непунктуальность людей, назначающих встречи!

Дверь кабинета распахнулась, вышли две дамы — одна краше другой, обе в возрасте около сорока или чуть больше, ухоженные, модно одетые. Расцеловались возле стойки, одна дама вышла на улицу, вторая окинула Артема недоумевающим взглядом.

— Вы ко мне?

— Да, я Артем Фадеев, вы мне назначили встречу в пятнадцать тридцать.

— Фадеев? — Ее взгляд стал еще более недоумевающим. — Ну, проходите.

Он понимал, что выглядит не лучшим образом для встречи с менеджером, отвечающим за прием проектов на конкурс: болтающиеся широкие штаны, свободная длинная майка, вся одежда на пару размеров больше, чем нужно. Но этот «лучший образ», которого следовало придерживаться, — продукт мифотворчества людей, которым нечем заняться, кроме как придумывать дурацкие правила. Какая разница, как одет человек, если он приносит работу на конкурс? Работа — да, должна быть четкой, грамотной, хорошо оформленной и понятной, а как выглядит ее автор — значения иметь не должно. По крайней мере, в том мире, в котором существует он, Артем Фадеев.

А дама по имени Алена Игоревна явно принадлежала к стану родителей Артема и всех им подобных. Недоумение сменилось презрением и даже отвращением, когда она смотрела на автора проекта. Конкурсную работу Артем принес, как и требовалось, в бумажном и в электронном виде, то есть в папке и на флешке. «Каменный век, — думал он, пока Алена Игоревна просматривала материал, — приди сам и принеси на двух носителях. Все нормальные фирмы принимают работы по электронной почте и не парятся, не требуют личного присутствия автора. А все почему? Потому что у них мозги правильные и они понимают, что главное — суть проекта, а не внешний вид маркетолога. А эти... Застряли в докомпьютерной эпохе, всё никак не перестроятся».

Он пытался по лицу Алены Игоревны понять, уловила ли она суть его находок, оценила ли их, но дама оставалась бесстрастной, хотя Артем мог бы поклясться, что читала она очень внимательно. «Значит, не оценила», — сделал он вывод и спросил:

— У вас есть дети?

— Что?

Она оторвала взгляд от монитора и нахмурилась. Он повторил вопрос. Глаза Алены Игоревны сузились, в них мелькнула злость.

— Вы в своем уме, молодой человек?

— Извините, если проявил бестактность, — мирно ответил Артем, подумав про себя: «Детей нет, это точно. Поэтому она и не поняла ничего».

Он ждал еще несколько минут, пока Алена Игоревна не закончила бегло знакомиться с материалом.

— Хорошо, мы принимаем вашу работу для участия в конкурсе, — процедила она сквозь зубы, вытащила флешку из порта и протянула ему. — Материал я переписала, бумажный вариант оставляю, наш шеф не любит читать с экрана. Заполните анкету, впишите паспортные данные, контактный телефон и электронную почту, о результатах вам сообщат.

Она нажала кнопку селектора.

— Катя, бланк анкеты принеси!

Веснушчатая девушка через несколько секунд положила перед Артемом анкету, которую он быстро заполнил мелким, но очень четким почерком. Алена Игоревна взяла заполненный бланк и стала читать, и по тому, как долго она искала подходящее расстояние между листком бумаги и своими глазами, Артем понял, что у дамы дальнозоркость, то ли врожденная, то ли уже возрастная. Почерк у него и в самом деле очень мелкий, бисерный, но совершенно понятный, почти каллиграфический, каждая буква как по прописям вырисована. В школе учителя шутили, говорили: «Наш Фадеев пишет петитом», а последний работодатель както сказал: «Артем, ты пишешь даже не вторым кеглем, а первым. Мельче уже только атомы». И почему бы Алене Игоревне не надеть очки для чтения? На компьютере можно увеличить шрифт, поэтому Артем ничего такого не заметил, пока она знакомилась с материалом, а на заполненном вручную тексте ничего не увеличишь, разве что лупой воспользуешься... «Скрывает возраст, что ли? Молодится? Значит, тоже раба мифов, дура совсем. Кому она нужна, эта ее молодость?»

Перед глазами тут же всплыло лицо Ирины — актрисы, которая на отборочном туре играла роль пытливой ученицы, задававшей учителю неудобные вопросы. Вот это настоящая женщина! Никакой модной одежды (да и откуда бы она взялась там, в поселке, где все участники и сотрудники были одеты в тряпки из семидесятых годов), никаких ног длиной в километр, и никакой обуви, визуально облегчающей фигуру, зато пышный бюст, широкие бедра, слегка поплывшая мягкая шея с явно обозначившимся вторым подбородком... Но сколько света в улыбке, сколько нежности во взгляде, сколько женственности, разливающейся вокруг нее метра на три в разные стороны! Все мужчины-сотрудники — и психолог Вилен, и переводчик Семен, и даже завхоз Юра — смотрели на нее маслеными глазами, и лица их делались глупыми и смешными, когда рядом находилась Ирина. «Интересно, у меня лицо было таким же глупым?» — спрашивал самого себя Артем Фадеев каждый раз, когда вспоминал Ирину, а происходило это примерно каждые пятнадцать минут. Даже во сне.

— Анкету отдайте Кате, она внесет все данные в компьютер. Когда шеф примет решение, с вами свяжутся, — сухо проговорила Алена Игоревна, возвращая Артему бланк.

— И когда это случится, хотя бы приблизительно?

Она молча рассматривала его, ничего не отвечая, но в глазах вдруг появился интерес и даже доброжелательность. Артем подумал, что, наверное, по «их» правилам подобные вопросы задавать неуместно и неприлично, поэтому попытался объяснить, что спрашивает не от невоспитанности, а в связи с необходимостью планировать свое время.

— Дело в том, что в конце июня мне предлагают поучаствовать в одном проекте, это займет примерно месяц и связано с отъездом в другой город. Но если в этот период меня могут пригласить на собеседование в вашу фирму, то я, разумеется, от участия в том проекте откажусь.

Алена Игоревна слегка улыбнулась.

— Шеф будет приглашать на собеседование тех, чьи проекты покажутся ему перспективными. Конкурсные работы принимаются до двадцатого июня, после этого Евгений Борисович начнет знакомиться с ними, это займет около двух недель, возможно, дней десять, если работ будет немного, но это маловероятно, потому что уже сейчас подано шестнадцать проектов, включая ваш. И все они потребуют самого тщательного изучения. Так что — да, вы совершенно правы, собеседования будут проходить в июле. Даже не знаю, чем вам помочь... Будет жаль, если вы откажетесь, никуда не поедете, потеряете заработок, а Евгению Борисовичу ваш проект не понравится и он вами не заинтересуется. Хотите совет?

— Буду признателен.

— Поезжайте туда, куда собирались, ничего не отменяйте и ни от чего не отказывайтесь. Уверена, деньги вам очень нужны.

В этом месте Артем чуть не прыснул, но сдержался. И эта мымра по одежке судит! Ну до чего ж у людей мозги засорены! Да все в порядке у него с деньгами, просто он любит, чтобы одежда не стесняла движений и вообще не чувствовалась на теле, в противном случае он не может ни думать, ни тем более придумывать что-то новое, креативность исчезает.

— Конечно, окончательное решение принимает Евгений Борисович единолично, но даже после беглого ознакомления с материалом могу сразу вас предупредить, что шансов у вас практически нет. Поверьте мне, я работаю с Евгением Борисовичем много лет и знаю его вкусы и предпочтения. Мне очень хотелось бы вам помочь, но...

Она выдержала драматическую паузу, смысла которой Артем не уловил, поэтому терпеливо ждал продолжения.

— Могу сделать для вас только одно. — Алена Игоревна понизила голос и бросила короткий взгляд на дверь, за которой находились стойка ресепшена и веснушчатая Катя. — Я попытаюсь подать ваш проект Евгению Борисовичу в числе самых первых, чтобы он успел ознакомиться и принять решение до вашего отъезда. Если материал его заинтересует и он захочет впоследствии с вами побеседовать, чтобы окончательно определиться, это станет известно сразу же, как только он прочитает, и я вам сообщу, чтобы вы точно знали, уезжать вам или оставаться. Такой вариант устроит?

— Спасибо, — искренне поблагодарил Артем, никак не ожидавший подобной доброжелательности от этой упакованной в «фирму», молодящейся куклы с умело подправленными силиконом губами. — Если я уеду, то двадцать восьмого июня.

— Хорошо, надеюсь, что до этого времени наступит какая-то ясность. Только, Артем... — Она снова бросила взгляд на дверь и еще больше понизила голос. — Не рассказывайте о нашей договоренности никому, особенно Кате. Она ужасная болтушка и сплетница. Ее отец — близкий друг Евгения Борисовича, поэтому она у нас и работает, понимаете?

— Понимаю, — кивнул Артем.

— Если Евгений Борисович хотя бы заподозрит, что я протежирую кого-то из конкурсантов, он немедленно уволит меня. Наш шеф не терпит нечистоплотности ни в каком виде, даже если это просто небольшая услуга, оказанная из дружеской симпатии.

— Я понимаю. Спасибо, — повторил он.

— Всего доброго, Артем, — произнесла Алена Игоревна громко, убрала папку с бумажным вариантом проекта в несгораемый шкаф, хлопнула металлической дверцей, лязгнула ключом в замке. — Отдайте бланк Кате, она внесет все данные в компьютер, а вы потом сами проверьте, чтобы не было ошибок. До пятого июля вас официально известят о том, нужно ли вам являться на собеседование.

«Актриса погорелого театра, — мысленно усмехнулся Артем, открывая дверь и подходя к стойке, за которой веснушчатая Катя что-то записывала в толстую амбарную книгу, поглядывая на экран компьютера. — Стареющая кикимора, она банально завидует Катиной молодости, потому и гонит на нее, дескать, болтушка и сплетница. Я полчаса сидел тут и ждал, когда меня примут, и Катя ни разу не попыталась со мной заговорить и поболтать, все время что-то делала. Но если эта Катя действительно дочка человека, плотно общающегося с боссом, то Алена Игоревна права: лучше держать язык за зубами».

Он положил на стойку бланк анкеты и постарался улыбнуться как можно приветливее, хотя мама всегда говорила: «Тёма, не пытайся притворяться, ты этого совершенно не умеешь. А если хочешь одарять окружающих красивой улыбкой, то имей в виду: она у тебя не красивая и красивой не будет, пока ты не начнешь посещать ортодонта». Ну да, зубы у него кривоватые, это правда, хотя и здоровые, ни одной пломбы, и улыбка не очень-то красивая, но Артем на мамины слова не ведется. Красивая улыбка — такой же миф, как и красивая одежда. Фантики. Главное — личность, характер, мозги, а не все эти надуманные красивости.

— Алена Игоревна велела отдать вам анкету и потом проверить, правильно ли вы внесли данные.

— Да, хорошо, — ровным голосом ответила девушка и захлопнула свою амбарную книгу.

— Это у вас учет документооборота? — поинтересовался он.

— Да.

— А почему не в электронном виде? Удобнее же.

— И в электронном тоже. Наш шеф все дублирует на бумажные носители и от нас требует того же, он считает, что так надежнее.

— Шеф — это Евгений Борисович? — осторожно спросил Артем.

— Да, — коротко ответила Катя и вывела на экран электронный бланк.

Нет уж, болтушкой эту девицу назвать никак нельзя. Слова лишнего не вытащить из нее.

— Хотите, я продиктую? — предложил он. — У меня почерк очень мелкий, меня всегда за это ругают.

— Ничего, я хорошо вижу, а вы потом проверите.

Артем подождал, пока она вобьет в бланк данные из анкеты, потом быстро проверил правильность сведений из паспорта, адреса электронной почты и номера телефона. Катя не сделала ни одной ошибки.

— Евгений Борисович очень строгий?

Катя внимательно посмотрела на него и кивнула:

— Очень, а что?

— Сколько ему лет?

— Много.

Надо же, оказывается, есть такое число — «много»... Артем улыбнулся.

— Я понимаю, что он не мальчик, но все-таки...

— Не знаю точно, но он старше моего папы лет на пять. Какое это имеет значение?

«Тебе не понять, — ответил про себя Артем. — Если Евгений Борисович старше твоего отца примерно на пять лет и если у него есть дети любого возраста, то он-то как раз меня поймет. И идею мою поймет и оценит. Алена Игоревна не поняла ничего, потому что не хочет смириться со своим возрастом и внушает сама себе, что ей все еще двадцать пять, хотя на самом деле прилично перевалило за сороковник, даже, пожалуй, ближе к полтиннику. Алена безнадежна в смысле оценки моих идей, а вот Евгений Борисович... У меня есть шанс, и очень неплохой».

— Значения не имеет никакого, — уверенно ответил он Кате, — просто хочется понимать, кто будет читать материал и принимать по нему решение: молодой человек или зрелый, мягкий или строгий, добрый или злой.

Катя пожала плечами, взгляд ее был равнодушным.

— Извините, ничем не могу вам помочь. Каждый человек сам должен составлять свое мнение.

«Ага, как же, сплетница, — злорадно думал Артем, выбираясь из лабиринта между домами к тому месту, где оставил машину. — Все бы сплетницы были такими — мужики бы горя не знали».

Погода была теплой и солнечной, сидеть дома не хотелось, и Артем решил проехаться по нескольким точкам сети магазинов, в которых реализовывался его последний проект, заказанный дистрибьюторами бакалейных товаров. Заказчик был солидным, поставлял бакалею от производителей и импортеров в магазины нескольких сопредельных областей, заплатили за проект очень хорошо, и Артему было любопытно, окупаются ли затраты на маркетолога. Объехав четыре точки, осмотрев полки с товарами и поболтав с менеджерами, он с удовлетворением убедился, что свой немалый гонорар отработал по-честному: товары, поставленные именно этим дистрибьютором, улетали из торгового зала — только успевай со склада подносить.

«Я молодец, — думал он с довольной улыбкой, паркуясь рядом со сквером, в котором ярко краснели зонты открытого кафе, — я кое-что могу! Быть такого не может, что со своей идеей разницы в ментальности поколений я ошибался. Даже если страшный и суровый Евгений Борисович не заинтересуется моими идеями, я все равно буду идти по этому пути. Я чувствую, что он правильный, просто мне пока не хватает знаний. Сейчас я пообедаю здесь, на свежем воздухе, соберусь с мыслями, а когда вернусь домой — плотно займусь докомпьютерной эпохой, книжки почитаю, кино старое посмотрю. Надо настроить мозги. Если поеду на квест — будет хорошая информационная база, а если не поеду — пригодится для собеседования с боссом, чтобы произвести впечатление и легче найти общий язык. А уж если мой проект отберут для реализации по всей сети, тогда тем более нужно быть в теме как можно глубже».

Этот сквер был его самым любимым местом: город, со всех сторон окруженный предприятиями, давно стал настолько экологически неблагополучным и загрязненным, что никакие посадки на улицах не приживались, парки и скверы хирели. Служба озеленения ежегодно пыталась украсить улицы деревьями и цветами, но через несколько месяцев все умирало, не успев начать жить. Больные саженцы выкапывали, чтобы на следующий год посадить новые... То ли с подземными водами, отравляющими почву, была беда, то ли с атмосферой. И только в одном-единственном сквере в центре города, неподалеку от дома, где жил Артем, все росло, цвело и не болело. Подавляющим большинством горожан этот факт расценивался как необъяснимое чудо, что, впрочем, не мешало рождаться разным предположениям, в том числе и не вполне научным. Одни считали, что все дело в розе ветров, благодаря которой загрязненный воздух обходит этот квартал стороной; другие верили в то, что причина — соседство храма, самого старого и самого крупного в городе («место намоленное!»); третьи предполагали, что при закладке сквера использовали какой-то материал, надежно изолировавший насыпную почву от природной, отравляемой подземными водами; четвертые, понижая голос и делая страшные глаза, рассказывали о каких-то разработках на закрытом во времена перестройки военном производстве: якобы военные изобрели специальное вещество для обеззараживания почвы после химических и бактериологических атак, и это вещество в капсулах заложили в почву под территорией сквера... Были и другие теории, но все они нимало не заботили Артема Фадеева. Он просто любил здесь бывать весной, едва появлялась зеленая дымка, летом, когда зелень становилась густой и пышной, и осенью, пока не облетит последняя листва.

Он привычно заказал спагетти «карбонара» и отдельно — порцию картофеля фри, съел в задумчивости, не обращая внимания на вкус: кухня в кафе была так себе, но Артем всегда и всюду заказывал одно и то же — спагетти и картофель. Отпивая небольшими глотками холодный кофе глясе, он подумал, что надо бы позвонить Сереге. С момента возвращения из поселка домой Артем ни на что не отвлекался, пока не доделал конкурсный проект и не подготовил его к сдаче. Отборочный тур же вспоминал только в связи с актрисой Ириной или с тем, что говорили профессор Галина Александровна и куратор Вилен об особенностях жизни в те давние годы. О своих ровесниках, участниках отбора, он не думал вообще, в них не было ничего важного и нужного для его работы. Теперь работа временно закончена, и стало почему-то немного неловко: так тепло простились с Серегой, так славно общались с ним, а расстались — и словно не было человека. Нехорошо. С другой стороны, Сергей ведь и сам не звонил ему, хотя уже много времени прошло. Тоже, наверное, закрутился в заботах и выбросил из головы нового приятеля.

Звонить или не звонить? С одной стороны — о чем с ним разговаривать? Общих интересов нет, профессии разные... Тупо спросить: «Как дела?» — и выслушать в ответ такое же тупое: «Нормально. А у тебя?» И потом что? О своих делах Серега и в поселке не распространялся, отвечал уклончиво, мол, с предыдущей работы уволился, ждет вакансию на новом месте, и больше никаких подробностей, кроме того, что до поездки на отборочный тур поработал грузчиком в супермаркете, чтобы совсем уж без дела не сидеть, да и зарплата какая-никакая. А что Артем может ему рассказать о своих делах? Вряд ли Сереге, сидящему без работы, будет интересно выслушивать историю о визите к Алене Игоревне.

Но с другой стороны — а вдруг в конце июня Артем все-таки поедет снова в этот поселок? Там, кроме Сереги, и поговорить-то не с кем, разве что с сотрудниками. Тимур — балбес, мало знает и еще меньше думает, с ним скучно; Маринка вообще пустое место, только глазками стреляет, да и то не в парней, а в стариков, непонятно, на кой ляд ее отобрали, от нее толку никакого; Евдокия — умная, но молчунья, с ней особо не пообщаешься; Наташа — своеобразная девчонка, трогательная такая, ранимая, всплакнуть может, с ней имело бы смысл сойтись поближе, у нее взгляд на вещи бывает неординарным, это всегда ценно. Но... Она, кажется, запала на Серегу. Артему-то она нравится не как девушка, а как мыслящее и чувствующее существо без половой принадлежности, но все равно как-то... неуютно, что ли. Не по-мужски. А вдруг Серега тоже к ней... ну, что-нибудь такое... И получится треугольник, как в плохих сопливых романах. Вот идеальным был бы вариант, если бы Серега замутил с Наташей и они могли бы общаться все вместе!

Он не заметил, как высокий стакан из толстого стекла опустел. Артем поднял руку, подозвал официантку и попросил принести свежевыжатый сок из яблока и сельдерея. Дождался, когда принесут напиток, сделал большой глоток, наслаждаясь свежим кисловатым вкусом, и позвонил Сергею.

* * *

Услышав звонок и прочитав на дисплее имя «Артем», Сергей обрадовался. Дружбан Вовка насчет работы не соврал, все так и было, как он обещал: почти полностью достроенная дача, в которую семья Вовкиных соседей намерена въехать в начале июля, а пока строители заканчивают отделочные работы и дизайнер руководит разгрузкой и расстановкой мебели и всяких аксессуаров. Работы велись каждый день с десяти утра до пяти вечера, а с пяти вечера и до утра все завезенные материалы, технику, инструменты и товары следовало охранять от воришек и прочей нечисти. Днем Сергей легко находил себе занятие, помогая на подсобных работах и попутно обучаясь всему, что делали отделочники, электрики, сантехники и мебельные монтеры, а когда все уезжали, начинал маяться. Дни, проведенные в поселке, вселили ложную надежду, что он вполне может прожить без интернета. Здесь же, за городом и в одиночестве, он вдруг понял, насколько привык нырять в глубины сети каждую минуту, когда нет более важных дел. А более важными, как выяснилось, были только три занятия: работа, секс и сон. Всем остальным он легко жертвовал ради удовольствия поиграть, посмотреть новые ролики, «поискать информацию» и вообще «глянуть, что в мире делается», или не жертвовал, а совмещал одно с другим, переписываясь в сети и во время еды, и во время просмотра фильма, и стоя в очереди на регистрацию в аэропортах.

Ноутбук Сергей привез с собой, вопрос был только в том, к чьему вай-фаю подсоединиться. На охраняемом объекте интернет пока не подключен, этим будут заниматься сами хозяева после заселения, значит, придется искать в других домах. Даже если и найдется добрый человек, который разрешит сидеть на своем участке возле дома и даст пароль, то нужно, чтобы с его участка хорошо просматривался охраняемый дом. Если же такой вариант найти не удастся, то есть участок доброго человека окажется расположенным далеко или неудобно, придется пользоваться интернетом днем, пока работают мастера и дом в охране не нуждается.

На близлежащих участках люди жили какие-то нелюбезные, даже злые, разрешать незнакомому парню, да еще и сторожу, сидеть на лужайке и пользоваться вай-фаем никто не пожелал, так что сработал вариант номер два. Неудобство его состояло в том, что вечера оставались пустыми, длинными и тоскливыми. То и дело Сергей машинально хватался за телефон, чтобы по привычке выйти в интернет, и тут же вспоминал, что аппарат у него теперь старый, дешевый, сеть не поддерживает.

Сегодня он, проводив рабочих, сел, как обычно, на ступеньках крыльца с банкой пива в руках, рядом примостился верный Филя, которого Сергею отдали только после длительных уговоров: к умному псу в магазине все очень привязались. Добрый человек — военный пенсионер, живший аж через восемь участков от охраняемого дома и засевший на даче с намерением закончить давно начатые мемуары о службе на Тихоокеанском флоте, — с утра уехал в город, вернется только завтра.

— Ты уж не обессудь, парень, — предупредил он еще накануне, — но я роутер отключу и вообще дом обесточу, а то мало ли что. Дом деревянный, сам понимаешь. Так что придется тебе потерпеть.

Сергей огорчился. Конечно, проблема вечеров все равно оставалась, но он мог хотя бы днем два-три раза на полчасика сбегать к соседу с ноутбуком под мышкой и скачать какое-нибудь кино, которое можно будет посмотреть вечером или ночью. Иногда интернет сильно тормозил, загрузить фильм за полчаса не успевал, а иногда везло, и за полчаса скачивался целый сериал на 8 серий.

Добрый пенсионер проблему Сергея понимал, но оценку этой проблемы не разделял.

— Чего ты маешься? — удивлялся он. — Книги читай! Закачал — и читай себе, радуйся. Чего ты на фильмах-то зациклился? Фильм качаешь-качаешь, а удовольствия на два часа всего. Книгу будешь читать дольше.

Сергею стыдно было признаваться, что читать он не любит, поэтому врал, что не признает электронное чтение. Удовольствие он может получить только от традиционной бумажной книги.

— Ну так у меня возьми, — предлагал добрый человек. — Целый дом книг, бери любую.

Книг у него было действительно много, но все военные — специальные или мемуаристика и биографии полководцев и военачальников. Даже если бы Сергей Гребенев был истинным любителем чтения, такие книги он все равно читать не стал бы. Не интересно.

Из развлечений на ноутбуке без интернета доступными оставались только пасьянсы и прочие несложные игрушки. «Раз сегодня я без фильма, буду карты раскладывать», — угрюмо решил Сергей.

И в эту минуту раздался звонок Артема.

— Привет! Занят? Поговорить можешь?

Еще бы! Конечно, он может разговаривать, сколько угодно, входящие звонки бесплатные, лишь бы заряда батареи хватило.

— До десяти утра я совершенно свободен, — честно ответил Сергей.

— А разве завтра пятница?

— Не понял...

— «До пятницы я совершенно свободен», — рассмеялся в трубке голос Артема.

— Все равно не понял...

— Это из мультика про Винни-Пуха, неужели не смотрел?

— Не смотрел, — признался Сергей. — Я вообще мультики не смотрел, даже когда маленьким был.

— А мы с Виленом смотрели, там у них целая коллекция. При советской власти, оказывается, такие прикольные мультики были! Если приедешь на мероприятие, посмотри обязательно, получишь удовольствие. Кстати, ты приедешь? Или планы поменялись?

— Приеду обязательно. А ты?

— Пока непонятно. Сдал работу на конкурс, жду ответа. Если вызовут на собеседование с главным, то останусь дома, работа важнее. А если не вызовут — тоже приеду.

Они увлеченно предавались воспоминаниям об отборочном туре, смеялись, цитируя наиболее забавные реплики во время обсуждений Горького, имитации школьных уроков литературы и поисков общественного туалета, и время летело незаметно.

— Если приедешь, будешь просить другого куратора? — спросил Сергей.

— Зачем? Не буду. Вилен классный мужик, вполне четкий и знает много. А ты?

— Я бы тоже хотел со своим Гримо остаться, но не знаю, как там у них по правилам. Может, наоборот, скажут, что по условиям квеста мы не можем жить с кураторами, с которыми были на отборе. Как ты думаешь, что мы будем делать на этом квесте? Какие-нибудь сокровища советских времен искать? Или разрабатывать план побега за границу?

— Да фиг знает... Никто не говорит. Все в шпионов играют.

Вот! Артем произнес именно те слова, которые все время крутились у Сергея в голове. Никто ничего не говорит, все играют в шпионов. Как-то это подозрительно.

— Слушай, — неуверенно начал он, — а тебя это не смущает?

— Что именно?

— Ну... Вот эта таинственность... Отсутствие информации... Чего-то они темнят, тебе не кажется?

Артем помолчал.

— Да нет, не кажется. Я, конечно, в этом направлении пока не думал, не до того было, проект готовил к сдаче. Но я подумаю. Хотя по первой прикидке мне кажется, что ты нагоняешь. Во всяком случае, мне ничего подозрительного в глаза не бросилось.

— А мне бросилось, — упрямо возразил Сергей.

— Хорошо, я тебя понял, я подумаю.

— И вот еще Марина эта, — продолжал гнуть свою линию Сергей.

— А с Мариной-то что не так? Обыкновенная девчонка, в меру глупая, в меру симпотная. Чем она тебя не устраивает?

— Не знаю. Только я был уверен, что ее не отберут.

— Почему?

— Она же правила нарушала, она сама мне сказала. Звонила из квартиры подружкам на мобильные несколько раз.

— Ну и что? Значит, организаторы об этом не узнали, вот и все.

— Да не могли они не узнать! — почти выкрикнул Сергей. — Оксану и Цветика они раскололи, как гнилые орешки, ты же помнишь, как на объявлении результатов нам Назар Захарович все по полочкам разложил: как Цветик с девицей в кафе договаривался, как потом звонил ей и слушал, чего она в интернете нарыла. Назар тогда сказал, что они каждый день получают информацию с телефонного узла. Значит, о том, что Маринка звонила на мобильники, должны были знать.

— Ну ладно, должны были, — согласился Артем. — И что?

— Тогда почему они ее не выгнали? Почему на объявлении результатов ничего не сказали о ее нарушениях?

— Не знаю. А ты что, всерьез паришься из-за этого?

— Ага, — признался Сергей. — Не люблю, когда что-то непонятно. И не люблю, когда правила не для всех одинаковые.

— Подозрительный ты какой... Да не бери в голову, Серега, просто смазливенькая деваха, такая лафля в реале, старикам глазки строила, попой вертела, вот они и не устояли, поплыли.

— Думаешь? — недоверчиво переспросил он.

— Уверен. А у тебя что, есть другие версии?

— Пока нет. Но я тоже подумаю. Не нравится мне это.

Они проговорили почти час и распрощались, пообещав друг другу «оставаться на связи». Настроение у Сергея заметно улучшилось, и, открыв еще одну банку пива, он принялся играть с Филей, бросая в сторону забора невесть откуда взявшийся старый, грязный теннисный мячик. Благодарный Филя радостно кидался искать мячик, приносил его в зубах и, счастливо повизгивая, аккуратно клал прямо в раскрытую ладонь Сергея, глядя на него преданными и одновременно умоляющими глазами: «Ну пожалуйста, брось еще раз, а я тебе отслужу!»

Участок был не очень велик, бросать мячик к забору быстро надоело, и Сергей открыл калитку и начал бросать мячик подальше, через забор, на дорогу. Иногда удавалось даже докинуть до края лесополосы. Филя, почуяв возможность как следует разбежаться во всю мощь, расправил пушистый хвост и, вытянув лохматую массивную шею, с энтузиазмом отдавался незатейливой забаве. Сергей кидал мячик, трепал пса по морде и с улыбкой вспоминал слова Артема, назвавшего Марину «лафлей в реале». Это ж надо было такое придумать! Но по сути — в самую точку: девушка, отрабатывающая навыки соблазнения мужчин, только не в интернете, как настоящая «лафля», а в реальной жизни. Интересно, получится у нее что-нибудь или нет? И если получится, то с кем из сотрудников?

* * *

Прошло почти две недели после того, как Дуня вернулась в Москву, а Ромка все не успокаивался и каждый вечер требовал, чтобы она снова и снова рассказывала о том, что происходило на отборочном туре, и вспоминала подробности. Дуня старалась, пересказывала и даже кое-что пыталась изобразить в лицах, удивляясь, что Роману это интересно и не надоедает слушать.

— Ромчик, ну зачем тебе это? — спросила она. — Суть я объяснила, а для чего тебе всякие подробности?

— Так интересно же! — ответил он, блестя ярко-голубыми глазами из-под медово-рыжих вихров. — Я даже «Дело Артамоновых» в телефон скачал и в пробках читаю.

— Господи, а это-то зачем?! — воскликнула Дуня.

— Чтобы лучше понимать то, о чем ты рассказываешь.

Ромка был искренен, это Дуня знала точно. Ему всегда было интересно и постоянно хотелось узнать еще больше, понять еще глубже, составить представление более отчетливое и ясное. Про Дзюбу говорили, что у него необыкновенно высокая познавательная активность. Наверное, так оно и было.

О самом важном он спросил далеко не сразу, вероятно, ждал, что Дуня сама заговорит об этом. Она и хотела поговорить, но все никак не могла сформулировать свои ощущения, объяснить их словами. Злилась на себя за это, и чем больше злилась, тем лучше понимала несчастного Петра Артамонова. И вообще, роман Горького теперь виделся ей совсем иначе. «Подожду, когда Ромка дочитает, — решила Дуня. — Тогда мне проще будет объяснить то, чего я объяснить пока не могу».

Наступил момент, когда тянуть дальше было нельзя. Ромка дочитал роман и теперь просил Дуню с самого начала пересказать весь ход обсуждения.

— А это кто сказал? Тимур? Ага, понял... А Наташа что сказала? А ты?

— А я сказала, что Петр изводит свою жену и издевается над ней. И получает от этого удовольствие. Ромка, я...

Она запнулась и беспомощно посмотрела на него. Роман осторожно погладил ее руку, сжал пальцы. Но ничего не сказал.

— Я понимаю, — продолжила она, — понимаю, что ты ждешь от меня каких-то слов... Ты хочешь знать, помогла ли мне эта поездка. Так вот: у меня нет ответа. Я не знаю. Я с удовольствием отдала телефон Назару Захаровичу, но три дня — это слишком мало, чтобы я перестала постоянно ждать, что в меня в любой момент вопьется жало. Все равно я была в напряжении. А когда Назар Захарович вернул мне телефон... Знаешь, ведь технику стали раздавать сразу после оглашения результатов, независимо от того, кто когда уезжал. Так вот, я телефон забрала не сразу, а только через несколько часов, перед самым отъездом из поселка. Включила, отправила тебе эсэмэску, что выезжаю на вокзал, даже непринятые вызовы не посмотрела и тут же снова выключила. И почувствовала себя трусихой. Расстроилась ужасно!

— Почему, Дуняша? Что тебя расстроило?

Его глаза смотрели ласково и внимательно, и Дуня в который уже раз подумала, что Ромка ее переоценивает. Он думает, что она сильная, добрая и умная, а на самом деле Дуня — глупая трусиха, слабая и безвольная. И уже совсем скоро Ромка это поймет и разочаруется в ней.

— Мне трудно объяснить... Ну смотри: если анализировать образ Петра Артамонова, то получается, что неразвитый ум порождает стремление унизить и уничтожить то, чего он не понимает. Согласен?

— Согласен.

— Но Денис... Он ведь умный и знает много, его никак нельзя считать неразвитым. А стремление унизить другого человека в нем живет. Почему? Получается, Горький ошибался? Или то, что написано об Артамонове, нельзя обобщать и переносить на всех? Или Денис — тупой необразованный идиот? Или я — тупая и ни в чем не могу разобраться? Ромка, — на ее глазах выступили слезы, — я окончательно запуталась. До этой поездки мне казалось, что я все понимаю и нужно только набраться сил и постепенно выполнить все необходимые действия. А теперь... Я растерялась. И уже ничего не понимаю.

Ромка встал с дивана, на котором так уютно сидел рядом с ней, вышел на кухню, через некоторое время вернулся с двумя чашками чая. Одну чашку протянул Дуне, другую поставил на подоконник и уселся на стул у распахнутого окна.

— Давай по порядку, — негромко заговорил он. — Во-первых, Горький мог ошибаться и ошибался наверняка, не в этом случае — так в каком-то другом. Просто потому, что он был живым человеком, а человек, не совершивший в своей жизни ни единой ошибки и не вынесший ни одного ошибочного суждения, еще на свет не рождался. Оттого, что человека назвали классиком, он не становится безупречным и безошибочным. Во-вторых, безоглядно обобщать вообще не нужно, ничего и никогда, потому что из любого правила есть исключения, и то при условии, что правило сформулировано корректно. Корректно ли сформулировано Горьким правило? Смотри пункт первый.

Дуня улыбнулась. Все-таки ее Ромка — уникум!

— Ага, — она кивнула, — начальник всегда прав, а если начальник не прав — смотри пункт выше. Помню-помню.

— Идем дальше. В-третьих, Денис действительно умный и образованный человек, и не вздумай упрекать себя в том, что ты влюбилась в идиота. Он не идиот. Он — перверзный нарцисс, это известная и хорошо описанная в литературе патология. Ты не специалист и не обязана была быстро разобраться, ты просто влюбилась в красивого умного человека. Но ведь разобралась ты достаточно быстро.

— Недостаточно, — уныло возразила Дуня.

— Не спорь, Дуняша. Тебе хватило всего нескольких месяцев, а тысячи, десятки тысяч женщин живут рядом с такими типами годами, не понимая, что происходит на самом деле.

— Откуда ты знаешь?

— В книгах прочитал. О газлайтинге уйма литературы написана. Да и своими глазами видел, среди моего контингента нередко попадаются и сами газлайтеры, и их жертвы. Впрочем, газлайтеры, как мужчины, так и женщины, чаще попадаются в не очень живом виде. — Он улыбнулся. — Случается, что либо у самой жертвы лопается терпение, либо она находит себе заступника. Но это к делу не относится. Самое главное: тебе не в чем себя упрекнуть. Ты была честна со мной. И теперь тебе остается только проявить такую же честность по отношению к Денису.

— Но я не обманывала его! Я сразу ушла, как только поняла...

— Речь не об этом.

Роман быстрыми глотками допил чай и снова сел на диван рядом с ней.

— Скажи, ты разговаривала с Денисом после того, как вернулась в Москву?

— Да... Он звонил... каждый день... Я тебе не говорила, потому что... Я не могу объяснить! — в отчаянии почти выкрикнула Дуня. — Мне стыдно. Я чувствую себя такой ничтожной, глупой...

— А что с соцсетями?

— Здесь проще, я не выхожу. Когда уезжала — всех самых важных людей предупредила, что меня какое-то время не будет, никто и не беспокоится. Почту проверяю, но Денис не писал мне, он предпочитает звонить.

— Ну, это понятно, — усмехнулся Роман. — Классика жанра. Так вот, вернемся к твоей честности. Я сейчас задам вопрос, если не хочешь — вслух не отвечай, но сама себе ответь обязательно. Готова?

— Да. Спрашивай.

— Когда тебе звонит Денис, какое чувство ты испытываешь?

— Страх, — быстро ответила она.

— Можешь вслух не говорить, — напомнил Роман.

— Мне нечего от тебя скрывать. — Она слабо усмехнулась. — Я же честная.

— Хорошо. Страх возникает в тот момент, когда ты понимаешь, что звонит Денис, или по ходу разговора?

— Сразу. Как только я вижу, что звонок от него. А потом, по ходу разговора, появляется ужасное раздражение. И злость.

— Злость на него?

— Нет, на себя. Я злюсь, потому что испытываю страх, и мне стыдно, что я боюсь даже не человека, а просто голоса в телефоне. Мне стыдно, что я такая слабая и трусливая.

— И что происходит потом?

— Зависит от того, где я нахожусь, в каком настроении, в каком окружении. Иногда мне удается скрыть свои эмоции, как-то отшутиться, более или менее удачно... Но так бывает редко. Чаще я просто пытаюсь отбиться от ударов, а потом реву, как дура.

Она вдруг задумалась над собственными словами. Почему Ромка задает эти вопросы? Ведь за последние полгода они десятки, да что там десятки — сотни раз говорили об этом, и Дуня рассказывала ему все то же самое, что и сейчас. Ничего нового.

Ничего нового? А ведь Ромка прав, после возвращения в Москву реакция Дуни на звонки бывшего любовника стала иной. Да, страх по-прежнему возникал, стоило ей увидеть на дисплее смартфона имя Дениса, но он сменялся раздражением мгновенно, еще до того, как она успевала ответить на звонок. И если до отъезда в ее голове вертелась во время разговора одна-единственная мысль: «Пожалуйста, не трогай меня, не унижай меня», то после возвращения мысль стала иной: «Господи, как ты мне надоел!»

Она подняла на Романа удивленные глаза.

— Ты прав, Ромчик. Я вдруг поняла, что ты прав. Поездка пошла мне на пользу. И я обязательно поеду туда еще раз. Совершенно не понимаю, как оно работает, но оно работает!

— Тогда в душ и спать, — весело скомандовал он. — На сегодня психологический тренинг закончен.

— Но ты говорил о честности по отношению к Денису... Мы не договорили, — возразила Дуня.

Она не любила разговоров, брошенных на полпути, даже если недоговоренная часть обещала быть малоприятной или тяжелой. Врать, уклоняться и избегать — эти три глагола обозначали для Дуни все то, что она считала неприемлемым для себя.

— Дуняша, уже поздно, пора спать.

— Завтра воскресенье, — упорствовала она. — Я все равно не засну, пока ты не объяснишь.

Она понимала, что Ромка устал, он сегодня опять работал с раннего утра, но понять его мысль казалось ей самым важным на сегодняшний день.

— Хорошо, я скажу, — сдался Роман. — Но только при условии, что мы не будем это обсуждать, ладно? Я просто скажу, ты выслушаешь, ничего не ответишь, и мы ляжем спать.

Он снова подошел к окну, несколько раз глубоко вдохнул прохладный, сырой после дождя воздух, и Дуня видела, как играют и переливаются под кожей накачанные мышцы спины.

— Ты можешь быть честной по отношению к Денису и сказать ему, что его звонки и интеллектуальные домогательства вызывают у тебя раздражение, и вообще он тебе надоел. И попросить его больше не звонить, потому что тебе это неприятно, тебя это нервирует, расстраивает, и после разговоров с ним ты плохо себя чувствуешь.

— Я не могу, — быстро ответила Дуня.

— Дуняша, мы договорились не обсуждать. Я знаю, ты посчитаешь такое поведение проявлением слабости, признанием того факта, что у тебя больше нет сил сопротивляться. И это действительно так. У тебя больше нет сил. Ты не хочешь сменить номер телефона, потому что не хочешь прятаться, считаешь это унизительным для себя. Это я понимаю. Но можно ведь не прятаться, не избегать украдкой, а прекратить контакт совершенно открыто, по-честному, прямо.

Сказать: «Ты мне надоел, ты меня достал, ты меня раздражаешь, я не хочу больше тебя слышать, поэтому я меняю номер телефона, чтобы ты не мог больше меня тронуть». И после этого действительно купить новую симку.

— Но...

— Все, Дуняша, мы договорились: спать и никаких обсуждений. Я зерно в землю бросил, пусть оно прорастает.

Заснуть долго не удавалось: теплым июньским субботним вечером в расположенном в доме напротив ресторане гуляла широкая свадьба с оглушительным музыкальным сопровождением.

— Ромчик, а почему ты так долго ждал, ничего не спрашивал? Почти две недели прошло, как я вернулась, а ты молчишь...

— Ты тоже молчала.

— Я не знала, что сказать, как объяснить...

— А я не знал, как спросить. Дуняша, все должно созревать, и фрукты, и ягоды, и разговоры, и мысли. Незрелым можно отравиться.

Дуня свернулась клубочком, уткнувшись носом в Ромкину шею.

— Ты такой мудрый, Ромчик, прямо страшно иногда бывает. Мы с тобой ровесники, а ты как будто лет на двадцать старше меня. Я всегда этому удивлялась. Почему так?

— Хороший вопрос на пятом году знакомства! — хмыкнул Роман.

— Вот я все эти годы им и мучаюсь. Заразилась от тебя желанием все понять. Ты от природы такой или просто читал много?

— Учителя хорошие были.

— Кто?

— Ты всех их знаешь. Дядя Назар, Антоха Сташис. И еще Анастасия Павловна. Мне вообще по жизни на учителей повезло.

— Это верно, — со вздохом отозвалась она, — тебе повезло, не то что мне. У тебя целых трое, а у меня ни одного такого не было...

Дуня внезапно повернулась, вытянула ноги, приподнялась на локте.

— Кстати, о дяде Назаре. Он ведь наверняка знает, что будет в квесте.

— Думаю, да, знает. Хочешь, чтобы я спросил?

— А можно?

— Нельзя, — твердо ответил Роман. — Поэтому лучше не хотеть. Пойдем яичницу по-грузински пожарим, с помидорами, сыром, луком и зеленью, раз уж все равно не спим.

Дуня с готовностью выскочила из-под махровой простыни, которой они укрывались: под одеялом было жарковато.

— Пошли!

В два часа ночи они, полуголые, уплетали на маленькой кухне тесной съемной квартирки яичницу по-грузински и были совершенно счастливы.

* * *

— Тим, чего сияешь, как фальшивый пятак?

Тимур не заметил, как сзади подошли Боб с Люсиндой. Боб был уважаемым чуваком в их сообществе, окончил музыкальное училище и фанател от рока восьмидесятых. Люсинда, его новая подружка, вошла в сообщество совсем недавно, смотрела на Боба влюбленными глазами, носила длинные сарафаны из голимой джинсы и фенечки на запястьях и изо всех сил старалась выглядеть преемницей движения хиппи. Даже матерчатые сумки на длинных ручках и с аппликациями шила сама. Тимур до недавнего времени учился в художке, мнил себя живописцем и полагал, что вправе оценивать вкусы других. Ну, по крайней мере, вкусы Люсинды. На его просвещенный взгляд, Люсинда как творец визуальных объектов никуда не годилась. Но он молчал. Из уважения к Бобу, конечно, а вовсе не из стремления не обидеть девчонку.

— Прикинь, нашел, наконец, «Смену-8»! — радостно сообщил Тимур. — Весь инет облазил, всю клаву на фиг стер, пока договорился за нормальные бабки. Завтра поеду забирать.

— Зачем тебе? — небрежно поинтересовался Боб. — У тебя же «ЛОМО» есть, зеркалка.

— Зеркалку туда нельзя, там строго.

— Туда? Куда это? Э, алё, — обратился он к бармену, — сделай нам, как обычно.

Они сидели в дешевой забегаловке, гордо именующейся баром «Калимера». Завсегдатаи — старшеклассники и студенты — быстро переделали красивое греческое слово в «Кикимору», и новое название изустно кочевало из поколения в поколение, от самых первых безденежных клиентов девяностых до нынешних, чаще всего вполне обеспеченных: бар был местом постоянной тусовки разных групп, в том числе и местных хипстеров.

Боб взгромоздился на табурет перед стойкой, отпил сделанный барменом напиток — виски с колой — и снова спросил:

— Так куда — туда?

— Я же рассказывал, — с досадой ответил Тимур. — На квест. Там можно пользоваться только аутентичными аксессуарами, сделанными не позже восьмидесятого года. Забыл, что ли?

— Ага... — вяло протянул Боб.

По его лицу было понятно, что он не просто забыл — даже и не собирался запоминать, а ведь Тимур своим френдам-хипстерам все уши прожужжал о прикольном квесте, на котором можно будет погрузиться в настоящее ретро. На Боба Тимур не обиделся: Боб — это Боб, эталон, гуру, он сам имеет право решать, что запоминать, а что выбрасывать из головы. Да и вообще Тимур не был обидчивым, он любил всех своих многочисленных друзей и радовался, что они тоже любят его.

Но неожиданно интерес к теме проявила Люсинда, обычно молчавшая и только с обожанием глядевшая на своего Боба.

— А зачем тебе нужна обязательно «Смена»? У моего дедушки был «ФЭД-2», и я точно помню, как он рассказывал, что учился фотографировать им, когда еще был школьником. Значит, это совсем старая модель. Еще вроде «Зенит» какой-то был, дедушка про него тоже рассказывал. Чего тебе «Смена»-то уперлась? Сказал бы, что тебе нужен ретрофотик, я бы дедушкин принесла, он до сих пор на антресолях валяется.

— Дитя! — презрительно фыркнул Тимур. — «Смена» выпускалась на Ленинградском оптико-механическом объединении, она — прабабушка наших «ломушек». А в нашей среде принято фоткать только на «ЛОМО», разве не знаешь? Можно было и «ЛОМО-сто тридцать пять Вэ Эс» поискать, она тоже по времени производства вписывается, но «Смена» намного лучше и по техническим характеристикам ближе всех к «ломушкам». А та модель, которая у меня, выпускалась с восемьдесят третьего года, ее не разрешили.

Конечно, Люсинда в сообществе совсем недавно, но уж такие-то основополагающие вещи, как обязательное наличие «яблочной» техники и зеркалки «ЛОМО», должна бы знать. Но она, как и все девчонки, больше думает о том, как выглядеть, а не о технических характеристиках того, чем можно и нужно пользоваться. Очки в массивной оправе нацепила, весь прикид — ручная работа, штучное изготовление, пусть и не дизайнерское, а самопальное, но главное требование соблюдено: вещи уникальные. Так что к внешнему виду Люсинды претензий нет. А всему остальному научится постепенно. И группы правильные научится любить под руководством музыканта Боба.

Следующий вопрос Люсинды Тимура озадачил.

— А все остальное? Реактивы, увеличитель, кюветы? Тоже аутентичное должно быть? Или можно наше?

Черт! Как же он не подумал об этом? Лопух! Лох педальный!

— Не знаю, надо спросить.

— А пленка, на которую снимать? — не отставала настырная девица. — Тоже нужно старую искать?

— Да прям! Пленка столько лет не проживет, ссохнется, — авторитетно заявил Тимур.

Но Люсинда права, все эти вопросы нужно прояснить, пока еще есть время.

Боб прижал к уху мобильник и, лениво роняя слова, вяло и нудно выяснял отношения с собеседником, купившим какие-то «не те» усилители, да еще и переплатившим за них чуть не вдвое... Люсинде было скучно, и она полностью переключилась на Тимура.

— Это всё нужно для того квеста, о котором ты рассказывал?

Ну вот, хоть Люсинда не забыла, уже приятно. Тимур кивнул с важным и загадочным видом.

— И там все по-серьезному? Прям совсем ничего нельзя?

— Ничего, — подтвердил он. — Можно только то, что было в семидесятые, или максимально близкие аналоги. Короче, ретро в бэк, по полной схеме, даже одежда и еда.

— Прикольно! — Глаза девушки загорелись. — И фотки будешь по ходу выкладывать? Каждый день? И блог вести?

— Дитя! — снова фыркнул Тимур. — Неврубинштейн! Тебе русским языком объяснили: интернета нет, телефонов мобильных нет. Какие блоги? Какие фотки каждый день? Ты вообще чем слушаешь?

Нет, он совсем не хотел обижать или унижать подружку Боба, он был мирным и приветливым пареньком, но так хотелось осознания собственной значимости, неординарности, непохожести на других... Так хотелось внимания, признания собственной уникальности... А соблазн повыпендриваться перед девчонкой Боба оказался столь велик... Тем более что сам Боб не обратил ни малейшего внимания на рассказы Тима ни об отборочном туре, ни о предстоящем квесте, и это задевало. В их сообществе всего три главных пункта, три иконы: ретро, уникальность и антипопулярность. Неприлично носить то, что носят все, зато бабушкин платок с нашитыми на него прибамбасами — самое оно. Никаких очков в легкой гибкой титановой оправе, только старомодные, похожие на роговые, а если зрение хорошее — вставляй простые стекла, но очки должны быть. Неприлично любить то, что нравится всем. Если ты выкопал на задворках интернета группу, о которой никто не знает, — ты большой молодец, даже если музыка, которую они исполняют, тебе ни разу не в тему. Ну как, как можно было не отреагировать на инфу о том, что Тим получит возможность окунуться в период семидесятых годов прошлого века?!

Ну и фиг с ним, с Бобом, пусть даже он самый уважаемый чувак, зато почти все остальные друзья Тимура восприняли информацию про квест с огромным интересом, заранее сожалели, что Тима целый месяц не будет в сетях и не будет ежедневных фотоотчетов с реальными прикидами семидесятых и старой техникой, но выражали готовность ждать, когда квест закончится и Тим снова сможет пользоваться современными технологиями. Он окажется в центре внимания, а все будут рассматривать его фотографии, восхищаться, комментировать, слушать его рассказы, раскрыв рот. Да он после квеста столько лайков наберет — другим и не снилось! И число подписчиков увеличится раз в десять, что немаловажно: когда количество подписчиков на твои обновления достигает определенной цифры, тебе начинают предлагать размещать на своих страницах платную рекламу. Конечно, родители пока Тимуру в финансах не отказывают, дают, сколько попросит, но каждый раз просить так противно! Да еще и объяснять, на что именно нужны деньги. Хочется быть независимым, ничего не просить и тратить, сколько нужно. Но до самостоятельного заработка еще далеко, художку Тим бросил, болтается без дела, собирается в следующем году поступать куда-нибудь на журналистику, а пока начнет с осени ходить на курсы, в творческий семинар, чтобы через год было что предъявить приемной комиссии. Он и в этом году пытался подать свои очерки на творческий конкурс, но не прошел, так что до вступительных экзаменов его не допустили. Ничего, вот проведет месяц в поселке, окунется в ретрообстановку и сможет потом написать такое, чего никто из других абитуриентов не напишет. Правда, Тимур пока еще совсем не представлял, о чем именно сможет написать, чтобы получилось свежо и оригинально, но это его не особенно беспокоило. Да, никаких идей нет, но ведь целый год впереди, и идеи непременно появятся.

В бар подтягивались все новые и новые приятели, становилось шумно, разговоры, смоченные алкоголем, делались все оживленнее и эмоциональнее, и на какое-то время Тимур совсем забыл о Люсинде и ее словах. Опомнился — и заторопился домой. В принципе, всем тем же самым можно было заняться и в баре, со смартфона, но не хотелось делать это на глазах у всех. Ореол таинственности не помешает для подогревания интереса.

Прибежав домой, Тимур сразу уселся за компьютер. Собрался было начать с поисковика, но снова вспомнил Люсинду: у нее дома валяется старый фотик, и если бы он вовремя спросил, она бы одолжила ему, причем бесплатно. Конечно, «ФЭД-2» ему не подошел бы, но сама мысль показалась вполне дельной. Прежде чем начинать искать, нужно все выяснить.

Он зашел на Фейсбук, на страницу Юрия. Завхоз сказал, что присутствует во всех сетях и его легко найти, на аватарке не картинка, а подлинная фотография. Тимур, как только получил у старика Назара свои гаджеты, сразу же подошел к Юре, нашел и забендил все его страницы. Юра ему нравился, он был общительным, простым, не строил из себя великого ученого и большого начальника, как все остальное старичье на отборе, и с первого же дня разрешил Тиму обращение на «ты». Кроме того, Юра суперски разбирался во всех направлениях рока, знал наизусть и мог с любого места пропеть огромное количество знаменитых в прошлом вещей и классно играл на гитаре. Да и внешний вид у него был больше «ретро», чем «в тренде». Быть в тренде считалось неприличным в сообществе, к которому принадлежал Тимур, поэтому в завхозе Юре парнишка сразу почуял родственную душу.

«Привет, есть срочный вопрос по фототехнике, маякни, когда выйдешь».

Такое же сообщение Тимур оставил Юрию во всех социальных сетях. Потом зашел на сайт квеста. Еще в самом начале, до первого собеседования по скайпу, Тим обратил внимание на то, что на сайте выкладывается полная информация обо всем и обо всех, с фотографиями. Сначала висел список тех, кто подавал заявки. Потом появился график проведения собеседований с указанием времени, потом — перечень тех, кого пригласили на отбор. В условиях, размещенных на сайте, было сказано, что всем приглашенным на отбор предлагается завести временные почтовые ящики для переписки по вопросам участия в квесте. Адреса этих ящиков тоже были на сайте. Такие же временные адреса имелись и у всех сотрудников, перечисленных в разделе «Наши эксперты», и даже у главного — у Ричарда Уайли. Найдя адрес Юрия, Тим для подстраховки продублировал свое сообщение на электронную почту.

В прихожей хлопнула дверь, послышались голоса: вернулись родители с младшей сестренкой. У него, Тима, детство было свободным и безнадзорным, родители оголтело развивали собственный бизнес, сутками пропадая в офисе и неделями — в поездках, и Тимур привык, что ему дозволено заниматься чем угодно, лишь бы нравилось и за это не забирали в милицию. Бизнес предки выстроили, механизм заработал, в семью потекли деньги, тогда и сестричка появилась, но ее растили уже не так, как Тима. Няни, кружки, секции, самая крутая в городе гимназия... У бедного ребенка нет ни одной свободной минуты. Вот сегодня в драматической студии отчетный спектакль, и родители, конечно же, пошли.

Они и Тима пытались с собой взять, но он отказался категорически, сказав, что занят и вообще не желает участвовать в истязании младенцев. Конечно, Ланка уже далеко не младенец, одиннадцать лет исполнилось, но все равно жалко ее ужасно: музыка, театральная студия, рисование, гимнастика. А жить когда?!

— Тима, ты дома? — раздался голос отца.

— Да! — крикнул Тимур.

— Ты ужинал?

Это уже мамин вопрос.

— Да! — снова крикнул он, не отрываясь от монитора.

За спиной скрипнула дверь. Шаги отца.

— Жаль, что ты с нами не пошел. Ланочка была лучше всех! И танцевала, и пела, и слова роли ни разу не забыла, не сбилась, не напутала. Ей так аплодировали!

Отец подошел поближе, потянул носом.

— Ты пил?

— Да ну, пап, перестань. Пара пива.

— Ты что же думаешь, я в свои без малого пятьдесят лет не отличу пивной выхлоп от какого-то другого? Ты меня за кого держишь, сын?

Тимур видел, что отец не настроен ругаться всерьез, очень уж хорошее настроение у него было после триумфального выступления его любимицы Ланочки. В верхней части экрана появился значок: пришло новое сообщение. А вдруг это Юра? Если сразу не ответить, он может выйти из сети, и неизвестно, когда появится снова. Нет, затевать бодалово с отцом сейчас вообще не в тему.

— Да, пап, тебя фиг обманешь, — улыбнулся Тимур. — Ты прав, само собой, глотнул крепкого чуток с ребятами в «Кикиморе». Но пара пива тоже была, тут я не соврал.

— Тимур, сколько раз я тебя предупреждал: не смешивай пиво с крепкими напитками! Ты еще совсем ребенок...

Отец, похоже, собрался затянуть лекцию надолго, и Тимура это никак не устраивало. Придется идти ва-банк и использовать заготовку, подсказанную Юрием.

— Пап, ты извини, но мне нужно срочно ответить на сообщение, это касается квеста, на который я поеду. Я должен хорошо к нему подготовиться. Согласен, я еще маленький совсем, зеленый, поэтому многого не понимаю. Но именно поэтому для меня так важно попасть на квест и пройти его, чтобы меня не вытурили оттуда раньше времени. Я хочу понимать больше. И для меня важно научиться понимать тебя и маму, и вообще всех тех, кто вырос в семидесятые. Потому что именно ваше поколение сегодня определяет все в экономике и политике, люди вашего поколения много лет будут моими наставниками и руководителями, и я должен это учитывать, чтобы успешно строить карьеру.

Тимур выдохнул. Когда Юра в первый раз предложил ему такой пассаж, Тим даже головой затряс:

— Нет, мне никогда этого не запомнить и не выговорить! Да я половину не понял, а с другой половиной не согласен. С какого перепугу я буду называть себя маленьким и зеленым? Да ни за что! И ничего пэренты и прочий антиквариат в нашей жизни не определяют, они вообще ни фига не понимают и не знают, им на свалку давно пора. Нет, я не согласен!

— Тебе и не обязательно соглашаться, — ответил ему тогда Юра. — Ты просто выучи и говори, когда будет нужно.

Тимур записал слова в блокнот под диктовку и старательно выучил, хотя сильно сомневался, что пригодится, и еще сильнее сомневался в том, что сработает.

Вроде пригодилось. Теперь посмотрим, сработает ли.

Краем глаза он заметил, что пришло еще одно сообщение, уже в другой сети. Ну точно, это Юра! Хоть бы отец поскорее оставил его в покое...

Но отец молча смотрел на него, и непонятно, чего больше было в его лице — недоверия или любопытства. Вот же блин! Похоже, разговор еще больше затянется. Зря он сделал так, как советовал Юра.

— Не такой уж ты ребенок, сын, как мы с мамой думали. Ладно, занимайся, не буду мешать.

И вышел из комнаты, аккуратно притворив за собой дверь. Сработало! Ай да Юра, ай да завхоз! На его советы и впрямь можно положиться, Юра не налажает.

Сообщения и в самом деле были от него. Примерно через сорок минут активной переписки Тимур смог составить список того, чем можно будет пользоваться, если он захочет проявлять пленки и печатать фотки прямо во время квеста. Правда, пока еще Тим не мог с определенностью решить, нужно ли ему это. Какая разница, когда, где и на каком оборудовании он напечатает фотографии? Все равно размещать их в интернете он сможет только после окончания квеста. Если он вернется в родной город с пачкой готовых снимков и тут же засядет сканировать их, то максимум через час-полтора фотки появятся в сети. А если он привезет только отснятые пленки и сдаст их в проявку и печать, то получится задержка на день-два. И что? Ради двух дней наживать себе такой геморрой с поиском техники и близких по составу реактивов? Да на фига?! Опять же, деньги придется клянчить у родаков, а он только сегодня утром выпросил на «Смену-8», за которую владелец требовал раза в четыре больше, чем ломокамера 1983 года стоила в комиссионке. Правда, та «Смена» выпущена в 1976 году, если хозяин аппарата не врет. И за разницу в какие-то жалкие семь лет так переплачивать! Жлоб он, этот хозяин камеры. Зато живет всего в сорока километрах от их города. Все остальные варианты, которые удалось быстро найти, находились намного дальше, а полагаться на пересылку почтой Тимур не мог. Предлагал владельцам оформить экспресс-доставку, но почему-то никто не согласился, все, будто сговорившись, твердили одно и то же: никаких экспрессов, никаких электронных переводов, сейчас столько мошенников, я вас не знаю, почему я должен вам верить, приезжайте, отдавайте деньги и забирайте, только так. Если хотите посылку обычной почтой, то сначала переведите деньги, я их получу и после этого отправлю вам фотоаппарат. Переведите деньги, а он потом пошлет! А если не пошлет? Сами же говорят, что мошенников развелось... Нет, из рук в руки — оно надежнее. И опять же, отдает духом ретро, как в прошлом веке.

Но есть и другой аспект: качество изображения, композиция кадра, светотени, четкость деталей. Тим — художник, пусть и недоученный, и для него такие вещи важны. Если на цифровой камере можно сразу посмотреть, что получилось, то с пленочным фотиком такое не пройдет. Проявить пленку, напечатать и высушить снимок — и только после этого можно оценить, получилось или нет. Если все сделать в городе, то уже не будет возможности переснять неудачные кадры. А если контролировать процесс «по мере поступления», такая возможность остается. Значит, все-таки придется заморачиваться с увеличителем, красным фонарем, кюветами, реактивами и прочими примочками.

Он вышел из своей комнаты, поболтал несколько минут с сестренкой, которой по случаю удачного спектакля разрешили сегодня лечь спать попозже — все равно начались летние каникулы, завтра в гимназию не идти, выслушал короткий и довольно-таки равнодушный, больше для проформы, выговор мамы за то, что не разогрел и не съел ужин, а опять кусочничал, жевал на ходу бутерброды и печенье. Решил испробовать Юрину заготовку и сказал:

— Вы в молодости тоже хватали бутрики и грызли печенье, я знаю, нам на отборе рассказывали. Нас специально там кормили так же, как вас когда-то.

— И что хорошего? — по-прежнему равнодушно проговорила мама. — У папы язва, у меня гастрит и холецистит. А ты должен быть здоровым. Мы столько денег тратим, чтобы кормить вас с Ланочкой хорошими продуктами и разнообразно, а ты только болезни себе наживаешь. Возьмись за ум, Тима, давно пора.

— Возьмусь, — пообещал он и отщипнул хрустящую горбушку от свежего багета. — Только сначала научусь вас с папой понимать, и вообще понимать всех людей из вашего поколения. Поэтому буду временно хавать то, что вы с папой хавали, когда были такими же, как я. Это называется «полное погружение».

Мама не удивилась. Похоже, отец успел поделиться с ней впечатлениями от последнего разговора с сыном.

— Если хочешь погружаться, начни хотя бы книги читать.

— А что вы читали в моем возрасте?

Она пожала плечами, продолжая пить чай из красивой, английского фарфора, чашечки и перелистывая толстый рекламный проспект.

— Читали то, что было модно. Уже не помню названий. Но в основном это были толстые журналы.

— Какие журналы? — непонимающе переспросил Тимур.

— Толстые. Так их называли в народе. А если официально — «Новый мир», «Октябрь», «Знамя», «Москва», «Иностранная литература», «Юность»...

— Глянец?

Мама оторвала глаза от яркой рекламной картинки и посмотрела на него с сожалением.

— Тогда даже слова такого не знали применительно к журналам. Какой же ты серый, Тимур! Ты безнадежен.

Он не обиделся. Он же вообще не обидчивый. И никакие журналы он читать не собирается, ни тонкие, ни тем более толстые. Ни за что на свете Тимур не возьмет в руки то, что считается модным, или то, чем все зачитываются. Мама считает его серым и безнадежным, потому что не разделяет его идеологию и стремится быть «в тренде», как и все ее окружение. Глупо на это обижаться. Ясное дело, что родаки больше любят Ланку, оно и понятно, он сам ее очень любит, да ее и невозможно не любить, она такая красивая, такая ласковая и солнечная девочка, такая талантливая во всем, чем занимается. А Тимур для них нечто вроде неудачного эксперимента, превратившегося в чемодан без ручки: получилось не так, как задумывалось, но выбросить жалко. Тимур это понимал, но совершенно не комплексовал, наоборот, радовался: от него по-прежнему, как и в детстве, ничего не ждут и ничего особо не требуют, зато деньги дают, и можно жить, как хочется, а не как нужно. Вот Ланке точно не повезло, на нее возлагают надежды и потом будут грызть, если она не оправдает. Бедная малышка!

Он отщипнул горбушку с другого конца длинного багета и вернулся в свою комнату. Просмотрел окна: за время разговора с сестренкой и с мамой пришло четыре сообщения в одной сети, два в другой, двенадцать в третьей и одно письмо. Письмо висело на том сервере, где Тимур завел временный ящик для получения сообщений, касающихся участия в квесте. «Наверное, от Юры», — подумал Тимур, открывая почту.

Но письмо было не от Юрия. Оно было непонятно от кого. И содержание этого письма Тимура сильно озадачило.

* * *

Восстановившись после приступа, я вернулся к работе, но почему-то все было уже не так. Я не понимал, в чем дело, почему я постоянно отвлекаюсь на посторонние мысли, откуда взялись одолевающие меня сомнения. Неужели на меня так подействовал разговор с Назаром и данное ему обещание подумать над целью моей затеи? Или дело в погоде, в атмосферных явлениях и магнитных бурях? А может быть, начало сказываться действие препарата, который я принимал ежедневно с момента приезда в Россию и до окончания отборочного тура?

Во мне поселилась неуверенность, выбивавшая меня из колеи и мешавшая готовиться к квесту, я злился и нервничал, но Назару ничего не говорил, надеясь, что он не заметит. Все шло по намеченному графику: по четным числам мы с Семеном тренировали мой слух на восприятие современной разговорной речи, изучали сленг и новые идиомы, по нечетным я работал с Галией и Виленом. Юра проявил инициативу и предложил сделать доску наподобие тех, которые часто показывают в полицейских фильмах.

— Можно сделать трехстворчатую, на правой и левой сторонах будете листки прикалывать, а центральную часть поставим с покрытием, чтобы делать записи фломастером и стирать.

Инициативу я одобрил, и на следующий день у нас появилась доска, работать с которой оказалось и вправду удобнее.

Итак, что же мы имели? Если верить тому, что написала Зинаида Михайловна Лагутина, ее сын Владимир выбрал профессию дипломатического работника и после окончания школы успешно поступил в Московский государственный институт международных отношений. К моменту окончания института он жениться не успел и был оставлен на работе в МИДе, поскольку холостых и незамужних в длительные загранкомандировки не отправляли. Володя был мальчиком серьезным и отнюдь не влюбчивым, к своей будущей избраннице предъявлял крайне высокие требования, как и полагается настоящему комсомольцу и будущему дипломату, поэтому не решился на ранний поспешный брак ради выезда за границу, что, безусловно, свидетельствует о его твердых моральных принципах. Всё это повторялось в разных местах записей примерно в одних и тех же выражениях. Институт Владимир окончил в 1978 году, а в 1981 году скоропостижно скончался от сердечного приступа. Проблемы с сердцем, как я уже говорил, впервые были обозначены Зинаидой в 1975 году, когда Владимиру делали аппендэктомию и после этого долго не разрешали приступать к учебе и не выписывали, продержав сперва две недели в больнице, потом почти месяц — дома. О кардиологической патологии, диагностированной в 1972 году, когда десятиклассник Володя подхватил тяжелую ангину, Зинаида заговорила только спустя три года. Возможную причину этого несоответствия мне объяснила Галия, и я ее доводы принял. Но сомнения все-таки оставались: если состояние здоровья действительно являлось одним из решающих факторов при командировании за границу, то почему до поступления в институт о болезни нужно было молчать, а на третьем курсе уже можно говорить? Третий курс — всего лишь третий курс, а не назначение на должность и не направление на работу за рубеж. Следуя логике Зинаиды, ни о каких хронических проблемах со здоровьем нельзя было даже заикаться, пока не пересечешь границу, да и после этого не следовало бы. Однако ж моя сестрица сочла нужным о них упомянуть еще в 1975 году. Почему? Что заставило ее это сделать? О том, что Зинаида ляпнула о чем-то, не подумав, не могло быть и речи: не такова была дочь Майкла Линтона. Значит, у нее имелись на то причины. Какие?

Мы распечатали и повесили на доску отрывки из записей Зинаиды за 1975 год:

«Какой тяжелый получился год, сплошные беды и несчастья! Скончались любимые всем народом артисты: Любовь Орлова, Ефим Копелян, Ольга Андровская, Борис Бабочкин — наш незабвенный Чапаев, Георг Отс — непревзойденный Мистер Икс, красавица Валентина Серова; ушли от нас великий композитор Дмитрий Шостакович, известный хирург Вишневский, писатель-блокадница Ольга Берггольц. Невосполнимые потери для великой советской культуры! Да и у нас в семье не обошлось без сложностей: сначала Володю срочно положили в больницу и прооперировали по поводу аппендицита, он несколько дней жаловался на боли в животе, но не хотел пропускать занятия в институте — учебный год только-только начался. Как и все молодые ребята, оттягивал посещение поликлиники до последнего момента, когда боли стали уже нестерпимыми, и его прямо из кабинета хирурга на «скорой» увезли в стационар. Я написала заявление на недельный отпуск за свой счет, чтобы ухаживать за

Володенькой, кормить его домашней едой и все время быть рядом после операции, моталась из дома в больницу, из больницы на рынок, потом домой, готовила диетическое питание, снова в больницу, потом снова домой, чтобы приготовить ужин для мужа и дочери, и снова в больницу. Эта безумная гонка закончилась тем, что я упала прямо на улице: закружилась голова, потемнело в глазах, и я рухнула, ударившись затылком о тротуар. Прохожие помогли мне подняться, я добралась до дома, подумав, что раз голова не разбита и крови нет, то ничего страшного не случилось. А на следующий день уже не смогла встать, пришлось вызвать врача, и выяснилось, что у меня сотрясение мозга. Из больницы Володю забирал муж, и целый месяц после этого мы с сыном провели в нашем маленьком госпитале: я лечила сотрясение, а он вылеживал осложнение на сердце, вызванное длительными болями, наркозом и операцией. Никогда не знала, что боль нельзя терпеть долго, это слишком большая и опасная нагрузка на сердце».

Это было написано в начале января 1976 года. Но записи Зинаида составляла и отправляло четыре раза в год, то есть каждые три месяца. И рядом с этим листком я повесил другой, датированный октябрем 1975 года.

«Как хотелось бы описать два летних месяца каникул у детей, наш отпуск в августе на Черноморском побережье Кавказа и начало нового учебного года, тем более что теперь наши дети — оба студенты, Ульяна приступила к учебе на первом курсе Института иностранных языков. Для всех нас это огромная радость, я хотела бы поделиться ею подробнее, но, к сожалению, нет такой возможности. Лежу с сотрясением мозга, читать не разрешают, пишу с трудом, нарушая запрет врачей. Поэтому придется быть краткой. Мы с Володей свалились почти одновременно, он с аппендицитом и осложнением на сердце, я с сотрясением. Оба лежим, лишь изредка встаем, как два беспомощных инвалида. Муж переживает, и мне жаль, что из-за нас с Володей ему приходится нервничать, это отвлекает его от ответственной работы. Ульяна молодец, помогает, как умеет, после института нигде не задерживается, сразу прибегает домой и хлопочет по хозяйству. Она очень беспокоится о нас, следит, чтобы мы вовремя принимали все предписанные лекарства, даже таблетки считает. Удивительная девочка выросла в нашей семье! Такая заботливая, такая внимательная, тщательная! Все запоминает, ничего не упустит.

Мне невыносимо сидеть дома и не работать, я к этому не привыкла, но тошнота и головокружение пока не проходят, и врачи категорически отказываются меня выписывать. Володя тоже грустит, и это понятно: он молодой парень, ему хочется нормальной веселой студенческой жизни, а он вынужден лежать в постели и не выходить из дома. Ничего, это временные трудности, мы поправимся, и все наладится».

В 1979 году Зинаида отчиталась о том, как возмущены были ее коллеги скандалом вокруг альманаха «Метрополь», как горевала вся страна, оплакивая 178 погибших при столкновении самолетов над Днепродзержинском, в том числе футболистов ташкентской команды «Пахтакор», как радовались за советских хоккеистов, снова ставших чемпионами мира. Подробно описала впечатления от премьерного спектакля во МХАТе по пьесе Александра Гельмана «Мы, нижеподписавшиеся», на который ходила с мужем и дочерью. Покритиковала, причем весьма пространно, фильм «Осенний марафон», премьера которого состоялась в декабре, перед самым Новым годом. О сыне же упомянула всего в одной фразе:

«Володя, к сожалению, не смог пойти с нами в театр на премьеру пьесы Гельмана: он очень любит свою работу, старается научиться всем премудростям как можно быстрее, боится совершить ошибку или допустить оплошность, поэтому все перепроверяет и переделывает по нескольку раз, засиживается в министерстве допоздна, очень устает».

Этот отрывок тоже был помещен на доску.

И, наконец, цитата из отчета за 1980 год, написанного в январе 1981 года:

«Не могу не поделиться материнским беспокойством по поводу Владимира. Он по-прежнему ни с кем не встречается и о создании семьи даже не думает, хотя ему уже 25 лет. Он вполне освоился на работе в министерстве и теперь уже не засиживается допоздна, успевает выполнить все задания в рабочее время, но вечера проводит не с девушками и не с друзьями, а в нашей районной библиотеке. Конечно, я как мать должна радоваться, что наш сын любит книги и тянется к знаниям, но мне так хочется внуков! И так хочется, чтобы Володя устроил, наконец, свою личную жизнь. Не стану скрывать, у меня были опасения определенного рода, ведь молодые умы так неустойчивы, даже если ребенку дали правильное советское воспитание, поэтому я сходила в библиотеку и проверила, действительно ли Володя ее посещает. Заведующая оказалась очень любезной, попросила сотрудниц из абонемента и читального зала все уточнить, к ней в кабинет тут же принесли формуляры, и я убедилась, что наш сын и в самом деле почти каждый вечер сидел в читальном зале, брал произведения классиков русской и зарубежной литературы, читал и делал выписки.

Мы обсудили эту информацию с мужем и пришли к заключению, что у нас нет оснований беспокоиться о мальчике, который много работает, а в свободное время думает не о девицах и не о гулянках, а о великой русской литературе. Что ж, внуки подождут. Тем более Ульяна пользуется повышенным вниманием со стороны юношей и наверняка скоро выйдет замуж, так что без внуков мы с Николаем Васильевичем не останемся».

Исходя из текстов Зинаиды, получалось, что Владимир Лагутин выбрал карьеру в МИДе, еще будучи школьником, старательно готовился к поступлению в институт, с интересом учился, с удовольствием работал на должности клерка, в свободное время посещал библиотеку и читал классиков, серьезных отношений с девушками не заводил, о женитьбе не думал. С моей точки зрения, которую вполне разделял и Назар, такая картинка сильно попахивала ненаучной фантастикой. Мечтать о карьере дипломатического работника, серьезно готовиться к вступительным экзаменам, с интересом постигать науки — и после этого чувствовать себя счастливым, перебирая бумажки за столом и не имея других перспектив только потому, что не успел вовремя жениться?

— Бред! — убежденно отрезал Назар. — Любой нормальный молодой человек женится на ком угодно при таких раскладах, хоть на кривой, хоть на горбатой, лишь бы анкета была подходящей.

Я был полностью согласен с Назаром, ведь наличие «Записок молодого учителя» совершенно однозначно свидетельствовало о том, что Владимир о карьере в МИДе не мечтал ни одного дня. Он хотел быть учителем литературы, но не посмел пойти против воли родителей.

— Думаю, твой многоюродный племянник специально не женился, чтобы родители не кинулись пристраивать его в загранку, — предположил мой друг.

В этом, как мне казалось, был резон. Какая-то личная жизнь у Владимира наверняка была, но он тщательно скрывал ее от родителей, главным образом — от матери, чрезмерно активной и любопытной. Зина, хитрая и лживая, помешанная на идее отправить детей на работу за границу, не погнушалась бы ничем, лишь бы поскорее женить сына хоть на ком-нибудь более или менее подходящем. Но если личной жизни и в самом деле не было, то этому тоже должна быть причина. Какая? И не в той ли загадочной Алле, непонятно куда исчезнувшей с горизонта, эта причина кроется?

Следующим вопросом, не дававшим мне покоя, было неожиданно благосклонное отношение родителей к тому, что Ульяна не захотела становиться переводчицей и перевелась в Текстильный институт. Об этом я уже говорил ранее, так что повторяться не стану. Почему дочери позволили то, чего не позволили сыну? Зинаида, как обычно, ограничилась лозунгами о свободе выбора и о том, что нельзя губить талант:

«Ульяна старательно учится, она девочка ответственная, и если взялась за что-то — обязательно доводит до конца, но мы с мужем видели, что она тянется к рисованию и тоскует без своих альбомов. Мы с ней поговорили по душам, и Ульяна призналась, что профессия переводчика нравится ей намного меньше, чем раньше, когда она еще училась в школе, а рисование — ее истинное призвание. Я посоветовалась с мужем, и мы решили предоставить дочери свободу выбора. Она захотела учиться в Текстильном институте».

Ульяна поступила в Институт иностранных языков в 1975 году, а с 1977 года училась уже в Текстильном.

О переводе в другой институт Зинаида кратко написала в отчете за июль–сентябрь 1977 года, а в записках за следующие три месяца вдруг ударилась в подробности, которые почему-то решила опустить ранее. Подробности эти касались того, как проявлялся в предыдущие периоды интерес дочери к дизайну тканей и моделированию одежды. Например, в январе 1978 года Зинаида решила отчего-то припомнить, как они всей семьей в марте 1977-го (!) смотрели Чемпионат мира по фигурному катанию и как Ульяна комментировала костюмы наших победителей — Родниной, Зайцева, Моисеевой и Миненкова — и какие интересные идеи по усовершенствованию этих костюмов высказывала. «Мы с мужем, — писала Зинаида, — тогда спросили у дочери, не поторопилась ли она с выбором профессии, ведь у нее явные способности в области моделирования, но Ульяна уверила нас, что иностранные языки ей очень нравятся и она с удовольствием будет ими заниматься».

Не обошла моя родственница вниманием и Московский Международный кинофестиваль, прошедший в июле: они ходили и на конкурсные, и на внеконкурсные просмотры, и Ульяна очень внимательно рассматривала одежду иностранных гостей, а дома делала зарисовки и показывала матери со словами: «Мы с тобой сегодня видели вот эту модель платья, а посмотри, насколько лучше она выглядела бы в ткани вот такого цвета или вот с таким рисунком». Одним словом, Зинаида пыжилась и тужилась, чтобы всему миру (но главным образом своим цензорам) доказать, что дизайн текстиля — истинное призвание ее дочери, которое родители замечали давно и готовы были дать дорогу молодому таланту.

Всё это было откровенной ложью от первого до последнего слова. Всё, кроме самого факта перевода из одного института в другой. Но почему? Что произошло?

— Смотри, — соглашался со мной Назар, — твоя Зина решила задним числом подкрепить ситуацию. А что ей мешало все эти подробности рассказать тогда, когда они имели место? Фигурное катание — март, в начале апреля — отчет, и ни слова об этом, с кинофестивалем такая же картина: в отчете за июль–сентябрь ничего не написано, хотя речь шла в том тексте как раз о переводе в Текстильный институт, здесь рассказу про кинофестиваль было бы самое место, но — нет, зато в январе Зинаида вдруг спохватилась. Знаю я эти фокусы. Вместо того чтобы в деталях рассказывать о том, как в Ульяне зреет понимание, что она ошиблась с выбором профессии, Зинаида о чем пишет? Да о чем угодно, только не о том, что действительно важно для исследования. В ее записках, если по уму, должны быть бесконечные упоминания о сыне и дочери, «Ульяна, Володя, Ульяночка, Володенька», а у нее что? Одни сплошные Орловы, Подрабинеки да Снежневский с Морозовым. Она вообще кто, сестрица твоя? Великий психиатр? Или исполкомовский работник, отвечающий за снабжение города промтоварами? С чего ее на психиатрию-то потянуло? Больше покрасоваться не на чем?

Я рассмеялся. Назар верно подметил: Зина так увлеклась рисованием идеальной семьи идеальных партийно-советских чиновников, что порой уделяла в своих записях излишне много внимания темам, не имеющим отношения к целям исследования, но зато показывающим ее саму и членов ее семьи в самом идеологически выгодном свете. Действительно, в отчете за первые три месяца 1977 года об увлечении Ульяны текстильным дизайном не было сказано ни слова, зато несколько весьма объемных абзацев оказались посвящены негодованию, вызванному деятельностью Хельсинкской группы, осуждению Орлова, Щаранского, Гинзбурга и прочих и горячему одобрению деятельности КГБ по аресту диссидентов. В отчете за апрель–июнь Зинаида выразительно возмущалась «клеветником Подрабинеком», молодым фельдшером московской «Скорой помощи», и всей работой комиссии по расследованию использования психиатрии в политических целях в СССР. В октябре же, описывая события в жизни семьи Лагутиных в июле–сентябре, не обошла вниманием Всемирный конгресс психиатров, состоявшийся в Гонолулу в конце августа: «Не понимаю, как можно было так грязно оклеветать замечательных советских врачей-психиатров Снежневского и Морозова и обвинить их в том, что они руководят систематическим злоупотреблением психиатрией в политических целях в нашей стране. Это наглая беспринципная ложь!»

Слова Назара о том, что Зинаида не жизнь семьи описывала, а искала, на чем бы еще покрасоваться, меня развеселили, и я вдруг увидел, насколько прав мой друг. Все в том же 1977 году много внимания было уделено обсуждению новой Конституции на открытых партсобраниях, к которым Зина, разумеется, ответственно и тщательно готовилась и на которых, само собой, выступала. А уж сколько места заняли описания Первой Московской международной книжной выставки-ярмарки — даже передать невозможно! Но тут Зинаиду можно хоть как-то оправдать, все-таки книги — это тоже товары, ими снабжаются книжные магазины, и тема была ей пусть минимально, но по профилю работы. В записках, составленных в течение того года, были и Всемирный форум миролюбивых сил, проходивший в Кремлевском дворце съездов; и взрыв в метро на перегоне между станциями «Измайловская» и «Первомайская», при котором погибли 7 человек и 44 получили ранения и травмы; и пожар в гостинице «Россия», в котором погибли 42 человека; и премьера фильма Алексея Германа «Двадцать дней без войны»; и смерть певца Сергея Лемешева и актера Алексея Грибова; и даже гибель эмигранта Александра Галича (не без злорадства, дескать, вел бы себя прилично, любил Родину, так не пришлось бы уезжать, и был бы сейчас жив). Чего только не было в этих записях!

Чего не было? Не было сына Владимира. И почти совсем не было дочери Ульяны.

— Неудачные, видать, детки-то получились, — заметил Назар. — Правду написать совестно, а открыто врать страшно, вдруг там, где положено, знают, как оно есть на самом деле. Так уж лучше промолчать, обойти. Уверен, что Зина твоя подвирала, где только могла, но аккуратно, чтобы ее не уличили.

— Что же может быть неудачного в сыне — работнике МИДа? — удивился я. — Да и дочка вполне удалась, иначе она в США не нашла бы так быстро работу по специальности. Коль нашла — значит, она действительно хороший дизайнер и дело знает.

Назар пожал плечами.

— Будем разбираться.

Именно для этого я и затеял свой проект. Ульяна молчит, придерживает информацию для своего сыночка Энтони. Значит, моя задача — заставить говорить Владимира.

* * *

Доктор Эдуард Качурин оказался человеком малоприятным, но специалистом вполне компетентным. К первому визиту в поселок, состоявшемуся сразу после окончания отборочного тура, когда участники еще только разъезжались, он подготовился, как написала бы моя троюродная сестрица Зинаида Лагутина, «ответственно и тщательно».

— Я поднял литературу, старые учебники и справочники, поговорил со стариками-врачами, которые практиковали как раз в семидесятые, и с фармацевтами, так что более или менее представляю объемы и протоколы оказания медицинской помощи в интересующий вас период, — заявил он, едва мы встретились в поселке, в моей квартире на пятом этаже.

Вид у доктора был угрюмый и какой-то не то растрепанный, не то помятый, не то побитый жизнью. Я помнил, что он в свое время лично явился, чтобы попроситься на работу в мой проект, и это заочно расположило меня к нему, но теперь, глядя на длинное унылое лицо Качурина и слушая его неторопливую выверенную речь, я испытывал что-то вроде неприязни. Чем вызвана эта неприязнь, я понял не сразу. Сообразил только тогда, когда на следующий день болтал за завтраком с Назаром, Галией и Ириной. Их речь была живой, фразы — короткими, междометия — выразительными и уместными. Качурин же разговаривал так, словно зачитывал наукообразный доклад. Вот что меня раздражало: академичность речи.

Я поразился. Совсем еще недавно я сам отмечал, что мой русский язык значительно отличается от того русского, на котором общаются люди в этой стране, и по лексике, и по строению фраз. Почему же меня так задевает в другом человеке особенность, присущая мне самому?

— Скажите-ка, друзья мои, — обратился я к сотрапезникам, — я все еще разговариваю как будто учебник вслух читаю? Или речь уже стала полегче?

— Значительно легче, Дик, — первой отозвалась Галия. — Вы вполне освоились.

— Наблатыкались, — озорно подмигнула Ирина. — Знаете такое слово?

Галия расхохоталась, а Назар, перехватив мой недоуменный взгляд, удовлетворенно кивнул:

— Это значит «научился, приобрел навык». У тебя заметный прогресс, но поле для совершенствования еще велико. Ты, главное, не комплексуй, будь проще.

С манерой Качурина строить длинные правильные фразы я примирился, но доктор все равно был мне почему-то неприятен. Хотя его профессионализму я отдал должное еще тогда, в поселке, когда он мерным, почти лишенным интонаций голосом диктовал нашему Юре список оборудования и препаратов для организации нашего маленького временного медпункта.

Теперь же пришло время обратиться к помощи Эдуарда для прояснения картины с состоянием здоровья Владимира Лагутина, а заодно и его матери Зинаиды, поскольку в корректирующих записях, составленных уже после эмиграции, Зинаида много чего понаписала, но ту историю с сотрясением мозга не упоминала. И к ранее сказанным словам о болезни сына тоже ничего не прибавила.

Пока я в общих чертах обрисовывал Качурину ситуацию, перемежая свой рассказ цитатами из распечаток, он слушал с закрытыми глазами и отстраненным выражением лица, чем вызвал у меня еще большее неприятие. Я, старый человек, распинаюсь перед ним, как школьник на экзамене, а он меня даже не слушает, словно ему совсем не интересно!

Когда я закончил, он еще некоторое время сидел, не шевелясь и не открывая глаз, и я даже подумал, что он задремал. Но я ошибся. По-прежнему не поднимая век, он начал негромко бормотать:

— Первая манифестация в шестнадцать-семнадцать лет... Десятый класс... Какие препараты принимал — неизвестно... Скорее всего...

Далее следовало перечисление каких-то лекарств, названия которых ровным счетом ничего мне не говорили.

— Вторая манифестация через три года на фоне аппендэктомии, наркоза и длительного болевого синдрома... Потом на протяжении пяти лет ничего... Он чувствует себя здоровым, оканчивает институт, приступает к работе, трудится успешно и много, начинает ходить в библиотеку, писать «Записки учителя»... И через год — летальный исход... Летальный исход...

Похоже, я недооценил нашего доктора. Он все слышал и все запомнил.

Внезапно веки Качурина резко поднялись, из-под них блеснули глаза.

— Я могу посмотреть эти «Записки»? — деловито спросил он.

— Конечно.

Я протянул ему папку с распечатками. Качурин едва взглянул на первую страницу распечаток и недовольно поморщился.

— Это мне не интересно. Мне нужна рукопись. Вы же не станете меня уверять, что в восьмидесятом году ваш родственник набирал тексты на компьютере? Я хочу увидеть рукописный текст.

— Есть сканы на флешке. Но если вы настаиваете, их можно распечатать.

— Сначала покажите на мониторе, потом я скажу, нужно распечатывать или нет.

Похоже, этот доктор чувствовал себя здесь самым главным. Практически боссом. Назар, Галия и психолог Вилен молча и с любопытством наблюдали за нашим диалогом, а я снова почувствовал себя школьником, стоящим навытяжку перед экзаменаторами. И я действительно в этот момент сдавал экзамен, к которому не готовился заранее: экзамен на выдержку и здравый смысл. Взрослое мудрое понимание того, что результат важнее мелких амбиций, боролось во мне с детским глупым стремлением непременно поставить собеседника на место и показать, кто здесь главный. Что победит? И кто из двоих во мне окажется сильнее, старик на исходе восьмого десятка или юнец, в которого постепенно, но неминуемо превращаются все, кому повезло миновать семидесятилетний рубеж?

Я вставил флешку и, не говоря ни слова, открыл файл со сканами рукописи. Старик пока еще довольно твердо удерживал свои позиции. Хотя, пожалуй, мое молчание можно считать демонстративным, а это означает, что юнец проколупал-таки щель в заборе и пытается в нее пролезть. Пришлось сделать над собой усилие и улыбнуться доктору, поворачивая монитор к нему.

— Прошу вас!

Тот на улыбку не ответил, сухо кивнул и уставился на экран. Текст он не читал, только просматривал, щелкая мышкой и перелистывая страницы. Интересно, что он собирался там увидеть?

— Вы утверждаете, что весь текст был выполнен в одном и том же месте? — раздался монотонный голос Качурина.

— Я не утверждаю, ибо не могу этого знать достоверно, но все известные нам обстоятельства говорят именно в пользу этой версии, — ответил я.

Краем глаза я увидел, как давится от смеха наша смешливая профессор Галия Асхатовна, и мне стало неловко. Даже почти стыдно. Ну что это я, в самом деле! Сводить счеты с малознакомым человеком, да еще таким способом... Надо срочно исправлять положение.

— Видите ли, Эдуард, — заговорил я своим обычным тоном, стараясь строить фразы попроще и покороче, — автор записок жил в семье, где мать и сестра отличались повышенной любознательностью. Проще говоря, любили совать нос в чужие дела и в чужие бумаги. Если вы прочтете «Записки», вы сразу увидите, что показывать их посторонним было нельзя. Если бы Владимир делал свои записи дома, кто-то из близких обязательно увидел бы это и проявил нездоровое любопытство: а что это он пишет такое интересное? И тут уж как ни прячь, а все равно найдут, квартира, хоть и просторная, — это не дворец. А вот если не знают, что тетради существуют, то и искать не будут. Где еще он мог делать записи? На улице? В метро? В гостях у друга? Это вызвало бы и любопытство, и подозрения. Единственное место, где ведение записей является совершенно естественным и не вызывает ни у кого излишнего интереса, — это читальный зал библиотеки. И у нас есть все основания верить в то, что молодой человек действительно регулярно посещал библиотеку, подолгу сидел в читальном зале, читал книги и писал свои «Записки». Это подтверждается словами его матери.

— Понятно, — спокойно ответил Качурин. — Значит, мы будем исходить из того, что освещенность, высота стола и форма спинки стула были всегда одними и теми же. Так?

Он перевел взгляд на Галию, и я снова мысленно поаплодировал доктору: он быстро запомнил, кто за какую сферу знаний отвечает в нашей команде.

— Совершенно верно, — откликнулась Галия. — Как правило, в читальных залах районных библиотек стояли обычные столы, без выдвижных ящиков, похожие на парты. К каждому полагалось два стула, тоже самые простые.

— Почему два? — удивился я. — Разве одному человеку нужно два стула, чтобы сидеть за столом?

— Двум, а не одному. В нашей стране принято было сидеть по двое — и в школе, и в вузах, и в библиотеках. Я знаю, что вы привыкли к другому, у вас даже в младших классах дети сидят каждый за своей партой, но у нас было иначе. Конечно, библиотека — это не класс и не студенческая аудитория, читальный зал вряд ли бывал забит до отказа, так что посетители имели полную возможность сидеть за своим столом без всяких соседей, в одиночестве. Но стульев у каждого стола было, тем не менее, два.

— А как же приватность? — не унимался я. — В некоторых языках это называется дискретностью, но смысл тот же: соблюдение личного пространства, личных границ... Как можно вдумчиво и спокойно углубляться в умственную работу, если рядом кто-то сидит, дышит тебе в щеку, толкает локтем, сопит, а то и подглядывает в твою книгу или в тетрадь? Не понимаю! Я бы с ума сошел, наверное. И уж точно не смог бы продуктивно работать.

Мою готовность удивляться и возмущаться прервал монотонный голос Качурина:

— Если физические условия исполнения рукописи были одинаковыми на протяжении всего времени, тогда попрошу вас дать объяснения разительным отличиям в почерке. Хотя даже мне, не специалисту, очевидно, что почерк принадлежит одному и тому же человеку.

Теперь взгляд доктора был устремлен на Вилена. Очевидно, он ждал разъяснений от нашего психолога.

— Вы хотите сказать, что имело место измененное состояние? — уточнил Вилен.

— В ряде случаев, — кивнул Эдуард. — Несомненно. Судя по вашей реакции, рукописный текст вы не видели и не изучали. Взглянуть не желаете?

Вилен подошел к нему, сел рядом, а Назар вдруг предложил:

— Давайте не будем мешать людям работать. Дик, Галия, пойдемте чайку выпьем.

Мы втроем вышли на террасу, где Юрий, устроившись за столом и обложившись какими-то списками, вел активные переговоры по телефону. Кажется, переговоры касались лекарств, нужных для оборудования медпункта, во всяком случае, я успел услышать, что «я понимаю, что с кофеином — только по рецепту», «дада, я в курсе, что в составе пирамидона и амидопирина присутствует кофеин и вообще что это одинаковые препараты» и «нет, парацетамол нельзя, нужно, чтобы был диметиламинопиразолон»... При нашем появлении Юрий быстро собрал свои бумаги и, не прекращая разговора, скрылся в доме.

Назар тут же закурил и сердито сказал:

— Старею я, хватку теряю. Сам должен был догадаться.

— Да мне и самому в голову не пришло, что это может оказаться важным, — признался я.

— Тебе простительно, ты переводчик. А я опер. Я должен был сообразить.

Я видел, что Назар сильно расстроен, и не знал, как его утешить.

— Ты не обязан был помнить про сканы...

— Обязан. Ты мне про них говорил, и я не забыл. Не забыл, видишь ли, а выводов не сделал. И не полюбопытствовал посмотреть. А доктор сразу об этом подумал.

— На то он и доктор, — заметил я. — Про сканы знали все, но ведь и Вилен их не смотрел, ему тоже в голову не пришло, хотя он психолог и должен был...

— Да не успокаивай ты меня!

Назар с силой выдохнул дым и тут же снова глубоко затянулся.

— Старый я, никчемный и ни на что больше не гожусь, вот и весь сказ.

— Брось, Назар, ну что ты, ей-богу... Я точно такой же старый, и что теперь? Ложиться и помирать?

Мы оба совершенно упустили из виду, что на террасу вместе с нами вышла Галия. Эта женщина обладала не только чувством юмора и уникальной готовностью хохотать по любому поводу, но и столь же уникальной способностью присутствовать, оставаясь полностью незамеченной. И вовсе не потому, что сама хотела скрываться. Просто такая особенность.

— Ваш чай, господа! — раздался веселый голос Надежды Павловны.

Она вынесла на террасу поднос и принялась накрывать на стол, и только тут мы заметили Галию, которая стала помогать разливать чай. Мы с Назаром смутились, как пацаны, и начали с преувеличенным тщанием рассматривать конфеты в мельхиоровой вазочке, делая вид, что никак не можем выбрать. Вот уж правильно говорят в России: старый — что малый.

— У вас расписание не изменилось? — спросила Надежда. — Артисты наши к пяти часам приедут?

— Да, их Семен привезет, — ответил Назар.

— Значит, ужин на всех готовим? На десять человек?

— На одиннадцать, — поправил я. — Вы все время забываете себя посчитать, Надежда.

Я радовался, что появилась возможность поговорить о чем-то постороннем, отвлечь Назара от его переживаний, а заодно и сгладить неловкость по отношению к культурологу. Посему о числе ужинающих сегодня я готов был рассуждать бесконечно.

— Впрочем, возможно, и на десятерых, если доктор Качурин уедет. Но судя по тому, как они с Виленом углубились в работу, закончат они не скоро. Так что рассчитывайте на одиннадцать.

— Да, Надюша, — тут же подхватил Назар, — попроси Юру, чтобы он принес из кладовки большой сервиз, он специально привез его для тех случаев, когда будем собирать застолье всем коллективом. И загляни, будь ласкова, к нашим труженикам, спроси, может, им чай-кофе туда подать или перекус какой-нибудь.

— Все сделаем, все подадим, не волнуйтесь.

Последние слова Надежда договаривала, уже входя в дом.

* * *

Я как в воду глядел: Качурин с Виленом даже к обеду не вышли, попросили по две чашки кофе и пирожков побольше.

— Вот что компьютеры со здоровьем людей делают, — сокрушенно приговаривала Надежда, собирая на сервировочный столик на колесиках посуду и питание для доктора и психолога. — Мои внуки точно такие же, едят только то, что не мешает пялиться в монитор. А потом удивляемся, почему все больные смолоду.

Я деликатно молчал, ибо и сам регулярно позволял себе подобные погрешности в здоровом питании. Мы пообедали впятером — Галия, Юрий, Надежда и мы с Назаром, после чего я извинился и ушел в свою комнату. Мне хотелось отдохнуть перед приездом артистов. Общество Назара меня не напрягало, присутствия Надежды я вообще почти не ощущал, но сегодня с самого утра пришлось общаться и с Юрием, и с Галией, и с Виленом, и с доктором... Многовато для меня, привыкшего к одиночеству. Утомительно. Шесть человек в доме, не считая меня самого, и еще четверо на подходе, надо собраться с силами.

Мне удалось задремать, однако через полчаса я проснулся, попытался снова уснуть, но безуспешно, еще какое-то время полежал, разбираясь в собственных мыслях, и спустился вниз. Юрий о чем-то болтал с Надеждой на кухне, откуда дразняще тянуло запахами восточных приправ, но больше в доме никого не оказалось. Я вышел на террасу, опоясывающую дом, завернул за угол и обнаружил всю компанию во главе с Назаром: Галия сидела на качелях, Вилен и Качурин — прямо на траве, подстелив под себя какие-то коврики, а Назар стоял перед ними и негромким, но твердым голосом распоряжался:

— ...и еще раз: я считаю до десяти — вы смотрите на зелень, потом я снова считаю до десяти — вы закрываете глаза и мысленно смотрите на точку третьего глаза...

Я подошел к ним.

— Что происходит? Чем вы тут занимаетесь?

— Мучаемся, — мрачно ответил Качурин.

— Они восстанавливаются, — заявил Назар. — Люди сидят, согнувшись в три погибели, и часами без перерыва таращатся в монитор. Да мало того, они еще и рукописные каракули разбирают, глаза ломают. Это на что ж похоже? Вот я и велел им сесть на травку и смотреть на зеленое.

— А третий глаз зачем? — спросил я.

Назар махнул рукой, осознав всю бесполезность просветительской работы с таким закоснелым ортодоксом, как я.

— Это тоже полезно. Для свежести мышления, — коротко пояснил он. — Сейчас Эдуард с Виленом немножко придут в себя и доложат тебе о результатах их изысканий. Кстати, ты уж не взыщи, но я взял на себя смелость немножко пораспоряжаться.

— В каком смысле?

— Они спросили, можно ли открыть файлы со сканами рукописного текста Зинаиды, так я разрешил. Ты ушел отдыхать, не хотел тебя беспокоить, а у ребят работа стояла...

— А что, Зинаида тоже могла быть в измененном состоянии?

Назар хмыкнул и ничего не ответил.

* * *

В комнате, где мы работали, в глаза сразу бросилась доска: доктор и психолог активно пользовались ею. Центральная часть поделена вертикальной чертой на две половины, слева толстым черным маркером написано «Норма», справа — «Пат.», что, по всей вероятности, должно было обозначать патологию, то есть любое измененное состояние, либо спровоцированное стрессом и тяжелыми обстоятельствами, либо вызванное химическими агентами, содержащимися в алкоголе, наркотиках и даже в обычных лекарствах. В правой части я увидел «многословие», «укрупнение», «строки», «проекции» и еще какие-то слова. В левой же части находились «лаконичность», «станд. размер», «строки =»... Эти основные слова были написаны крупно и тоже толстым маркером, но рядом с каждым словом более мелко и уже фломастером, причем другого цвета, шли названия пьес Горького. Да, поработали доктор с психологом на славу!

— За основу мы взяли «Дело Артамоновых», — начал объяснять Вилен.

— Почему?

— Потому что в «Записках» воспроизведены впечатления и мысли автора на момент первого прочтения, которое имело место в десятом классе. Если пьесы Владимир перечитывал по второму-третьему разу тогда, когда писал «Записки», то есть в двадцать пять лет, то «Дело Артамоновых» изложено в том, самом первом, восприятии. В «Записках» ничего не сказано о том, что автор перечитывал роман. Кроме того, в начале «Записок» автор указывает, что ему двадцать три года, а далее, когда идет разбор пьес, называет себя двадцатипятилетним. Это может свидетельствовать о том, что первый, так сказать, подход к «Запискам» был осуществлен, но не окончен, после чего последовал перерыв примерно в два года, и Владимир снова взялся за работу.

— Допустим, — согласился я. — И что это означает?

— Ну, — Качурин развел руками, — у нас нет оснований предполагать, что мальчик-десятиклассник злоупотреблял алкоголем. Восприятие текста и впечатления от него наверняка были абсолютно чистыми, трезвыми.

— Согласна, — поддержала его Галия. — Мальчик из такой семьи, где ранняя алкоголизация пресекалась бы на корню, для родителей слишком важна была и их собственная репутация, и их карьера, которые пострадали бы неминуемо, если бы парень попался в школе или еще где-то в нетрезвом состоянии. Скандал, исключение из комсомола — и прощай, престижный институт!

— Кроме того, — невозмутимо продолжал Качурин, — ребенок был болен, постоянно находился дома под присмотром бабушки, его регулярно навещал врач. Я полагаю, что измененное состояние в тот период можно обоснованно исключить. Поэтому мы договорились считать структуру фраз и их размер в отрывке о «Деле Артамоновых» эталонными. Мы исходили из предположения, что автор в двадцать три года дословно перенес на бумагу не только сами впечатления от текста, но и те мысленные формулировки, которые сложились у него в голове в шестнадцать лет. Если бы автор «Записок» считал, что роман нужно перечитать, освежить в памяти и переосмыслить, это нашло бы отражение в рукописи. Но никаких указаний на это мы не нашли.

— Теперь понял, — кивнул я. — И какие выводы у вас получились?

— Одну минутку, — вмешался Вилен, — Эдик забыл упомянуть один важный момент.

Ого! Уже «Эдик». Стало быть, подружились... Ну, или, на худой конец, не разругались, тоже хорошо. Хотя, глядя на угрюмое выражение лица доктора Качурина, мне трудно представить, как с ним можно дружески общаться. С другой стороны, Вилен — психолог, и искать подход к любому человеку, даже с самым сложным характером, он должен, наверное, уметь.

— В отрывке, касающемся «Дела Артамоновых», есть абзацы, в которых изложены соображения автора, явно родившиеся позже, не в десятом классе, то есть не тогда, когда произведение было прочитано. Сам отрывок мы условно разделили на две части: первые впечатления и более поздние соображения. Так вот, эталонными мы договорились считать именно первые впечатления и способ их изложения. Все, что идет после слов «Сейчас, когда мне двадцать три года», мы относим к более позднему осмыслению. В общем...

Вилен сбился, посмотрел на часы и вздохнул:

— Не буду утруждать вас деталями, скоро приедут наши артисты, и если мы с Эдиком начнем подробно излагать, как и что мы тут анализировали, то застрянем до завтра. Но если честно, мы с ним чуть не подрались.

Угрюмое лицо Качурина дрогнуло и чуть смягчилось. Он едва заметно кивнул:

— Так и есть.

— Давай, Вилен, не тяни, — поторопил Назар, — времени и вправду уже не остается.

— Ну, если в двух словах, то автор «Записок» несколько лет попивал, причем довольно прилично. Иногда он делал свои записи на трезвую голову, иногда — с похмелья, иногда — выпивши. Но эпизоды, когда он работал над «Записками» с похмелья, становились все чаще. Сканы рукописей Владимира находятся в трех файлах, в первых двух — размышления несостоявшегося учителя, в третьем — наброски какого-то художественного произведения. Так вот мы с Эдиком уверенно утверждаем, что эти наброски делались уже практически постоянно в нетрезвом виде. Наброски так и остались лишь набросками, а «Записки молодого учителя» не были закончены. Из чего можно сделать предположение, что алкоголизация нарастала, автор бросил свои литературные затеи и в последний год своей жизни пил, не просыхая. Такая интенсивность пьянства в сочетании с имеющейся кардиологической патологией привела к летальному исходу.

— Но я ведь говорил вам: Зинаида после приезда в США сама написала, что Владимир злоупотреблял спиртным. О его пьянстве мы и так знали.

— Вы не поняли, Дик, — покачал головой Вилен. — Из текстов Зинаиды можно было сделать вывод, что ее сын проводил много времени в пьющих компаниях, и в этом не было ничего особенного, если учесть его возраст. В России всегда пили много, и на работе, и вне ее, это был распространенный образ жизни у мужчин всех возрастов. Но Владимир пил не в компаниях. Он пил один. Это совсем другой психологический статус.

— А что с рукописями Зинаиды? — требовательно вопросил я. — Назар сказал, что вы ими интересовались.

Качурин неожиданно оживился, и уже во второй раз за день я заметил, как блеснули его глаза под вялыми полуопущенными веками.

— О, вот это действительно крайне любопытно! — заговорил он. — Могу вам сказать, что осенью семьдесят пятого года интересующая вас особа могла болеть чем угодно, хоть панкреатитом, хоть гонореей. Но сотрясения мозга у нее не было и в помине. Более того, возьму на себя смелость утверждать, что в тот момент она была в превосходной форме: бодра, активна и, как писали в те времена, практически здорова.

Вот и приехали...

* * *

Теплый приятный день неожиданно сменился дождливым ветреным вечером, и когда Семен привез троих артистов, посиделки на террасе пришлось перенести в дом. Качурин, против ожиданий, не уехал, изъявив желание остаться.

— Если вы не возражаете, мы с Виленом еще поработали бы. Днем мы очень торопились и, боюсь, сделали ряд поспешных выводов, — сказал он.

Я посмотрел на стоящего рядом с ним Вилена, который кивнул, подтверждая слова доктора. Это некоторым образом нарушало мои планы, ведь рабочая комната нужна мне для работы с Галией и артистами, коль нет возможности устроиться на террасе. Доктор о моих раскладах не знал, он приехал сегодня в первый раз, но опытный Вилен сразу понял проблему.

— Назар Захарович предложил нам переместиться в свободную комнату на втором этаже, если вы позволите унести туда ваш ноутбук. Мы вам не помешаем.

— Хорошо, — согласился я. — Спасибо за трудовой энтузиазм. В восемь часов ждем вас обоих к ужину.

Виссарион Иннокентьевич, он же Гримо или просто Вася, выглядел со своей седой шевелюрой и в легком летнем светлом костюме истинным героем-любовником, громогласно приветствовал Надежду, целовал ей ручки и восторгался ее кулинарными талантами, что-то напевал... Одним словом, немедленно, едва появившись, заполнил собой все пространство. Строгая спокойная Полина Викторовна, одетая в изысканное и при этом очень простое платье, подчеркивавшее ее необыкновенно тонкую талию, улыбалась сдержанно, но приветливо. Ирина же выглядела совсем непритязательно: джинсы, свободная длинная футболка, на плечи накинут серо-голубой кардиган из тонкого трикотажа, на ногах босоножки. Впрочем, даже такая незатейливая одежда не могла скрыть женственность и сексуальность Ирины.

Обрисовывая задание, я старался быть максимально лаконичным, помня о том, что рабочая комната и большой стол потребуются для ужина. Если втроем-вчетвером мы без проблем умещались за барной стойкой, а при хорошей погоде накрывали стол на террасе, то сейчас ситуация становилась в корне иной.

— Комсомольское собрание? — удивленно переспросила Ирина. — Я их совсем не помню, в мое время их уже почти не было... То есть были, конечно, но совсем коротенькие, формальные...

— А я отлично помню, — звучный сочный голос Гримо разлился по комнате. — Я, между прочим, был секретарем комсомольской организации нашего молодежного театра! А ты, Полина? Помнишь, как это было?

— Разумеется, как не помнить. — Полина Викторовна почему-то вздохнула. — Меня же исключать хотели, персональное дело слушали...

— И как? — живо поинтересовалась Галия. — Исключили? Или обошлось?

— Обошлось. Райкомовский инструктор защитил. Пожалел, наверное. Но после того стыда, который пришлось вынести, я твердо решила: до двадцати восьми лет дотерплю, пока комсомольский возраст не выйдет, и всё. Ни в какую партию даже пытаться вступать не буду.

— Господи, да за что ж вас так? — воскликнула Ирина сочувственно.

— На портрет села, — скупо улыбнулась Полина. — Когда студенткой была, нас всем курсом погнали на Ленинский проспект изображать толпу, которая радостно встречает какого-то зарубежного коммунистического лидера, уж не помню даже, кого и из какой страны. В те годы так всегда делали, снимали студентов с занятий, рабочих и служащих — с работы, чтобы побольше народу нагнать и создать видимость интернационального энтузиазма. И раздали портреты, огромные такие, на длинных шестах, чтобы мы их над головой держали. А я держать устала, худенькая была, слабенькая, да и вообще устала стоять, нас ведь привозили на проспект заранее, часа за два до проезда кортежа. Холодно, ветер свищет, первые заморозки, а я по глупости туфельки нацепила на тонкой подошве, ноги замерзли так, что чуть не отвалились. Руки без перчаток тоже заледенели, а в карманы их не сунешь — нужно портрет держать. И я отошла в сторонку, зашла за угол, где ветер не так сильно задувал, положила портрет на землю и уселась на него. Просто отдохнуть. Ладони в рукава засунула, греюсь. И конечно же, нашлись те, кто увидел и стукнул.

— Чей портрет-то был? — полюбопытствовал Гримо. — Я ведь тоже на такие встречи-проводы попадал не раз, но подержать портрет удалось только однажды. Помню, я ужасно собой гордился! У меня Суслов был. А у тебя кто?

— Кажется, Зимянин. А может, Долгих... Сейчас уже точно не вспомню, я их всегда путала. Но член Политбюро ЦК. На собрании через два слова на третье каждый выступающий повторял: портрет члена Политбюро, портрет члена ЦК... А, ладно, что об этом вспоминать!

— Ну вот и отлично, — удовлетворенно сказала Галия. — Будем считать, что одно персональное дело у нас уже есть, нужно придумать еще пять.

— Как — пять?! — в ужасе ахнула Ирина. — Я думала, нужно только одно собрание сыграть.

Пришлось мне опять взять слово и объяснить, что комсомольских собраний нужно провести шесть: каждый из участников квеста должен сыграть роль вожака, который задает тон обсуждению, роль докладчика, которого никто не слушает, и роль объекта всеобщих нападок.

— И чтобы жизнь медом не казалась, нужно еще шесть докладов, — добавила Галия, пряча рвущуюся наружу улыбку.

— Подождите, я не поняла, — снова заговорила Ирина. — Тон обсуждению задает кто-то один из ребят, остальные участники обсуждают как рядовые комсомольцы, правильно?

— Правильно, — подтвердила Галия.

— А мы тогда что должны делать? Какие у нас роли?

— А вы, мои дорогие, должны быть присутствующими на собраниях инструкторами райкомов и горкомов как ВЛКСМ, так и КПСС. На обычное собрание их, конечно, никто не посылал и не приглашал, но если тема основного доклада ответственная, политическая, то им рекомендовалось присутствовать. А уж если не только доклад, но и персональное дело вынесено на повестку, то инструктор явится обязательно. Так что темы докладов тоже нужно придумать. И соответственно ситуации разработать линию поведения старших товарищей.

Галия все-таки не выдержала и расхохоталась, следом за ней заулыбались и Полина с Виссарионом, а Ирина продолжала сидеть с озадаченным выражением лица.

— Насчет докладов... Мы — инструкторы какие-то... Даже представить не могу... — пробормотала она.

— Да что там представлять! — оптимистично прогрохотал Гримо. — Один из нас будет рубить лозунгами, второй возьмет на вооружение ядовитую демагогию, а третий займет центристскую позицию, потому что молодежь жалко, конечно, но карьера дороже. Я готов взяться за самое неблагодарное — за лозунги.

— Ой, а можно мне в центристы? — пискнула Ирина.

— А мне оставляете ядовитую демагогию? Ладно, — вздохнула Полина Викторовна. — Роли сами распишем. Галия, поможешь?

— Конечно. Вы сначала распишите роли, как вам удобно, а потом придумаем под них персональные дела. А то если мы сначала дело назначим, может получиться, что вам на этой теме развернуться негде.

— Да, друзья, развернуться вам необходимо в полную мощь, чтобы из участников посыпалось все самое лучшее и самое худшее, что в них есть, — добавил я. — Вы должны их откровенно провоцировать.

— Но если главное — провокация, то, может, без докладов обойдемся? — предложила Полина. — Для чего они нужны? Чтобы оправдать присутствие инструкторов? Так мы лучше придумаем такие персональные дела, которые без инструктора заслушивать никак нельзя. Васенька у нас, похоже, большой специалист в комсомольской жизни, комсоргом был, он нам все придумает. Правда же, Виссарион? Придумаешь?

Взгляд, который Полина бросила на Гримо, мне не понравился. Похоже, рана, нанесенная актрисе, тогда еще студентке театрального училища, была глубже, чем можно предполагать, а Виссарион отныне олицетворял для Полины Викторовны именно ту лицемерную демагогию, которой ее травили на собрании, заставив пережить невыносимо длинные минуты одинокого позора. Неожиданный конфликт... А я так радовался, старый дурак, что в результате тщательного подбора кадров сложилась чудесная команда умных и приятных людей! Оказывается, не всё можно увидеть сразу.

— Нет, без докладов не обойтись, — ответила Галия. — Нужен час безумной скуки, чтобы ребята на персональном деле оживились, потому что началась хоть какая-то движуха.

Лицо Полины на мгновение помрачнело, и я подумал, что ей, наверное, неприятно вспоминать о своем персональном деле как о развлекательной «движухе». Такое тягостное воспоминание, такие мучительные переживания — и такое вульгарное слово...

— Ну да, — негромко проговорила она, — для кого-то стыд публичного лицемерного осуждения, а для кого-то развлечение.

Галия мягко коснулась ее руки.

— Прости, Полина, не хотела тебя задеть. Просто попыталась мыслить и чувствовать, как юная девица. Прости. Итак, вернемся к докладам. У кого какие предложения?

Дверь приоткрылась, в комнату неслышно вошел Назар. Перехватив мой взгляд, сделал успокаивающий жест рукой: мол, ничего не случилось, просто хочу поприсутствовать.

— Тут и думать нечего, — решительно заявил Гримо. — «Малая земля», «Возрождение» и «Целина» — вот уже три готовых темы. Эти великие произведения должны были обсуждаться поголовно во всех комсомольских и партийных организациях, я точно помню, сам собрания проводил.

— Отлично, — согласно кивнула Галия. — Я тоже помню эти собрания. Еще?

— Еще была книга Чурбанова «Товарищ милиция», — осторожно встрял Назар. — По ней обязательно нужно было провести собрание в каждом органе внутренних дел, но, может, и в других комсомольских организациях ее тоже обсуждали. Правда, книга вышла в восьмидесятом году, но если Владимир Лагутин умер осенью восемьдесят первого, то почему бы нет...

Я вопросительно уставился на Галию. О том, что в СССР выходили огромными тиражами книги, якобы написанные Генсеком Брежневым, я знал, хотя и не читал этих произведений. Но о книге «Товарищ милиция» и ее авторе Чурбанове слышал впервые. Профессор поняла, что без объяснений тут не обойтись. Судя по лицам артистов, объяснения эти требовались только одному мне, все остальные прекрасно знали, о чем идет речь, понимающе переглядывались и хихикали.

— Юрий Чурбанов служил во внутренних войсках, удачно подженился на дочери Брежнева, и за это его быстренько сделали генералом и заместителем министра внутренних дел, — сказала Галия. — А потом он решил стать писателем, не хуже тестя, и издал книгу. Писал, разумеется, тоже не сам. Если не возражаете, Дик, возьмем это в качестве четвертой темы. Так же скучно, как и три предыдущие.

Я развел руками.

— Как я могу возражать? Я вообще в этих реалиях ничего не понимаю. Вы — культуролог, Галия, вы специалист по жизни в СССР в семидесятые годы, вам и решать.

— Может, Луис Корвалан и Анджела Дэвис? — осторожно предложила Полина. — Если честно, то я больше ничего не помню. Ни один доклад не слушала, садилась всегда на самый последний ряд, открывала блокнот, якобы записывала, конспектировала выступление докладчика, а сама стихи писала.

— Стихи?! — изумился я. — Почему?

— Стихосложение прекрасно убивает время, — просто ответила Полина. — Даже если у тебя нет поэтического дара.

— Корвалан и Дэвис не пойдут, — решительно заявил Гримо. — Из них не сделать тему для доклада, из них можно сделать только лозунги для митинга. Поверьте мне как бывшему комсоргу со стажем. Да и парторгом я тоже был, кстати, так что опыт имеется.

На строгом лице Полины мелькнуло мимолетное отвращение. Конфликта, похоже, не избежать. А ведь как хорошо все начиналось!

— Значит, будем обсуждать Отчетные доклады ЦК КПСС очередным съездам партии, — подытожила профессор. — Это темы обязательные для всех. Съезды можете выбирать по своему усмотрению, главное, чтобы они проходили в семидесятые годы.

— Двадцать четвертый и двадцатый пятый, — уверенно подсказал актер. — Как раз два и получается. Двадцать шестой уже не вписывается. Хотя можно и двадцать шестой, он проходил зимой восемьдесят первого года, ваш мальчик еще был жив, на работу ходил, так что, как справедливо отметил Назар, анахронизма не будет. А кто доклады будет писать?

— Вы и будете, — весело сообщила Галия. — А я помогу.

— Но почему? — возмутился Гримо. — Мы — инструкторы вышестоящих организаций, мы пришли послушать, понаблюдать, проконтролировать, повести обсуждение в нужное русло, если оно пойдет куда-то не туда, откорректировать формулировки решений... В этом наша задача, а доклад писать должен тот, кто докладывает, то есть либо сам комсомольский вожак, либо тот, кому он поручил выступать.

— И как ты себе это представляешь, Васенька? — мягко улыбнулась Галия. — Дети во время квеста не должны знать, что их ждст в ближайшие дни. Значит, написать доклад заранее они не смогут. Если сегодня объявить, что завтра будет комсомольское собрание, на котором нужно заслушать и обсудить доклад по книге Брежнева или по материалам съезда, как они успеют этот доклад составить? Это нереально! Если первоисточник успеют прочитать хотя бы по диагонали — уже хорошо, а написать доклад на тридцать-сорок минут — исключено. Это как минимум пятнадцать страниц машинописного текста, такое не под силу даже крутому профессионалу, а у нас дети, необученные и неопытные. Кроме того, Васенька, ты лукавишь. Тебе как бывшему комсоргу прекрасно известно про методические рекомендации, которые почти никто и никогда не видоизменял. Помнишь такое чудесное выражение: взять за основу?

Полина мстительно улыбнулась, но уже через секунду лицо ее снова обрело выражение благожелательного внимания. К счастью, Гримо ничего не заметил.

— Помню, — неохотно буркнул он. — Ну да, это правда, к ответственным темам всегда из райкома спускали методичку, в которой было прописано, какие вопросы и в каком свете обсуждать, на чем сделать акцент, какие примеры приводить и все такое. Она так гладко была составлена, что мы просто приносили ее на собрание, клали перед собой на трибуну и зачитывали подряд, якобы мы сами это написали. Да ведь все равно никто же не слушал!

— Вот именно, Вася. И наши дети в ходе квеста получат точно такую же гладкую складную методичку, которую им нужно будет пробубнить во время импровизированного собрания. Так что уж извините, мои дорогие, но мы как старшие товарищи из вышестоящих организаций должны составить шесть методичек по шести темам.

Некоторое время артисты обдумывали услышанное. Потом раздался печальный вздох Ирины.

— Бедные дети! — Она сочувственно покачала головой. — Они такие свободные, независимые, выросли в эпоху интернета и полной доступности любой информации, они такие...

Она помолчала, подбирая слова.

— Они классные! Они чудесные, незашоренные, самостоятельно мыслящие, смелые! Даже страшно представить, каково им будет сидеть на этих собраниях, и не просто сидеть молча, но и выступать, что-то говорить...

Я с любопытством взглянул на нее.

— Вы имеете в виду кого-то конкретного? Или всех шестерых?

— В первую очередь мне жаль Наташу и Тимура. Артем и Евдокия умнее и гибче, они могут адаптироваться к любой ситуации, не теряя внутреннего стержня, а Сергею и так уже ничего не страшно.

— Почему? Что вы о нем знаете?

— Ничего не знаю. Просто я вижу, что его чем-то очень сильно прибило. Его кто-то по-крупному обманул, или подвел, или еще что-то, но жизнь повернулась к нему своей самой неприглядной стороной. Как сказала бы моя семнадцатилетняя дочь, жизнь показала свою густопсовую харю. Думаю, что чужая глупость или подлость Сергея не удивят, он ко всему готов.

Я тут же схватился за ручку и бумагу, чтобы записать новое выражение. «Густопсовая харя»! Ну надо же! Воистину, велик и могуч русский язык!

— А Марина? — спросил Назар. — Ее тебе не жалко, Иришка?

Ирина мотнула головой, совсем по-девичьи, и волосы ее на миг взлетели вокруг лица, как два легких крыла.

— Не-а, не жалко. Она ничего не поймет и ничего не почувствует. И вообще, я уверена, что вы ее выгоните через несколько дней после начала. Такие люди, как Марина, не в состоянии жить строго по правилам дольше пяти минут. Она не выдержит, начнет нарушать запреты, попадется, и вам придется ее удалить. Так что до первого комсомольского собрания она не дотянет.

Что ж, звучало весьма оптимистично.

* * *

Давно я не уставал так, как за один сегодняшний день, такой длинный, наполненный общением с десятком человек. Ужин затянулся: помимо запланированного обсуждения хода квеста и уточнения последних деталей мы подробно говорили о выводах, сделанных Виленом и доктором Качуриным. Разъехались мои временные сотрудники ближе к полуночи, и я был уверен, что засну, едва коснувшись головой подушки.

Сон все не приходил, я крутился в постели, потом накинул халат, спустился вниз и вышел на террасу. Ветер утих, сыпал мелкий шуршащий дождик, а я думал о своем дальнем родственнике, давно умершем Володе Лагутине. Вот он поступает в институт, в котором не хочет учиться... Учится, сцепив зубы и умирая от скуки, проклиная свою слабость и трусость, свою неспособность противостоять родителям и правилам режима... Начинает работать... Все так же скучно... Он старается отвлечься, начинает сочинять «Записки молодого учителя», в которых пытается прожить несостоявшуюся жизнь... Лекарство помогает лишь временно или не помогает совсем, Володя бросает свои литературные пробы, написав всего пару десятков страниц... Пробует другое лекарство от душевной муки — алкоголь... Пьет около двух лет... Но, вероятно, не запойно, иначе выгнали бы с работы. Скорее всего, выпивает каждый день после службы. В какой-то момент пытается остановиться, взять себя в руки, снова берется за «Записки», посещает библиотеку... Выпивать не перестает, но старается делать это хотя бы не так интенсивно, как в предыдущие два года... На какое-то время его усилий хватает, потом воля ослабевает, выпивка позволяется все чаще... Володя перестает работать над «Записками» и переключается на художественный вымысел, набрасывает портреты персонажей, сюжетные ходы, конфликты, проблематику... Затем окончательно бросает попытки что-то написать и уходит в пьянство. А через год наступает конец.

И Галия, и Назар уверяли меня, что так называемых «блатных» сотрудников не только не увольняли за пьянство и прогулы, но даже и прикрывали от огласки и от начальственного гнева, если в этом была прямая выгода. Оказать услугу крупному партийному начальству горкомовского уровня — разве не выгода? А поставить в положение обязанной тебе и благодарной чиновницу из Мосгорисполкома, во власти которой находится распределение дефицитных товаров, — разве лишнее в советской жизни? Назар рассказывал об офицере милиции, своем сотруднике, который по нескольку раз в месяц уходил в запой на три-четыре дня, но за него при назначении на должность «просил» какой-то крупный чин из министерства. Алкаша прикрывали, как могли, и за это от министерского служаки районное управление получало определенные преференции: например, начальник управления, при содействии указанного чиновника, досрочно получил очередное звание; иногда удавалось выбить для кого-нибудь из сотрудников путевку в ведомственный санаторий или дом отдыха сверх выделенной на район квоты, и так далее. За все блага, которые чиновник отпускал району либо своей властью, либо при помощи связей и хороших отношений, приходилось терпеть рядом тяжелого алкоголика, от которого в работе не было никакого толку.

Выходило, что Владимир Лагутин мог еще долгие годы пьянствовать, считаясь сотрудником Министерства иностранных дел. Но ему хватило всего нескольких лет, чтобы сердце не выдержало.

После длительных препирательств Галия и доктор Качурин сошлись во мнении, что Володя после ангины осенью 1972 года у кардиолога на учете не состоял и никаких лекарств не принимал. Если бы не нужно было тщательно скрывать имеющееся заболевание, то он, вероятно, лечился бы и не умер так рано. Всё это казалось глупым и неоправданным, с моей точки зрения, но вполне объяснимым с точки зрения тогдашних реалий. И Галия, и Виссарион, и Полина Викторовна в один голос утверждали, что люди, не имевшие медицинского образования, в 95 процентов случаев знали только два кардиологических диагноза: инфаркт и порок сердца. Все остальное казалось несерьезным, надуманным, искусственным и никоим образом не требующим ни лечения, ни соблюдения режима, ни приема препаратов. Заколотилось сердце — накапай валокордин, закололо — сунь под язык валидол, вот и весь разговор. Брать больничный? Лежать в стационаре? Беречься? Систематически принимать таблетки? Вот еще! Это недостойно советского человека, для которого работа на благо общества должна быть на первом и главном месте, а собственное здоровье — ближе к концу списка, примерно там же, где личное счастье. Умереть за рабочим столом, а лучше всего — на трибуне во время выступления, — вот достойный конец жизни настоящего коммуниста. Кроме того, жаловаться на сердце допустимо только тому, кто работал долго и тяжело, то есть ближе к пенсионному возрасту. Молодой человек, студент института, к этой категории явно не относился, и все слова врачей о наличии проблемы с сердцем казались и его родителям, и ему самому пустым сотрясанием воздуха. Ну как это может быть, чтобы у школьника или студента было больное сердце, если нет врожденной патологии, о которой было бы известно с младенчества?! Раз не врожденное, значит — временное, ерундовое, не стоящее внимания. Но при решении вопроса о командировании за границу на длительный срок может помешать, поэтому на всякий случай лучше от всех скрыть.

Такая логика понятна. Но тогда почему Зинаида все-таки написала о кардиологической проблеме в 1975 году? Что-то изменилось? Она по каким-то причинам обрела уверенность в том, что никакие диагнозы не помешают ее сыну получить направление на работу за рубежом? Завела новое знакомство и получила твердые заверения в полной поддержке? Хорошо, я готов допустить такое. А как в таком случае расценивать тот факт, что впоследствии она снова ушла в глухое молчание и не обмолвилась о болезни Владимира ни словом, пока парень был жив? Да и после его смерти Зинаида упомянула о нездоровье сына только один раз: «Кто бы мог подумать, что у Володеньки было больное сердце!»

Действительно, кто бы мог подумать... Ох уж эта Зинаида, лживая и лукавая! Энтони Лагутину будет проще работать над исследованием, Ульяна ему расскажет правду, а может, уже давно рассказала, поэтому мой внучатый племянник и пребывает в полной уверенности, что никому, в том числе и мне, не написать работу лучше, чем это сделает он сам. Вот и приходится мне, старому одинокому переводчику, изобретать немыслимые способы, чтобы восстановить истинный ход событий. Можно было бы пойти по достаточно простому пути, лежащему на поверхности: попытаться найти друзей Владимира, одноклассников, однокурсников, поспрашивать их. Но Назар, с которым я обсуждал такую возможность еще в самом начале, осенью прошлого года, заверил меня, что затея почти полностью бесперспективна. За сорок лет воспоминания трансформируются настолько, что полагаться на них глупо. Многое забывается, многое додумывается и потом воспринимается как реально имевшее место. О многом вообще умалчивается, кое-что умышленно привирается. Так что моим единственным свидетелем, моим более или менее надежным источником остается Молодой Учитель, чьи записки мы с таким тщанием изучаем, пытаясь вытащить из текста все, что возможно.

Какой все-таки молодец этот доктор Качурин! Ну почему, почему никому из нас не пришло в голову взглянуть на рукописный текст?! Мы пользовались компьютерными распечатками, вчитывались в слова, старались проникнуть в смысл и поймать скрытые за словами эмоции и совершенно упустили из виду первоисточник как физический, материальный объект. Конечно, я видел сканы рукописи и раньше и хорошо помню, что почерк у Владимира был весьма неразборчивым. Пробежав глазами несколько строк, я испытал острое отвращение к необходимости разбирать чужие каракули, изо всех сил напрягая глаза, и порадовался, что у Берлингтонов принято все рукописные тексты набирать на компьютере, чтобы в дальнейшем передать для написания итогового исследования полный пакет источников как в переводе на английский, так и на языке оригинала. Порадовался, старый пень... И чуть не упустил по-настоящему важные обстоятельства.

Во время ужина, пока Надежда и помогавший ей Юра убирали тарелки и накрывали к чаю, Вилен попросил разрешения воспользоваться принтером и распечатал несколько страничек со сканами. Оказывается, Владимир иногда рисовал то на полях, то в центре листов, где полагалось быть тексту. Художником он был никаким, рисунки выглядели неумелыми и корявыми, даже и не рисунками вовсе, а так... Не пойми чем. Не картинки с сюжетом, не портреты красивых девушек, а просто рожицы, чертики или солдатики. Впрочем, солдатиков Володя рисовал лучше всего остального, особенно в форме старинного образца. Наверное, увлекался этим с детства. Например, в середине текста, посвященного пьесе «Старик», целых полстраницы отведено изображению множества фигурок в военной форме. Сначала шли крупно нарисованные «поясные портреты» с разными головными уборами и в разных мундирах: у одного тщательно вырисованы эполеты на плечах; у другого на шее, в вырезе расстегнутой рубахи, виднелась замысловатая подвеска на шнурке; третий держал в руке рассыпающуюся колоду карт и почему-то вызывал ассоциацию с Германном из «Пиковой дамы» Пушкина; четвертый, с тонкими усиками, вообще был в широкополой мушкетерской шляпе с пером. Эти четыре головы нарисованы в ряд, и весьма старательно. Под ними — расположенные кое-как фигурки солдатиков, выполненные так мелко и небрежно, что невозможно даже приблизительно определить исторический период и род войск, понятно только, что это воины. Таких мелких, разбросанных по странице фигурок насчитывалось тринадцать. Чертова дюжина.

Я сидел на террасе, смотрел в темноту, слушал шуршание дождя и пытался представить себе читальный зал обычной районной библиотеки советского периода, как его описывала Галия. Просторная комната размером со школьный класс или даже больше, обычные офисные столы без ящиков, простые стулья. В некоторых библиотеках на каждом столе были настольные лампы. Мне почему-то хотелось, чтобы в той библиотеке, где часами просиживал Володя Лагутин, такие лампы были.

Осенний или зимний вечер, темнеет рано, за окнами чернота, молодой мужчина сидит в пустом читальном зале, перед ним раскрытая книга, он внимательно читает, потом переводит глаза на окно, за которым ничего не видно, обдумывает, чему-то улыбается, берет ручку и торопливо записывает свои мысли в тетрадь... Почерк неразборчив, но строки ложатся ровно, буквы мелкие, знаки переноса четкие. Снова читает, снова обдумывает... Мысль либо ускользает, либо никак не хочет четко формулироваться, и он, подперев левой рукой склоненную набок голову, начинает в задумчивости рисовать в тетради чертиков, солдатиков или забавные кривые рожицы...

Такая мирная, уютная картина!

Однако, если верить выводам Качурина и Вилена, подобная картина имела место все реже и реже. И все чаще молодой человек, пребывая в состоянии подпития, пишет все, что приходит в голову, не задумываясь над формулировками и над последовательностью изложения; буквы становятся заметно крупнее, строки в правой стороне листа уходят вниз, знаки переноса зачастую отсутствуют вообще, а фразы делаются такими длинными, что порой теряется их смысл... Наверное, приходить в библиотеку пьяным вдрызг было бы невозможным, и Назар высказал предположение, что Владимир после работы заходил домой за тетрадями, которые тщательно прятал в своей комнате, потом отправлялся в библиотеку, по дороге покупал спиртное, клал бутылку в портфель. В библиотеке брал нужные издания, устраивался в читальном зале и работал, периодически выходил в туалет с портфелем в руках, делал глоток-другой прямо из горлышка и возвращался. Если других читателей в зале не было, а сотрудница библиотеки куда-нибудь отлучалась хоть на несколько минут, то он пил прямо в читалке. Уходил перед самым закрытием, когда библиотекари хотят побыстрее уйти домой и к разговорам не расположены; молча клал книги на стойку, коротко говорил: «Спасибо, до свидания», стараясь дышать в сторону, чтобы чужой нос не учуял запах спиртного, и исчезал до следующего раза. Владимира хорошо знали, фамилию и читательский билет уже давно не спрашивали, и он мог себе позволить не стоять и не ждать, пока библиотекарь переложит вкладыши из формуляра в кармашки на форзаце возвращенных книг: симпатичному вежливому молодому человеку, регулярно посещающему читальный зал, прощалось многое, тем более он брал только русскую и зарубежную классику, «а в наше время интерес молодежи к классике — это такая редкость!».

И в этой картинке уже не было покоя и уюта, зато были отчаяние и опустошение.

* * *

— Почему сразу не позвонил?

Фу ты ну-ты, какие мы требовательные! Но злые, даже почти визгливые нотки не могут испортить этот божественный голосок.

— Поздно вернулся, ночью уже, устал, спать хотел, — мирно объяснил он.

Настроение было хорошим, ссориться не хотелось.

— Спать он хотел! А деньги получить ты тоже хочешь?

— Очень хочу, — весело подтвердил он.

— Тогда отрабатывай их, а не спи. Давай расскажи еще раз, только подробно, чем там они занимаются.

— Да не паникуй ты! Все то же и о том же. «Записки» разбирают. Ричард в разговорном языке тренируется, молодежный сленг изучает.

— И с кем он на том свете собирается разговаривать на этом языке? — презрительно фыркнула обладательница райского голоса. — Ему на кладбище уже прогулы ставят, а он все тренируется, как будто собирается жить вечно. Ладно, про пьянство — это фигня, это не опасно. Русские мужики всегда много пили, в этом ничего нового нет. Про главное совсем не догадываются?

— Совсем. Даже близко никаких намеков. Чего ты нервничаешь-то так? Ничего они не узнают, я тебе гарантирую.

— Гарантировать будешь, когда все закончится, — сердито откликнулся голос.

— Нет, — рассмеялся он, — когда все закончится, я уже получу деньги. Если не обманешь, конечно.

— Может, и обману.

— Не боишься?

— Кого? Тебя? Да я тебя никогда не боялась. Ты же ничтожество. Но если выполнишь работу как следует, то я, так и быть, рассмотрю возможность считать тебя человеком. И может быть, выполню свое обещание и заплачу оставшуюся часть денег.

Любому другому человеку он немедленно дал бы в морду за такие разговоры. Но этот голос, которому он никогда не умел сопротивляться... И потом, деньги. Оставшаяся часть, на которую он так рассчитывал, многократно превосходила те суммы, которые он уже получил за эту работу. Нет, не нужно ссориться. Да и не хочется. Очень уж настроение хорошее. Надо рассказать что-нибудь пикантное, чтобы заслужить если не похвалу, то хотя бы что-то похожее на одобрение.

— На квесте еще комсомольские собрания будут, — сообщил он.

— Что?!

— Комсомольские собрания, — со вкусом повторил он.

— Зачем?

— Откуда я знаю? Так Ричард придумал.

— Бред... Слушай, а тебе не показалось, что у него с головой не все в порядке? Может, мы напрасно беспокоимся? Может, у него просто крышак съехал?

— Не мы, а ты, — зловредно ввернул он. — Это ты беспокоишься. Мне-то все равно, я в деле не участвую, мне скрывать нечего.

— Вот как ты заговорил... Только не забывай, мой дорогой, что я в деле тоже не участвую и мне скрывать тоже нечего, так что в этом смысле мы с тобой в равном положении. Но я плачу тебе деньги, а ты на меня работаешь, и вот в этом веселом месте наше равенство заканчивается. Усвой это раз и навсегда. Ты меня понял?

— Разумеется, любовь моя, — протянул он насмешливо. — Разве тебя можно не понять? Ты всегда отличалась умением четко формулировать и доходчиво объяснять.

— Паяц!

— Ты тоже самая лучшая, — откликнулся он. — Целую нежно! Как будут новости — позвоню.

Он положил телефон на пол рядом с диваном, потянулся с наслаждением, до хруста в суставах, снова взял телефон, посмотрел время: через пару часов придется встать и ехать по делам, а пока можно полежать и помечтать. Зимой ему хорошо мечталось «на контрасте»: он смотрел на обледенелые тротуары под серым грязным небом, на мрачные вечерние улицы, по которым брели сутулые люди с серыми усталыми лицами, и представлял себя на берегу теплого моря, на пляже с белым мелким шелковистым песком и в окружении многоцветья ярких купальников, затейливых узорчатых парео, красных и синих куполов уличных барных зонтиков. Летом же он мечтал, как он сам говорил, «в контексте»: смотрел на листву, на солнце, на небо и видел себя на лужайке перед роскошным собственным домом, а лучше — на бортике бассейна, тоже, разумеется, собственного. Дом — не такая халупа, как у Назара, конечно, а настоящий, шикарный, огромный, в ближнем Подмосковье, которое с недавнего времени стало считаться Москвой. Где-нибудь в районе Рублевки, например, на Николиной Горе. Это будет не участок, а настоящее поместье с лужайками, рощей, разными постройками для гостей и прислуги, гаражами для своих и гостевых машин и даже с конюшней. Особенно выпуклыми и осязаемыми эти сладостные картинки делались именно в хорошую погоду, и потому в хорошую погоду настроение у него бывало отменным. Таким, какое невозможно испортить ни проблемами, ни тем более разговорами.

* * *

За неделю до предполагаемого отъезда Артем получил письмо от организаторов с просьбой подтвердить участие в квесте. «Если вы отказываетесь от участия, мы аннулируем забронированные для вас билеты. Если же вы подтверждаете свое участие, билеты будут оплачены, и вы при необходимости можете распечатать их с сайта...»

От Алены Игоревны не было никаких известий. Наверное, их босс по имени Евгений Борисович еще не посмотрел материал. Или посмотрел и забраковал. Артем был уверен, что если бы Евгений Борисович одобрил разработку, Алена непременно сразу сообщила бы. А она молчит.

Артем решил позвонить сам. Прямого телефона Алены Игоревны у него не было, но номер телефона офиса был. На звонок ответила та самая веснушчатая девчушка, чей папа водил дружбу с Великим и Ужасным Евгением Борисовичем.

— Я вас соединю, — сказала она, и через несколько секунд Артем уже разговаривал с ухоженной красоткой Аленой Игоревной.

— У меня пока нет информации, — сдержанно ответила Алена. — Евгений Борисович был в отъезде, боюсь, он не успел посмотреть все представленные проекты, а их оказалось даже больше, чем мы ожидали. Вам ответ нужен срочно?

— Сегодня. Мне нужно подтвердить бронь на билеты.

— Минуту...

В трубке было слышно, как она шелестит какими-то бумагами.

— Вы говорили, что ответ нужен до двадцать восьмого июня, у меня записана именно эта дата. Сегодня только двадцать первое. Артем, вы проявляете ненужную торопливость, и это может сказаться...

— Прошу прощения, — перебил он, — если я уеду, то действительно двадцать восьмого. Но сегодня я должен дать ответ организаторам по поводу билетов. Если информации не будет в течение нескольких часов, я просто откажусь от поездки и буду спокойно ждать. Еще раз прошу меня извинить за беспокойство.

Он ненавидел эти игры с реверансами и показной вежливостью, но не мог не признать, что иногда они приносят неплохой результат. Вот и сегодня принесли. Голос Алены Игоревны неожиданно смягчился:

— Я попробую что-нибудь узнать и сама вам позвоню. Но примите мой совет: оставайтесь в городе только в том случае, если Евгений Борисович скажет твердое «да». В любом другом случае поезжайте. Поверьте мне, я знаю своего шефа: если он говорит «не знаю», «посмотрим» или «я подумаю», это всегда означает, что в конце концов он скажет «нет».

Артем поблагодарил и занялся своими обычными делами. Он был уверен, что ждать ответа придется до позднего вечера, а то и до завтра, знает он эти обещания «перезвонить», раздаваемые направо и налево офисным планктоном, к которому, несомненно, относилась и Алена Игоревна, несмотря на всю ухоженность, привлекательность и модную одежду.

Но он ошибся. Алена перезвонила меньше чем через 3 часа. Голос у нее был виноватый и какой-то потухший.

— Мне очень жаль, Артем, — сказала она. — Ваш материал совсем не заинтересовал Евгения Борисовича. Он не видит в нем перспективного направления для развития новой сети. Может быть, в следующий раз...

— Спасибо, — разочарованно протянул Артем.

Впрочем, он не особо рассчитывал на успех, он ведь понимал в глубине души, что идея еще не доработана, не созрела. Ничего, он доведет всё до ума и попробует в другом месте. Евгений Борисович — не единственный человек в этом мире, который вкладывает деньги в создание и развитие торговых сетей. Где-нибудь разработки Артема Фадеева, его подход к маркетингу обязательно пригодятся.

— Не унывайте, Артем, не отчаивайтесь, — говорила между тем Алена Игоревна. — Удачи бывают не всегда, иногда приходится мириться и с неудачами.

— Спасибо, — снова повторил он.

— Поезжайте, куда собирались, и пусть у вас там все сложится наилучшим образом!

— Спасибо, — произнес он в третий раз.

Подумал несколько минут, ответил на письмо организаторов квеста, подтвердил участие, потом позвонил Сергею.

— Серега, меня бортанули с проектом, так что я еду! — сообщил он.

— Супер! Я тоже сегодня получил письмо и подтвердился. То есть я хотел сказать, мне жаль, что с проектом не получилось... Но суперски, что мы будем вместе на квесте!

Сергей обрадовался так открыто и искренне, что Артем невольно улыбнулся. А может, и хорошо, что проект не приняли... Зато скоро они встретятся с Серегой. И с Наташкой, которая так смешно, но нестандартно мыслит.

И с Ириной.

* * *

Маринка летнюю сессию почти завалила, еле-еле вытянула на троечки, но визжала от восторга, получив единственную отличную оценку — по английскому.

Даже преподаватель ее похвалила перед всей группой. Английским Маринка занималась исступленно, забросив все остальные предметы, по которым нужно было сдавать зачеты и экзамены. Наташа даже не предполагала, что ее подруга может оказаться такой целеустремленной! Правда, цели у нее сомнительные... Но упорства не занимать, это уж точно.

Наташа не понимала, как можно учить зубрежкой, а не головой, и каждый раз сердито удивлялась, когда Маринка спрашивала одно и то же. Например:

— Как правильно, «I would rather to do something» или «I would like to do...»?

— Марин, ну сколько раз тебе объяснять: после «would like» должен идти инфинитив, а после «would rather» глагол в настоящем времени. Поняла?

— Нет, не поняла, — огрызалась Маринка. — Почему разная форма глагола должна быть, если оба выражения одинаковые? И то, и другое — «я бы хотела», так почему дальше по-разному? И вообще, зачем два выражения про одно и то же? И я вечно их путаю!

— Ну, смотри, — терпеливо объясняла Наташа. — Попробуй запомнить по-русски: я бы лучше сделала то-то и то-то; я бы хотела сделать то-то и то-то. В первом случае «сделала», во втором — «сделать», тоже разные формы глагола.

Маринка кивала, вздыхала и снова надевала наушники, чтобы слушать очередной урок и делать упражнения, но уже через полчаса опять дергала Наташу с каким-нибудь другим вопросом.

Обе получили письма насчет оплаты забронированных билетов, подтвердили участие, а на следующий день в их электронных почтовых ящиках оказались какие-то «Соглашения», которые нужно было прочитать и сообщить, все ли понятно и готовы ли они подписать документ, когда приедут в поселок. Соглашение было длинным и скучным, в нем перечислялись правила участия в квесте, порядок оплаты, форс-мажор и еще какая-то муть про ответственность сторон, порядок оказания медицинской помощи и все такое. Наташа пробежала глазами первые два абзаца, дочитывать до конца не стала и сразу отправила письмо с выражением согласия. Ну что уж такого может быть в этом соглашении? Денег с участников ни за что не берут, наоборот, оплачивают им дорогу, предоставляют жилье и одежду, кормят. Ну да, если участнику надоест и он захочет уехать, ему оплатят пребывание по количеству отработанных дней, а не выдадут все деньги полностью, но об этом их предупреждали еще на отборе, ничего неожиданного. Если участник заболеет чем-то серьезным, его отправят либо в городскую больницу, либо домой, и в этом случае тоже заплатят только за реально отработанные дни, об этом им тоже говорили раньше. Если поймают на грубом нарушении и выгонят, то не заплатят вообще ничего, это тоже понятно.

У Наташи впереди последний экзамен, ей нужно готовиться, а не тратить время на эту лабуду и разбираться в длинном Соглашении, в котором такие формулировки, что ничего и не поймешь. И потом, среди организаторов — Назар Захарович, дядя Назар, ему-то Наташа верит безоговорочно, такой человек не может участвовать в обмане и вообще в чем-то сомнительном. Если дядя Назар видел Соглашение и позволил его прислать — значит, там все в порядке и можно ни во что не вникать.

Маринка, само собой, даже и первые абзацы читать не стала.

— Ты уже ответила? — спросила она.

— Да.

— Тогда я тоже отвечу, — без колебаний решила Маринка, отправила письмо и снова вернулась к уроку английского.

Помимо иностранного языка Маринка тратила кучу времени на то, чтобы во время мероприятия выглядеть как можно привлекательнее, соблюдая при этом требования квеста. Она облазила весь интернет в поисках фотографий, на которых были запечатлены девушки и молодые женщины 1970-х годов, внимательно разглядывала их одежду и придирчиво выбирала то, что, как ей казалось, будет хорошо на ней смотреться.

— Марин, ты ерундой занимаешься, — сказала както Наташа, впервые застав подругу за этим занятием. — Носить все равно придется то, что выдадут, а не то, что тебе нравится.

— А портнихи на что? — возразила Маринка. — Покажу фотку — и сошьют. Тебе бы, между прочим, тоже не помешало заняться прикидом, а то ходила на отборе как бомжиха, а туда же, на парней засматривалась. Кто на тебя внимание-то обратит в таком зашкварном тряпье? Вот посмотри, например, такое...

Она показала Наташе пару фотографий.

— Кошмарно, конечно, но если посадить по фигуре и как-то осовременить, то будет миленько. Такой кофтец называется «батник», я сама недавно узнала, его носят сильно приталенным, тебе будет хорошо, фигуру подчеркнет. И к нему надо расклешенные джинсы найти...

Но Наташу одежда интересовала мало, она хорошо помнила то, что Надежда Павловна объясняла ей про ткани. Эластана в те времена и в помине не было, а разве одежда может быть удобной без эластана? Для Наташи главное — удобство, ведь на занятиях в колледже приходится много двигаться и в танцклассе, и в зале, то поднимаясь на сцену, то спускаясь, а то и сидеть на полу. Какие уж тут юбочки и платьица?

Она лучше подумает об обуви. Такую боль и стертые до кровавых мозолей ноги Наташа забудет не скоро. Надежда Павловна говорила, что можно привезти ортопедические стельки, вот стельками и нужно заняться в первую очередь. Конечно, от мозолей никакие стельки не спасут, но хотя бы стопы болеть не будут так сильно.

Родители обеих девушек затею с поездкой на квест не одобрили. Маринкина мать раскудахталась, дескать, лучше бы доченька на море поехала в июле, в Турцию или в Египет, или куда там еще ездят, где прилично и недорого, вместо того чтобы переться в какую-то дыру и там в игрушки играть. Отец Наташи сначала забеспокоился, уж больно странно все выглядело с ее слов, потом выразил намерение лично сопроводить дочь в поселок и своими глазами посмотреть, что это за шарашкина контора, готовая платить такие солидные деньги невесть за что.

— Ты бы поостереглась, дочка, — говорил он. — Небось, разводка очередная. Сейчас мошенников кругом развелось видимо-невидимо. Лучше приезжай домой, отдохни, погуляй на природе.

— Там тоже природа, — отвечала Наташа. — Озеро, сосны, воздух. Ты не волнуйся, мы ведь уже ездили туда на три дня, все видели. И ехать с нами не нужно, все будет в порядке, я тебе обещаю.

С этими «тремя днями» тоже морока получилась. Про загадочный непонятный квест девчонки родителям сперва не говорили, обе наврали, что в конце мая, перед самой сессией, вместе едут в гости к подружке в другой город. Ведь еще неизвестно, пройдут они отбор или нет, так зачем предков напрягать раньше времени? Может, с квестом ничего не выйдет, тогда можно будет ни о чем не рассказывать. Когда пришло время сказать, что в июле они собираются проводить каникулы не так, как обычно, Наташа призналась родителям, что обманула их с поездкой к подружке, а Маринка промолчала. И если Наташа теперь могла говорить: «Я там была, там хорошо, мне понравилось, я хочу поехать», то у Марины такого аргумента не было. Признаваться родителям во лжи она не собиралась, и ей приходилось ежедневно уворачиваться от материнских доводов, изыскивая все новые и новые способы парировать их и уверять, что в поселке на берегу озера она прекрасно проведет время, занимаясь тем, что сегодня так модно, и еще сэкономит семейные деньги.

— Мне на работе перед бабами стыдно, — сказала мать Маринки. — У одной сын с невестой на Канары полетел отдыхать, другая в Италию едет красоты смотреть, мы с отцом в Прагу собрались, думали — ты с нами поедешь, а ты... Ужас какой-то! Меня все спрашивают, где Мариночка будет каникулы проводить, и что я должна отвечать? Что мой ребенок не за границу на экскурсию или на курорт отправится, а в какую-то глухомань, в деревню? Получается, наша семья хуже всех. Позоришь ты меня.

— А ты не говори никому про деревню, — беззаботно посоветовала Маринка. — Говори, что я тоже куда-нибудь в красивое место поеду. Никто же не проверит.

— А фотографии? Спросят ведь, а что я им покажу? У нас все бабы фотки приносят, показывают, хвастаются.

— Ладно, мам, не запаривай, — отмахнулась она. — Наша семья будет не хуже, а лучше всех, вот увидишь.

С Маринкиной затеей сшить себе гардероб ничего не вышло, хотя Наташа несколько раз предупреждала ее насчет тканей, но подруга же никогда не слушает ее, если вопрос не касается английского языка. Наташа даже с Надеждой Павловной связывалась, писала ей, просила, если возможно, выяснить поточнее, можно ли сшить одежду нужных моделей, но из современных тканей. Надежда Павловна ответила, что спросила у Ричарда и у Галины Александровны, и они сказали, что нужно учитывать не только состав ткани, но и расцветку. Можно использовать шелк, ситец, сатин, лен, хлопок, нейлон, кримплен, вельвет, шерсть. Никакого полиамида, эластана, кашемира, ничего такого, что делает ткань тягучей, мягкой и шелковистой на ощупь. С этим еще можно было бы как-то справиться, но расцветки... Маринка носилась со своей идеей до того момента, пока не стало понятно: даже если она найдет нужную ткань, ни одна портниха уже не возьмется за шитье, времени не остается совсем.

Но уверенности у Маринки от этого не убавилось.

— Я все равно вырвусь отсюда, — твердила она. — Не с Уайли — так с кем-нибудь другим, но вырвусь. Вот увидишь.

Наташа только качала головой и напевала про себя:

А я еду, а я еду за мечтами,
За туманом и за запахом тайги...

ЧАСТЬ ПЯТАЯ

Квест

Если бы Назар не стал в свое время офицером милиции, ему наверняка была бы уготована блестящая карьера редактора. Хоть он и уверял меня, что его жена Элла обладает несравнимо лучшими способностями излагать длинные и сложные темы сжато и внятно, а он рядом с ней выглядит жалким вязким болтуном, он явно прибеднялся. Именно так я решил, выслушав его рекомендации по моему запланированному длинному выступлению перед участниками квеста в первый день.

— Это можно сказать в три раза короче, — говорил он.

Или:

— Эти детали не важны, их можно опустить.

Или:

— Момент, конечно, существенный, но детям о нем знать не следует, иначе ты невольно будешь программировать их восприятие.

Я спорил, настаивал, затем призывал в арбитры наших высокопрофессиональных Галию и Вилена и с недоумением констатировал, что почти всегда они занимали сторону Назара. Почти всегда, за очень редкими исключениями.

— Поверьте мне как преподавателю с большим стажем, — сказала Галия. — Человек может без труда эффективно удерживать высокую концентрацию внимания в течение сорока пяти минут, для более длительного периода уже нужны определенные усилия. Человек взрослый, ответственный, замотивированный на восприятие информации способен на усилие и будет внимательно слушать и усваивать и полтора часа, и два, и даже три без перерыва. Но все равно очень устанет, и острота восприятия заметно притупится. А наша молодежь на подобное усилие еще не способна. Разумеется, бывают и исключения, но среди наших шестерых участников я таких исключений пока не вижу.

Пришлось согласиться и принять доводы Назара, культуролога и психолога. На первый день работы я запланировал беседу участников с Андреем Сорокопятом, моим юристом, которого пригласил специально для этого приехать в поселок, а затем собственное выступление с полным разъяснением сути и задач проекта. Пожалуй, для молодых ребят это и вправду многовато.

Забавное предложение поступило и от Вилена.

— Насколько я знаю, в те времена люди не имели возможности свободно выбирать для себя жилищные условия и приспосабливались к тем, какие имелись, с учетом существовавших законов и правил, — сказал психолог. — Чтобы у ребят не возникало вопросов, почему кто-то из них живет со своим куратором в трех комнатах, а кто-то ютится вдвоем в однушке, имеет смысл устроить открытую жеребьевку. Какую бумажку вытянет — так и будет жить.

— Разумно, — тут же согласилась Галия. — Только с небольшой поправкой: в те годы дети полностью зависели от родителей, от того, как складывается их жизнь и карьера. Поэтому жребий тянуть должны кураторы, но в присутствии участников, чтобы все было прозрачно и открыто.

Я обдумал эти слова и согласился, но с некоторыми оговорками. Надежда Павловна должна остаться на втором этаже, рядом с квартирой-столовой, мы с Назаром остаемся на пятом этаже и жребий не тянем. Всего на пяти этажах имеется двадцать квартир, по четыре на каждом: одна однокомнатная, одна трехкомнатная и две двухкомнатные. Трехкомнатные на втором, четвертом и пятом этажах в жеребьевке не участвуют, поскольку в них находятся столовая-буфет, рабочее помещение и мои апартаменты, «двушка» на пятом этаже, рядом со мной, предназначена для Назара. Еще одна «двушка» на первом этаже оборудована под медкабинет для Качурина. Все остальные квартиры будут распределены по жребию. Надежда должна тянуть жребий отдельно и самой первой, выбирая из трех бумажек, на которых обозначены три свободные квартиры второго этажа. После этого оставшиеся бумажки присоединяются к общей массе, и в жеребьевку вступают другие сотрудники.

— Вы позволите детям просить о смене куратора? — спросил Вилен.

Вопрос поставил меня в тупик. Об этом я как-то не думал.

— Если вы это допускаете, то пусть сначала выберут куратора, а потом уже кураторы определятся с жильем, — посоветовал он. — Иначе может получиться, что ребята начнут просить, чтобы их поселили с теми, кто вытащил по жребию более комфортные условия. Это неправильно. Дети должны принять те условия, в которых существуют их старшие, а не выбирать тех родителей, у которых квартира получше.

— Вы полагаете, будут желающие сменить куратора?

— По моим наблюдениям — не должно быть, — улыбнулся Вилен. — Мне показалось, что все остались довольны, кроме Марины. За мальчиков могу поручиться безусловно, Тимур буквально прилип к Юре, Сергей вполне доволен соседством с Виссарионом, у них там живая аудиокнига в действии. Что касается Артема, то не думаю, что он захочет жить с Семеном. Семен — переводчик, а Артема куда больше интересуют вопросы психологии, восприятия информации, интерпретации. Кроме Семена у нас нет больше мужчин-сотрудников, так что без вариантов. Остается, правда, доктор Качурин, но его вряд ли кто-то выберет, он человек новый, никто не знает, какой у него характер, какие привычки и вообще каково это — жить с ним бок о бок. Кроме того, доктор должен постоянно находиться в пределах досягаемости, а ведь куратору придется сопровождать своего подопечного, если он захочет выйти или даже съездить в город.

— Хорошо, а девочки?

— Я поговорил с Надеждой и с Ириной, они заверили меня, что все в полном порядке. Надежда с Наташей сосуществовали душа в душу, у Ирины к Евдокии тоже никаких претензий. Проблемы могут возникнуть только с Мариной. Галия Асхатовна слишком строга и серьезна для этой девушки.

— Но у нас для Марины остается одна Полина Викторовна, — с сомнением заметил я. — Если уж Галия ей не подходит... Полина, мне кажется, еще строже, суше. Галия все-таки веселый человек, с чувством юмора, всегда готова пошутить и посмеяться, а Полина Викторовна — дама совсем другой закваски. Хорошо, давайте подождем, когда все участники приедут, посмотрим, что они скажут насчет кураторов.

Вилен как в воду глядел! Все-таки молодец Вера Максимова, толкового психолога рекомендовала. Первое, о чем спросила Марина, когда они с подругой Наташей появились в нашем временном доме, была именно возможность смены куратора.

— Давайте лучше я буду жить с Ириной, — заявила она Назару. — Можно?

— Нельзя. С Ириной живет Евдокия.

— Ну и что? На отборе с ними еще Лена жила, и нормально было. И мы с Евдокией будем как сестры. Почему тогда можно было, а сейчас нельзя?

— Один куратор — один подопечный, таково правило квеста. На отборе правила были другие, потому что участников было больше. Не хочешь жить с Галиной Александровной — будешь жить с Полиной Викторовной. Без вариантов.

— Тогда пусть с Полиной Викторовной живет Евдокия, а я с Ириной, — упрямилась девушка.

— Без вариантов, — строго повторил Назар. — Из-за твоих прихотей и капризов жизнь других людей меняться не будет.

— Но с Галиной Александровной невозможно жить! — заныла Марина. — С ней даже поговорить не о чем, она старуха совсем! Она мне в бабушки годится, и Полина ваша тоже.

— Вот и считай, что твоя жизнь так сложилась: жить с бабушкой. Не любишь жить в молчании — думай сама, ищи, о чем можно с бабушкой разговаривать. Сама, поняла? Никто за тебя решать твои проблемы не будет.

Разговор этот состоялся, когда Назар привез девочек из аэропорта в поселок. Пересказывая мне всю сцену в деталях, Назар искоса и чуть смущенно посматривал на Галию, а та откровенно веселилась:

— Вот она, современная привычка к свободе! Нынешние детки сами могут выбирать, где и с кем им жить, чуть что не нравится — дверью хлопнул, квартиру или комнату снял, денег мало — можно снимать в доле с двумя-тремя друзьями, но они ни за что не станут терпеть, приспосабливаться и жить с теми, с кем жить не хотят. Привыкли к роскоши психологического комфорта! А в семидесятые мы об этом даже не мечтали, мы ведь и не знали, что он в природе существует, комфорт этот психологический. Где прописан — там и живешь, с кем прописан — с тем и проживаешь, конфликтуешь или злишься — терпишь, и никто тебя не спрашивает, комфортно тебе или нет.

— Да уж, — подхватила Полина с печальной улыбкой, — для нас жить без комфорта было нормой. Я-то москвичка, в огромной коммуналке выросла, на двенадцать семей, а у нас на курсе почти все ребята были иногородними, жили в общаге. Все ходили показываться в московские театры, многих взяли, но жилья-то нет, и вот они мыкались по общагам годами, все ждали, когда очередь на квартиру подойдет. Вы не поверите: хороший актер, много играет, в кино снимается, а живет в общежитии в семиметровой комнате с женой и маленьким ребенком. Диван разложишь — и все, уже к окну не пройти, не говоря уж о том, что ни стола, ни стульев в комнате нет, помещается только диван, детская кроватка, шкафчик для одежды и тумбочка, больше ногу поставить некуда. А ребята гостеприимные были, веселые, постоянно компании у них собирались. Так мы, помнится, дверь открывали — и сразу начинался разложенный диван, на котором мы рассаживались, кто как мог, забирались прямо с ногами. На этом диване и ели, и пили, и роли учили, и песни пели, и спали. И ведь не от бедности так жили, а от невозможности что-то изменить. Квартиру можно было либо получить от государства, простояв в очереди много лет, либо вступить в кооператив, но для этого нужны очень большие деньги и очень хорошие связи. Вот и мыкались.

Мне всегда трудно было представить, как можно существовать при отсутствии права собственности на недвижимость. То есть я знал, что в Советском Союзе такое положение было закреплено на законодательном уровне, но не очень понимал, каково это и как выглядит. Месяц назад, во время отборочного тура, стало появляться некоторое понимание, весьма, правда, слабое.

— Так чем в итоге дело кончилось? — спросил я Назара. — Марина будет жить с Галией или просит перевести ее к Полине?

— Просится к Полине.

— А я возражаю, — неожиданно заявила актриса. — И что теперь?

Я с любопытством посмотрел на нее.

— Вы действительно возражаете? Не хотите жить с Мариной?

Полина вздохнула наигранно тяжело, но глаза у нее вдруг стали лукавыми.

— Дик, ну неужели вы сами не понимаете? Мы с Галией примерно одного возраста, то есть принадлежим к одному поколению. Мы обе для Марины старухи, с нами обеими одинаково скучно и некомфортно, мы действительно ведем себя как строгие старорежимные бабушки, потому что именно такова наша роль в вашем проекте. Так чем я лучше?

— Тем, что Полина — актриса, а я — всего-навсего ученый сухарь, — тут же подхватила смеющаяся Галия. — А актриса — это окно в другой мир, в котором полно известных людей и всеразличных возможностей. Ну очевидно же! Ваша Марина не периодом семидесятых интересуется, она сюда жизнь свою устраивать приехала. Так что рекомендую всем сотрудникам мужского пола быть начеку, эта красивая девочка своего не упустит.

— Боже мой, как вы циничны, голубушка! — Полина театрально всплеснула руками. — Вам привели чистого душой, непорочного ребенка, тянущегося к знаниям, а вы подозреваете его во всех смертных грехах. Девочка стремится познать глубину творчества великого пролетарского писателя, а вы видите в ней исключительно корыстолюбивую щучку. Подобное отношение к людям недостойно советского человека! Советская девушка не станет торговать своим телом, она превыше всего ценит моральные принципы и хорошие знания.

Произнося этот монолог, Полина не сводила глаз с Гримо, и я понял, что возникшая несколько дней назад неприязнь ее к бывшему комсоргу не только не рассосалась, но и усугубилась. Гримо, однако, смеялся от души, и следом за ним рассмеялись и все, кто находился в этот момент в нашей рабочей квартире, где мы собрались после ужина, чтобы обсудить последние детали перед назначенной на 21:00 жеребьевкой. Все участники сегодня приехали, и перед тем, как расходиться на ночь, следовало решить вопрос с квартирами. Но до этого нужно определиться с парами «куратор — подопечный».

— Друзья мои, я рад, что вам весело, но давайте все-таки решим вопрос с Мариной, — строго заметил я. — Без этого мы не можем распределять жилье.

— Ладно, — неожиданно смилостивилась Полина, — давайте я ее возьму. Если уж из меня не вышло настоящей советской комсомолки и преданного члена партии, то мне вполне можно передать на воспитание такую девицу. Вряд ли я чем-то смогу ее испортить.

— Не на воспитание, а под надзор, — звучным баритоном поправил Гримо.

И получил в свой адрес взгляд, исполненный такого яда, что мне стало не по себе.

* * *

Жеребьевка прошла быстро. Надежда вытянула «двушку», широко улыбнулась и подмигнула Наташе:

— Живем, девонька! Будет у тебя свой угол. Считай, что мы от предприятия получили новую квартиру, лет пятнадцать в очереди на улучшение жилищных условий простояли.

— Нет, Наденька, вам не дали бы двухкомнатную, — тут же возразила Галия. — Вы с Наташей однополые, вам если что и положено, то только «однушка». В те времена норматив был четкий: на двоих одна комната, на троих — две. Исключение делалось только для разнополых родителя и ребенка. Вот если бы у тебя был сын, тогда дали бы «двушку», а с дочкой — не прокатит.

— Ладно, тогда будем считать, что нам просто повезло.

А вот Марину ждало ужасное разочарование: Полина Викторовна получила однокомнатную квартиру на третьем этаже, в то время как Галия обрела во временное пользование точно такую же «трешку», в какой жила во время отборочного тура, только в этот раз на первом этаже.

— Я на окна медкабинета решетки поставил. Может, вам тоже поставить? — заботливо предложил Юрий. —

В поселке есть мастерская, приедут и за несколько часов все сделают.

— Ну уж нет, — отказалась Галия. — Если даже меня украдут, то по дороге рассмотрят и выбросят. Да и брать у меня нечего, кроме книг и рукописей, с которыми я работаю, а кому они интересны? Зато молодые любовники смогут беспрепятственно влезать ко мне в окно среди ночи без риска столкнуться с кем-то из вас на лестнице.

Кто-то фыркнул, кто-то сдержанно улыбался, но все сотрудники и почти все участники квеста посмотрели на Марину. Все знали, что на отборе она жила с Галией и теперь попросила сменить куратора.

— Блин, прогадала! — вырвалось у Марины прежде, чем она успела осознать сказанное.

Прозвучало это настолько искренне, с сожалением и без всякой злобы, что я впервые испытал к этой хорошенькой девочке нечто вроде симпатии. А вот Наташа, похоже, расстроилась. Неужели ей неловко иметь условия лучше, чем достались ее подруге?

Бумажки с указанными на них квартирами пятого этажа не вытащил никто. Таким образом, на верхнем этаже дома мы с Назаром остались вдвоем.

— Завтра утром в общей квартире будет вывешен список с указанием номеров телефонов и имен проживающих в каждой квартире, — объявил я и посмотрел на Юрия.

Тот с готовностью кивнул.

— Засим отпускаю всех до завтрашнего утра. Завтра в девять часов жду вас здесь же. Мы завершим юридические формальности, после чего я расскажу о том, как будет проходить наша работа, потом вы получите первое задание.

— Опять Горького читать заставите?

В голосе Марины звучала неприкрытая скука.

— Завтра узнаете. Но повторяю еще раз: вас никто не заставляет. Двери открыты всегда. Не нравится, скучно, надоело — милости прошу на выход, — отрезал я.

Сотрудники и мы с Назаром приехали в поселок на день раньше участников и заняли те же квартиры, в которых жили месяц назад. Ребята, которых привозили с вокзала и из аэропорта, тоже сгружали свои вещи в квартиры кураторов. Теперь мне слышны были звуки топающих ног и хлопающих на разных этажах дверей: шло великое переселение народов. Ни одному человеку не повезло вытащить жребий на ту же квартиру, где он уже жил, пообвыкся и после приезда успел разложить свои пожитки.

Я рассеянно бродил по своим «апартаментам», цепляя глазами то шкаф, то книжные полки, на которых не было моих любимых книг, то стены, на которых не висели мои любимые картины, то стол, на краю которого стояла не моя любимая чашка, а какая-то другая, и не понимал, почему мне так хорошо, так спокойно среди всех этих чужих, не мной выбранных и не нравящихся мне предметов. Я всегда ценил и берег воспоминания, связанные с вещами: вот это мне подарил на шестидесятилетие такой-то человек, и мне приятно об этом вспомнить; вот эту картину я купил в галерее в Мадриде и радовался ее изысканной красоте; вот эту безделушку я приобрел в память о двух неделях, проведенных в Норвегии, когда мигрень пощадила меня, и ни один день не был испорчен невозможностью любоваться фьордами; вот эту книгу мне подарил известный ученый-физик из России, сказавший, что ни с одним переводчиком ему не было так легко и приятно работать, как со мной... Все, что окружало меня в моем домике в Голландии, было либо выбрано мной лично и соответствовало моему вкусу, либо подарено мне с самыми теплыми и искренними чувствами. И до недавнего времени я был убежден, что могу существовать только в окружении этих вещей. А вот теперь, прожив сперва месяц в совершенно чужом для меня доме Назара, потом переехав сюда, я с удивлением и недоверием обнаруживал, что вне моей привычной обстановки мне почему-то легче.

Возня на лестнице не прекращалась. И что можно так долго переносить? Чемодан или сумку можно переместить за один раз, а они все ходят и ходят, и двери хлопают и хлопают, и все громко переговариваются... Чувствуя накипающее раздражение, я взял ключи, вышел из квартиры и позвонил в дверь к Назару, который изрядно удивился, увидев меня на пороге.

— Что-то случилось? — обеспокоенно спросил он.

— Не понимаю, почему они так долго переносят свои вещи, — сердито ответил я. — Там какие-то проблемы? Нужно принимать меры?

Назар пожал плечами.

— Вообще-то это нормально, если ты не в курсе. Но я схожу узнаю, коль это тебя беспокоит.

Я не понял, что означает в его устах «нормально», и вернулся к себе, оставив дверь открытой. Назар появился через несколько минут, спокойный и улыбающийся.

— Никаких проблем, все так, как я и предполагал, — сообщил он, усаживаясь в кресло напротив меня. — Просто у Юры не оказалось коробок на этот случай, ты же не предупреждал его, что люди будут переезжать. Вот они и носят в руках, сколько помещается.

Я опять ничего не понял. Оказалось, что наши сотрудники переносят из одной квартиры в другую не только чемоданы, которые привезли с собой, но и все те предметы обихода, которыми пользовались месяц назад: посуду, бытовую технику, диски, постельное белье...

— Но зачем?

Изумлению моему не было предела. Юра должен был оборудовать всем необходимым каждую из двадцати квартир! Да, я не проверял, но уверен был, что уж кто-кто, а наш офис-менеджер ничего не упустит и не забудет. В каждой квартире должны быть и посуда, и техника, и белье, зачем же их носить туда-сюда?

— Разве в квартирах чего-то не хватает? Юра не все помещения оборудовал?

— Да все нормально, Дик, просто натура человеческая... Человек привыкает к вещам. Даже не то... Понимаешь, как только человек какой-то вещью попользовался, в нем сразу просыпается инстинкт собственника. Раз я пользуюсь — значит, это мое, я имею право. Срастается человек с вещами, роднится с ними. И с трудом меняет один предмет на другой, пусть даже точно такой же. Вот люди ели-пили из какой-то конкретной посуды, жарили котлеты на конкретной сковороде, заваривали чай в конкретном чайнике — всё! Из другой посуды им уже невкусно, и котлеты не такие, и чай не тот. И спать на другом белье невозможно. Хотя все могло быть изготовлено на одной и той же фабрике и даже куплено в одно и то же время и в одном месте, а все равно не то. Капризен человек, субъективен, что ж тут поделаешь. Не в качестве вещей дело, а в отношении к ним. Вот и носят теперь из старой квартиры в новую, а из новой в старую. В новой-то двойной комплект посуды и техники не помещается, тесно жили люди в те времена.

— А молодые? Тоже к вещам привязаны?

— Нет, молодые легче в этом смысле, проще. Они в другом мире живут. Они ни к вещам, ни к месту не привязываются, потому что и меняется все очень быстро, и свобода выбора огромная. Сейчас ведь как? Только к какой-то модели, ну, скажем, телефона, привык — уже следующая появляется, более навороченная, с более широкими возможностями, и надо непременно ее приобрести, чтобы быть, так сказать, на волне и не отстать от жизни. Место меняй, переезжай куда хочешь, никто не ограничивает. У нас ведь как было? Вот в нашей семье, к примеру, был холодильник, его мои родители покупали, когда я еще в школу ходил, так он тридцать лет работал без единого ремонта, только ручка отвалилась, мы ее без конца приделывали. Выбросили его уже в конце восьмидесятых, и не потому, что сломался, а потому, что в новую квартиру переезжали. Даже и не выбросили, а просто оставили на старой квартире. Может, он новым жильцам еще и послужил. А теперь технику делают с расчетом, чтобы она максимум пять лет проработала. Захочешь отремонтировать, так тебе скажут, что запчасти к ней перестали выпускать, и можно, конечно, заказать на заводе-изготовителе, но вместе с пересылкой это встанет в такую копеечку, что дешевле и проще новую модель купить. Это экономическая политика такая, чтобы потребителя не терять. Так что молодые вещами просто пользуются, они так воспитаны, а те, кто при советской власти пожил, к вещам формируют отношение. Уловил разницу?

«Формируют отношение к вещам»... Что-то меня зацепило в этих словах. Что-то неуловимое, на мгновение осветившее мои недавние переживания.

Шум шагов и голоса на лестнице, наконец, стихли. Назар ушел, а я все бродил по своим трем комнатам, пытаясь вернуть мелькнувшее и тотчас исчезнувшее понимание чего-то, как мне казалось, очень важного. Того, что объяснило бы, почему мне так хорошо и спокойно там, где, как я был уверен еще недавно, мне непременно будет неспокойно и некомфортно.

Я рассматривал платяной шкаф в спальне и думал о том, что когда-то этот громоздкий некрасивый предмет мебели служил своим хозяевам, радовал их, приносил пользу, и так было много-много лет, шкаф постепенно рассыхался, дверцы скрипели все громче... А потом хозяева переехали и купили в новое жилище новую мебель... Жалко им было расставаться со старым шкафом? Или они с облегчением бросили здесь то, что считали рухлядью? Что они думали? Что чувствовали? Может быть, пытались его продать? Или отдать кому-то бесплатно, чтобы он еще послужил?

И вдруг я понял. У меня нет наследников. Все, что мне так дорого сегодня, так нравится и пробуждает теплые приятные воспоминания, станет с момента моей смерти никому не нужным. На мои любимые вещи будут смотреть равнодушные глаза. И ни одно холодное сердце не будет больше согрето теплом моих воспоминаний. Оказывается, в моем подсознании живет боль, вызванная этими мыслями. Никто не возьмет в руки безделушку и не скажет: «Эту вещь купил твой дедушка, когда был счастлив». Мои наполненные воспоминаниями вещи, мои любимые книги, с радостью выбранные картины, связанные с приятными мне людьми подарки, даже мои чашки — все это будет вызывать лишь равнодушное холодное раздражение у тех, кто после меня станет хозяином в моем доме. Часть вещей они отдадут в церковь или на дешевые распродажи, остальное выбросят. Я умру — и ничего больше не продолжится, ни с кем и ни в чем.

Вот почему мне так спокойно и легко здесь, где нет моих вещей и моих воспоминаний. Здесь умирать не страшно и не жалко, здесь не пробуждаются ненужные сожаления, такие, в сущности, глупые, но, как уверяет мой друг Назар, имманентно присущие человеческой натуре.

Неужели я в глубине души начал готовиться к смерти? Не рано ли?

Или в самый раз? Пора?

* * *

Андрей Сорокопят отказался жить в нашем доме, приехал из Москвы накануне, поселился в городе в отеле и утром, к девяти часам, прикатил на такси в поселок, чтобы утрясти юридические формальности с участниками, то есть подробно разъяснить им текст соглашения и получить их подписи. Андрей старался излагать как можно проще, избегая по возможности сухих и громоздких юридических формулировок, но ребятам все равно было скучно. Внимательно слушали его только двое: Сергей и Тимур. Лица всех остальных участников квеста были рассеянными и унылыми.

После каждого пункта Андрей добросовестно спрашивал, все ли понятно и есть ли вопросы. Вопросы были. Тоже у Сергея и у Тимура. По содержанию этих вопросов я понял, что Сергей имеет приличный опыт работы с документами и умеет быть внимательным к формулировкам, а Тимура интересуют, главным образом, условия прекращения участия в проекте. Похоже, этот юный хипстер не намерен оставаться с нами до победного конца и уже заранее планирует, когда и под каким предлогом он отсюда сорвется.

Получив шесть экземпляров Соглашения, подписанные каждым из участников, Андрей распрощался и уехал. Я объявил перерыв на 15 минут, после чего началось самое трудное: рассказ об истории проекта Уайли-Купера.

Я изрядно утомился, когда подобрался к концу повествования. Мне хотелось, чтобы моя затея стала в глазах участников абсолютно прозрачной, не имеющей подводных камней и темных мест. Я даже про мигрень свою рассказал: предупредил, что если вдруг перестану показываться на глаза в течение двух-трех дней, пусть не пугаются и не думают, что я пропал, уехал, бросил проект или вовсе умер. Конечно, я принимаю таблетки, и до сих пор они меня не подводили, но кто знает... Возможно, ежедневный прием препарата приводит к привыканию, действие лекарства ослабеет, и приступ меня все-таки накроет во время работы, поэтому лучше всех предупредить. А вот про своего родственничка Энтони Лагутина и его научные изыскания я благоразумно промолчал.

Слушали меня, в отличие от юриста Андрея, очень внимательно, из чего я сделал вывод, что вопросов мне не избежать. Так и оказалось.

Первым начал все тот же придирчивый Сергей.

— Для чего нужно это исследование, если, как вы сами только что сказали, мировая наука давно уже изучает вопрос соотношения социального и биологического в человеке? Если этим занимаются профессионалы, специалисты, имеющие соответствующую подготовку, то зачем нужно громоздкое исследование, выполненное дилетантами? Какая от него польза?

— Никакой. Хотя, возможно, польза и есть, поскольку ни одно из существующих исследований не опирается на материал, кропотливо собираемый на протяжении ста пятидесяти лет. Однако дело не в этом. Уайли и Купер не могли себе представить, как далеко уйдет наука за полтора столетия. Теперь мы знаем, что все давно исследовано, изучено и сформулировано. Но есть проект, и есть его финансовая составляющая. Проект не может быть закрыт и прекращен сам по себе, он должен быть доведен до конца, в противном случае деньги Уайли-Купера в буквальном смысле повиснут в воздухе. Или окажутся неправомерно присвоенными кем-то.

— А что, в Америке тоже принято бабло пилить? — подал голос веселый бородатый Тимур. — Я думал, это чисто российская фишка.

Я счел за благо ему не отвечать, ибо вопрос казался мне риторическим.

— И вы хотите эти деньги получить? — вступила со своим вопросом Марина.

— Да, хочу. Не вижу в этом ничего зазорного. Могу вам обещать, что если мне удастся завершить исследование и выиграть конкурс, то все, кто внес свой вклад в то, чтобы мне помочь, будут щедро вознаграждены. Я разделю премиальную выплату со всеми, кто участвовал в нашей работе.

Эта мысль пришла мне в голову только что, с Сорокопятом я ничего подобного не обсуждал, и в Соглашении об этом не было сказано ни слова. Но почему бы и нет? Тех денег, которые я еще не истратил, мне хватит с избытком на весь остаток жизни, даже если он окажется достаточно длинным. Если я получу деньги Уайли-Купера, то в могилу их все равно не унести. Лучше поделиться и с сотрудниками, и с участниками.

— Всем поровну? — подал голос Тимур.

— Вряд ли. Я еще не думал об этом, но премирование никогда не бывает поровну. Каждый получит в зависимости от того, насколько существенную помощь он оказал.

Тут я лукавил, конечно. Дойди дело до получения денег — и всем сотрудникам я выделю одинаковые суммы, и всем участникам — тоже одинаковые, но поменьше. Однако сейчас мое решение могло сыграть роль демотиватора: наверняка среди ребят найдется хоть один, кто решит, что можно не напрягать извилины и достаточно просто дотянуть до конца. Он не будет стараться, не будет прилагать усилия, а в результате сможет претендовать на равную с другими премию. Это несправедливо. Поэтому я солгал.

— А если вы не победите в конкурсе? Если какая-то другая работа окажется лучше вашей? — спросила Наташа.

— Значит, я не получу денег, — лучезарно улыбнулся я. — Их получит более достойный исследователь.

— И вам не будет обидно? — продолжала девушка.

— Нет. Я слишком много раз проигрывал в этой жизни и прекрасно знаю, что это не смертельно.

Снова заговорила Марина:

— Но вы же тратите кучу бабла на проект. А если не выиграете конкурс, то вы бабки не отобъете. Как же тогда?

Я развел руками:

— Никак. Я сознательно иду на то, что теряю деньги.

Выходило, что вопрос денег интересовал молодых людей больше всего. Во всяком случае, на околофинансовые вопросы мне пришлось отвечать довольно долго. Время подходило к обеду, и Назар попросил предоставить ему слово.

— Вижу, что про деньги вам говорить интереснее, чем про суть, — строго произнес он. — Но я вас не упрекаю. Деньги — это всегда важно и потому всегда интересно. Я прошу вас подумать вот о чем: сорок лет назад жил, ходил по этой земле молодой парень, ваш ровесник. Такой же, в сущности, как вы. О чем-то думал, чего-то хотел, из-за чего-то страдал. Но условия жизни были такими, что поделиться своими мыслями и переживаниями ему было не с кем. А потом этот парень умер, ему было всего двадцать шесть лет. И нам нужна ваша помощь, чтобы вернуть к жизни пусть не его самого, а хотя бы его мысли, его чувства, восстановить события. У нас есть только написанные им размышления о некоторых произведениях Горького и еще кое-какие наброски, составленные для подготовки к созданию художественного произведения. Нам нужно сравнить ваше восприятие текстов с его восприятием и на основании этого попытаться сделать вывод о его мыслях и чувствах. Дело не в деньгах, которые господин Уайли получит, если завершит исследование и победит в конкурсе. Дело во внутреннем мире человека, который прожил так мало и о котором все забыли.

Похоже, Назару удалось достучаться до ребят: синие большие глаза Наташи налились слезами, Евдокия понимающе кивала, Сергей опустил взгляд. Какие чувства испытывал Артем — сказать затрудняюсь, но весь его облик выражал напряженную работу мысли. Тимур и Марина сохраняли полную безмятежность.

Обычно молчавшая Евдокия вдруг подняла руку:

— Вы сказали, есть какие-то рукописи, оставленные Владимиром. Я правильно поняла?

— Да, — кивнул я.

— С ними можно ознакомиться?

— Разумеется. Все тексты Владимира Лагутина будут предоставлены в ваше распоряжение. Но с одной оговоркой.

Глаза Сергея недобро блеснули, на его лице ясно читалось подозрение: «Ну вот, начались оговорки — значит, не все так чисто и прозрачно, как вы нам тут поете».

— Сначала вы читаете произведение, мы его обсуждаем, и только после этого оглашается та часть записок, которая касается непосредственно данного произведения.

— Почему именно так? Почему в таком порядке? — требовательно спросил Сергей.

— Чтобы вы не ориентировались на Владимира. Нам нужен ваш чистый взгляд, ваше восприятие.

— А почему вы заранее не сказали, что мы будем работать по Горькому? У нас был целый месяц, мы могли все прочитать, что нужно, — продолжал Сергей. — Для чего такая таинственность?

Назар усмехнулся, и я понял, что он намерен ответить.

— Для того, сынок, чтобы вы всяких глупостей в интернете не начитались. А то знаю я вас...

Вдруг лицо его стало тревожным и озабоченным, он прервался и повернулся к Семену, сидящему рядом со мной.

— Что это с вами, Семен? Чего вы вдруг так разнервничались?

— Я? — удивился переводчик. — С чего вы взяли?

— Вижу, как вы побледнели. И руки у вас затряслись. Что случилось-то?

— Да бог с вами, Назар Захарович! Я в полном порядке!

— Ага, я вижу, в каком вы порядке. Что, я не прав? — Назар перевел вопрошающий взгляд на молодых людей. — Ну, скажите, прав я или нет?

Тут же хором заговорили Марина, Наташа и Тимур:

— А правда, вы бледный какой-то...

— И руки дрожат...

— Может, вам плохо? Давайте доктора позовем, у нас же доктор есть...

Сергей молчал, но пристально всматривался в нашего переводчика, потом произнес:

— А ведь вы и в самом деле чего-то испугались, Семен.

— Да что за бред! — возмущенно восклицал Семен. — Я прекрасно себя чувствую!

Артем и Евдокия не произнесли ни слова, только обменялись быстрыми взглядами и сдержанными улыбками. Они всё поняли. Вот и молодцы.

Назар переждал первый шквал реплик, поднял руку, призывая к тишине.

— Видите, как легко, оказывается, внушить человеку, что он должен видеть или думать. Семен, нижайше прощу прощения за этот эксперимент. Именно поэтому мы не хотим, чтобы у вас в головах появилось чужое мнение раньше, чем вы составите свое собственное. Идея понятна?

Артем и Евдокия сразу же кивнули, остальные обдумывали слова Назара.

— Кому еще что-то непонятно? Задавайте вопросы сейчас, чтобы потом не отвлекаться от работы.

Снова поднял руку Сергей. Вот ведь неугомонный!

— Почему вы выбирали для квеста тех, кто не состоит в браке и не имеет детей? Про возраст я понял, а семейное положение и дети тут при чем?

— Потому что человек, у которого есть супруг и дети, мыслит и чувствует совершенно иначе, — ответил Вилен.

— А в чем разница? — с интересом спросила Марина.

— В ощущении перспективы. В ответственности. Если кому-то интересно — милости прошу, в свободное от основной работы время я с удовольствием отвечу на все вопросы более подробно.

— А теперь, — я встал и сделал знак Юрию, стоящему в дверях, — вам раздадут книги. К завтрашнему дню прошу всех прочесть пьесу «Мещане» и отметить, какие места, персонажи или коллизии привлекли ваше внимание. Технология работы такая же, как на отборочном туре: вы можете делать записи в тетради, а можете, если полностью полагаетесь на свою память, просто отчеркивать нужные места на полях.

Юрий принес из соседней комнаты высокую стопку из двенадцати книг: по два тома на каждого участника. В глазах Тимура мелькнул ужас.

— Мы что, всего Горького будем здесь читать? Да это ж удавиться легче!

Галия рассмеялась.

— Деточка, весь Горький — это как минимум шестнадцать томов, а то и все двадцать. Вы будете работать с пьесами, да и то не со всеми, и с одним романом. Романа в этих двухтомниках нет, вы его получите позже.

Артем быстро просмотрел содержание обоих томов и поднял руку:

— Читать можно только в том порядке, который вы сами назначаете?

Вопрос был мне непонятен, и я перевел глаза на Семена, полагая, что, вероятно, не справился с переводом. Хотя какие могли быть затруднения с переводом таких простых слов? Семен пожал плечами и обратился к Артему:

— Уточните вопрос, пожалуйста.

Тот слегка улыбнулся.

— Я хотел спросить, могу ли я прочитать оба тома сразу, сейчас, не дожидаясь, пока вы назначите обсуждение конкретной пьесы?

— Разумеется, — с облегчением ответил я.

— В таком случае почему роман, о котором вы говорите, нам дадут позже? Почему не сейчас? Вы не хотите, чтобы мы его заранее прочли?

Лицо Сергея снова напряглось и стало злым. Видимо, он и тут заподозрил какой-то подвох. Милый мальчик, никакого подвоха нет, и никто не собирается тебя обманывать. Просто есть обычные производственные трудности.

— Оказалось, что собрать нужное количество экземпляров романа «Фома Гордеев» не так просто, — пояснил я. — Решить вопрос с пьесами удалось быстро, а роман обещали привезти через пару дней.

Сергей расслабился, а Артем, сидящий рядом с ним, продолжал допрос:

— А обсуждать между собой пьесы, которые вы еще не задавали, тоже можно?

— Конечно. Можете обсуждать друг с другом, можете — с кураторами, одним словом, в любой комплектации. Ограничение только одно: до тех пор, пока пьеса не проработана в этой комнате, вы не должны читать материалы, написанные литературоведами, критиками, историками и прочими специалистами.

— Да где ж нам их прочитать, если вы интернет перекрыли! — ехидно заметил Тимур.

Ребята захихикали. Все, кроме Евдокии, которая смотрела на хипстера серьезно, грустно и, как мне показалось, с сожалением.

— Есть такое учреждение, называется «библиотека», — негромко проговорила она. — Может, слышал когда-нибудь?

— Жесть, — обескураженно выдохнул хипстер-очкарик. — Получается, хочешь — не хочешь, а читать придется только на бумаге. Каменный век, блин.

— Но во всех библиотеках есть компы с выходом в сеть, — подала голос Марина.

Я собрался было ответить, но Евдокия меня опередила:

— А у каждого из нас есть куратор, который проследит, чтобы мы в библиотеке вели себя правильно.

Я одобрительно кивнул и вознамерился было закрыть собрание, но Марина задала очередной вопрос:

— Я еще хотела спросить: как быть, если мой куратор занят, а я хочу выйти, ну, там, погулять или сходить куда-нибудь? Мне, получается, тоже придется дома сидеть?

— Вы можете обратиться к любому из сотрудников, кто в данный момент свободен. Сотрудников у нас больше, чем участников, так что обязательно найдется кто-нибудь, кто сможет вас сопровождать.

— К любому-любому? — уточнила она, прищурившись.

— К любому, кроме Надежды Павловны и господина Уайли, — насмешливо ответил Назар. — Надежда Павловна занята нашим питанием.

— А господин Уайли?

Настырности этой девочки можно было только позавидовать.

— А господин Уайли не обсуждается, — сказал, как отрезал, мой друг Назар. — Все свободны до завтра, до девяти утра.

* * *

— Ну, ты попал, дружище, — посмеивался Назар за обедом, который нам подавали в дальней комнате квартиры-столовой. — Девочка от тебя не отцепится, пока до венца не дотащит.

— Да перестань, — отмахивался я. — Зачем ей нужен такой старый пень?

— Чем больше лет пню, тем он нужнее. Особенно если у него есть деньги. Ибо чем пень старше, тем короче время ожидания наследства.

— По земле ходит огромное множество мужчин более молодых и привлекательных, у которых денег на порядки больше, — возразил я.

— Эти мужчины неизвестно где находятся, а ты — вот он, на расстоянии вытянутой руки. В общем, Дик, берегись, легко тебе не будет. Но если что — зови на помощь, подсоблю, чем смогу.

К нам подсел Семен, все еще не пришедший в себя после ловкого фокуса Назара.

— Назар Захарович, вы бы хоть предупредили, что ли, — с легким укором сказал он. — Ну как так можно? Я и в самом деле чуть в обморок не упал от ужаса, когда вы все на меня накинулись. Со мной так нельзя, у меня давление...

— Лишний вес у тебя, сынок, а не давление, — миролюбиво заметил Назар. — Одышка. Ходишь тяжело, на пятый этаж без лифта еле-еле поднимаешься. Занялся бы ты собой, пока не поздно, а?

— Вы правы, надо, — печально вздохнул Семен. — Ричард, а насчет денег — это правда? Вы действительно решили раздать их нам, если ваш проект победит?

Назар хмыкнул, а я утвердительно кивнул:

— Действительно.

— Надо же... Ловко вы нас замотивировали. Народ жужжит, обсуждает ваше неожиданное решение. Те, кого не было с нами, уже узнали от тех, кто своими ушами слышал, и не могут поверить, что это не розыгрыш. Так что будьте готовы, Ричард, вас в ближайшее время одолеют вопросами. Жаль, что размер премии Уайли-Купера вы им не огласили, а то уже делили бы, прикидывали, сколько кому заплатят и как будут тратить.

— Размера премии я и сам не знаю, но могу гарантировать, что Берлингтоны в течение полутора веков очень добросовестно использовали все возможные финансовые инструменты, чтобы премия в итоге получилась очень и очень солидной. Могу только предполагать, что речь идет даже не о миллионах, а о десятках миллионов долларов.

Семен поперхнулся супом и недоверчиво уставился на меня:

— Вы это серьезно, Ричард?

— Абсолютно серьезно.

— Немыслимо... — пробормотал он.

— О чем еще жужжит народ? — поинтересовался Назар.

— О распределении квартир. Кстати, пока я переписывал в общей толпе номера квартир и телефонов, услышал забавную вещь. Знаете, как молодежь назвала пятый этаж?

— И как же?

— Богадельней.

— И кто ж это у нас такой остроумный? — спросил я.

— Тимур.

— Ожидаемо, — вздохнул я.

Ну а как еще назвать место, где живут два старика глубоко за семьдесят?

* * *

Наташе повезло дважды: вчера вечером Надежда Павловна вытащила при жеребьевке бумажку, на которой была обозначена двухкомнатная квартира, а сегодня днем выяснилось, что окна всех двухкомнатных квартир выходят на восток, то есть солнце в них заглядывает лишь утреннее, ласковое, и в комнатах не так жарко, как в тех, окна которых смотрят на юг. А на юг выходили окна как раз однокомнатных квартир, в одной из которых теперь приходилось жить Маринке.

— Это невозможно вытерпеть! — гневно возмущалась Маринка. — Почему кондиционеров нет?

Она уже успела сбегать на пятый этаж, чтобы задать этот вопрос лично господину Уайли. Господин Уайли сообщил ей, что в Советском Союзе в семидесятые годы в жилых помещениях никаких кондиционеров не было и все советские люди терпели жару в натуральном, так сказать, виде. С холодом было проще, существовали электрические обогреватели, а помогать людям переносить жару никто не собирался.

— Это же ваша русская поговорка: пар костей не ломит, — сказал ей Уайли. — Терпите.

И довольно невежливо закрыл дверь прямо перед ее носом.

Маринку это не обескуражило, она тут же начала придумывать новый предлог для обращения к Ричарду. И конечно же, придумала. Причем придумывала она вслух, мешая Наташе читать пьесу и не давая сосредоточиться.

— Марин, помолчи, а? — жалобно попросила Наташа. — Ну что ты как электровеник с магнитофоном?

— Подруга называется! — рассердилась Маринка. — А что прикажешь, к себе идти? Там вообще дышать нечем, жарища неимоверная. У вас тут хоть жить можно.

— Ну и живи, только молча.

— Я не могу молча! Мне нужно обсуждать!

— Пьесу читай.

— Да успею я! Еще весь вечер впереди. О! — Она радостно подпрыгнула. — Придумала! Ну, всё, Натаха, в этот раз точно получится.

Она оглядела себя в зеркале, довольно улыбнулась и выпорхнула из квартиры. Наташа с облегчением перевела дух и перелистнула назад несколько страниц. Ей хотелось еще раз прочитать слова, насладиться которыми ей помешала активная и говорливая Маринка: «И я не знаю, не представляю — что значить жить? Как я могла бы жить?» Это местоимение «я» выделено в тексте курсивом — значит, именно на нем Горький поставил смысловой акцент. «А я? — думала Наташа, снова и снова перечитывая реплику Татьяны. — Я, наверное, тоже не представляю, как я могла бы жить... Нет, почему же, я отлично представляю свою жизнь где-нибудь в тайге, в экспедиции, где все добрые и умные, все увлеченно работают и помогают друг другу, а по вечерам собираются вокруг костра и поют. Как там в песне?

Дым костра создает уют,
Искры гаснут в полете сами...
Пять ребят о любви поют
Чуть охрипшими голосами...

Вот так я бы сидела часами, а рядом сидел бы тот, единственный, мужественный, геолог, бородатый, сильный. Он играл бы на гитаре и пел, а я подпевала тихонько. Такую жизнь я хочу, но ее нигде нет...»

И еще одно место ее больно царапнуло, так больно, что даже слезы выступили: Цветаева рассказывает о репетициях самодеятельного театра и описывает солдатика, принимающего участие в постановке, называет его «таким славным, конфузливым, наивным, уморительным». «Солдатики ужасно интересные!» — говорит она, а Петр отвечает: «Ну, знаете, я плохо понимаю, как могут быть интересны люди, которые ничего не понимают?» От этих слов на Наташу повеяло таким холодным, циничным снобизмом, таким презрением к тем, кому не удалось получить образование, что ей захотелось расплакаться и немедленно кинуться к тому солдатику, утешить его, попросить не обижаться на Петра... «Фу, глупость какая, — одернула она сама себя, вытирая слезы. — Это же не живой солдатик, а выдуманный персонаж».

А вот насчет того, что зло есть качество, прирожденное человеку и потому малоценное, Наташа готова была спорить. Не верилось ей, что человек от природы злой. Не может этого быть. И того, что добра на самом деле в природе не существует, его человек сам выдумал, тоже быть не может. Какая-то неправильная конструкция. Мысль душу не задела, никаких эмоций не вызвала. Появилось только какое-то чисто рациональное желание не согласиться.

Зато монолог Бессеменова в начале второго действия заставил Наташу разрыдаться. Хорошо, что Маринки нет рядом, на смех подняла бы. Наташе казалось, что она каждой клеточкой тела чувствует боль отца, переживающего отчуждение собственных детей, которые не просто не понимают его — даже и не хотят понять, не стремятся, потому что не признают в нем личность. И с этого момента зажиточный мещанин Василий Васильевич Бессеменов, глава семьи, занял в Наташиных глазах место главного героя пьесы. Она обращала внимание только на сцены с его участием, по нескольку раз перечитывая его реплики, и в душе ее росло и крепло горячее, даже обжигающее сочувствие к этому человеку. Как ему обидно, что воспитанник выбрал себе невесту, не посоветовавшись с ним, Бессеменовым! И как горько ему, что в конце все покидают его, все уходят, причем уходят некрасиво, скандально, выплевывая злые, оскорбительные слова...

И еще Наташе очень понравилась Татьяна, дочь Бессеменова, учительница. Конечно, пытаться покончить с собой из-за того, что Нил выбрал не ее, а Полю, глупо, наверное. В этом моменте Наташа с Татьяной не солидарна, но многие ее переживания Наташе близки и понятны. Вот, например: «Никто не говорит со мной, как я хочу... как мне хотелось бы...» Ей скучно в этой жизни, и она тоскует по какому-то другому миру, точно так же как скучает и тоскует сама Наташа.

В сцене ссоры Бессеменова с сыном Петром что-то привлекло внимание Наташи, она даже и не поняла сразу, что именно. Перечитала еще раз, потом еще... Ну конечно! Это почти точная копия сцены из «Дела Артамоновых», о которой они так много говорили месяц назад с Артемом! Наташа вскочила, нашла среди вещей томик Горького, оставшийся с прошлого раза и перенесенный вчера вместе со всем остальным скарбом на новое место. Точно, так и есть. Артамонов говорит сыну: «Ради тебя я человека убил... Может быть...» И Бессеменов произносит в пылу ссоры: « Работали... строили дома... для вас... грешили... может быть, много грешили — для вас!»

Интересно, заметит ли Артем такое совпадение? Да и вообще, помнит ли он об их тогдашнем разговоре?

Но ведь можно спросить... Что в этом стыдного?

Она раскрыла толстую тетрадь на первой странице, где тщательно и аккуратно записала номера квартир и телефонов. В первый момент, правда, по привычке пошарила вокруг себя рукой в поисках мобильника, хотела написать Артему эсэмэску, как сделала бы в своей обычной жизни. Поняла ошибку, улыбнулась и вышла в другую комнату, где стоял телефон.

Трубку снял Вилен.

— Артем вышел покурить, он на лестнице стоит. Если что-то срочное, я его позову.

— Нет-нет, спасибо, не нужно, — торопливо ответила Наташа. — Я выйду к нему.

Сунула ноги в резиновые шлепанцы (Надежда Павловна сказала, что в те времена они назывались «вьетнамки»), выскочила на лестничную площадку. У окна, разделяющего два пролета между этажами, стояли Артем и Сергей. Наташа отчего-то мучительно покраснела и начала запинаться, но все-таки ей удалось донести общий смысл.

— Ну, ты даешь! — восхищенно протянул Сергей. — Прямо отличница! Уже прочитала! А я даже не открывал книгу, времени еще вагон, куда торопиться?

Артем что-то обдумывал, потом попросил:

— Можешь обе цитаты повторить?

Наташа повторила.

— Убил — может быть... грешил — может быть... Конструкция одинаковая... — медленно проговорил Артем и вдруг широко улыбнулся. — Молодец, Наталья! А я пропустил, не заметил, лопух. В обоих случаях человек расстроен тем, что сын не хочет жить по его указке, и в обоих случаях пытается поставить сыну в укор собственную моральную жертву. Дескать, совершил ради тебя мерзкий поступок, а ты не ценишь. Человек признается и вдруг на всякий случай отыгрывает назад, прикрывается этим «может быть», как щитом. Очень интересно, очень! Значит, этот момент Горькому покоя не давал.

— А ты что, прочитал уже? — удивился Сергей.

— По первому разу.

— Не вкурил...

— Пьеса же небольшая, меньше ста страниц, поэтому я первый раз прочитал быстро, для общего ознакомления с идеей и атмосферой, а потом второй раз буду читать, уже медленно и внимательно.

— Все равно не втыкаю. Зачем читать два раза? Почему нельзя внимательно прочитать с первого подхода?

Артем пожал плечами.

— Наверное, можно. Но у меня не получается. Я увлекаюсь движением фабулы и конфликта и пропускаю мелкие детали. А именно в деталях самый цимус и кроется. Вот видишь, Наталья заметила, а я пропустил.

И снова, как и месяц назад, Наташа не смогла понять, как расценивать его слова. Как похвалу? Как комплимент? Или как описание механизма?

Она вернулась к себе, надеясь, что мальчики ее окликнут, остановят, спросят еще о чем-нибудь, втянут в общий разговор, и появится возможность пообщаться с Сергеем, познакомиться с ним поближе...

Но они ее не остановили.

* * *

Маринка долго не появлялась, и Наташа подумала, что, наверное, ее новый план сработал, и подруга теперь проводит время в обществе Ричарда Уайли. Хотя в чем состоял этот новый план, Маринка не сказала, да Наташа и не спрашивала.

Почему-то стало очень грустно. Сергей совсем не обращает на нее внимания. В обычной жизни она отправила бы ему в сообщении смайлик, так всегда поступают, когда хотят прощупать реакцию человека и втянуть его в обмен репликами. Ты смайлик — тебе смайлик, ты шлешь три смайлика — получаешь в ответ... Смотря что получаешь. Если один или вообще ни одного — значит, «отстань». Если тоже три — значит, «продолжай». Если больше трех в ответ на три — можно трактовать как «я рад и готов расширять общение». Тогда можно осторожно, понемножку переходить к тексту. Например, спросить: «Как дела?» А дальше уже как пойдет, но технология всем давно известна. Да, с этим все просто и понятно. А как быть, когда ничего этого нет — ни телефонов, ни интернета?

Чтобы прогнать грусть, Наташа решила перечитать пьесу еще раз. Может быть, у нее голова тоже устроена так, как у Артема? Может быть, она увлеклась историей, фабулой и пропустила важные мелочи? Как было бы хорошо, если бы удалось на обсуждении выступить ярко, неординарно, чтобы Сергей ее наконец заметил. Какая она дура, что кинулась звонить Артему! Завтра на обсуждении он скажет все эти умные слова, и получится, что он сам заметил и сделал выводы. Если бы она сдержалась, промолчала, то завтра могла бы блеснуть перед всеми, и Сергей увидел бы, что она... Впрочем, вряд ли ей удалось бы сформулировать идею так сжато и красиво, как это только что сделал Артем. Она блеяла бы что-то невнятное. Но все равно! Все равно не нужно было делиться с парнями собственными мыслями, которые они теперь выдадут за свои. Какая же она... Вот правильно Маринка говорит: неприспособленная. И тормозилово. Вечно до нее доходит, как до жирафа, слишком поздно.

И еще деньги эти, про которые сегодня сказал Уайли... Маринка, конечно, приняла все своеобразно и, как только девушки остались одни, сказала:

— Все равно я буду америкоса обрабатывать. Эта премия, еще неизвестно, будет или нет. Может, Уайли в конкурсе не победит. Может, ему ничего не заплатят. Или он нас кинет. Даже наверняка кинет. Он ведь уедет в свою Голландию, а вся история фиг знает когда состоится, я не могу столько лет ждать. И где мы потом будем его вылавливать с его премией? Нет, Натаха, на эти деньги я не поставлю. Замужество — вот что мне нужно. И я его получу. А ты, если готова ждать сто лет, давай, старайся, протирай штаны над книжками. Может, тебя и поощрят когда-нибудь тремя копейками.

До сегодняшнего дня Наташа пребывала в убеждении, что молодая девушка может получить большие деньги только одним путем, и путь этот ей не нравился категорически. Никаких других возможностей, кроме мужа или богатого спонсора, она вокруг себя не видела. Поэтому никогда больших денег и не хотела. Она хотела другого.

В одной из песен, которые она так любила слушать, о жажде денег сказано недвусмысленно:

Люди посланы делами,
Люди едут за деньгами,
Убегают от обид и от тоски...

Это лирический герой, то есть сам автор, перечисляет причины, на его взгляд, неуважительные, низкие, приземленные. А дальше идет противопоставление:

А я еду, а я еду за мечтами,
За туманом и за запахом тайги.

Но вдруг оказалось, что деньги можно заработать, не продавая себя и не унижаясь, никого не обманывая, не мошенничая, не преступая закон. Так, может быть, деньги — это не так уж и плохо? Не так уж и грязно?

Мысль смущала ее, не давала покоя, заставляла сердиться на саму себя. Она, такая чистая, романтичная, правильная, мечтающая о взаимопонимании и бескорыстной любви — и вдруг деньги... И еще эти слова в пьесе о том, что «зло есть качество прирожденное вам и потому — малоценное. Добро — вы сами придумали, вы страшно дорого платили за него, и потому — оно суть драгоценность, редкая вещь, прекраснее которой нет на земле ничего». Да, бесспорно, добро есть драгоценность, прекраснее которой нет ничего на свете, но то, что зло от природы, а добро выдумано, искусственно создано... Нет, здесь что-то не склеивалось. Непонятно.

Может быть, снова позвонить Артему, спросить? Он умный, он бы объяснил. Нет, не нужно, подумает еще, что она навязывается, бегает за ним. А она вовсе не бегает. И вообще, он ей ни капельки не нравится. Ей нравится Сергей.

Наташа снова открыла книгу и продолжала перечитывать пьесу, стараясь не торопиться и быть внимательной.

И тут тренькнул дверной звонок: явилась Маринка. Глаза злые, вся мокрая от пота и какая-то увядшая.

— Ты что, стометровку бежала? — удивилась Наташа.

Маринка молча прошла на кухню, налила в высокую чашку воды из-под крана, выпила залпом, потом так же молча зашла в туалет, после чего выпила еще одну чашку воды и устало плюхнулась на табурет у стола.

— Ф-фух, жарища... А эта старая коза ни в одно кафе не разрешила зайти. Я ей говорю: «Давайте зайдем, посидим, там же кондиционеры, прохладно. Отсидимся, остынем хоть немножко, холодненького попьем», а она мне: «В те годы кондиционеров не было, если погода жаркая — жарко всюду, и в кафе тоже. И в любом случае, мы сначала должны постоять на солнцепеке не меньше часа».

— Так ты гулять ходила? Я думала, ты там грандиозные планы реализуешь, а ты...

— С планами я обломалась, — сердито ответила Маринка и тут же заметила: — Но это временная неудача. Я все равно придумаю, как мне этого америкоса выцепить. Ну ты прикинь, я к нему подваливаю, с понтом, господин Уайли, не могли бы вы помочь мне попрактиковаться в английском, а то у меня нет возможности общаться с носителями языка... Ну, короче, в этом ключе. А он меня к переводчику своему бортанул, мол, Семен владеет английским на уровне носителя и прекрасно со мной позанимается.

— Ну и займись, — посоветовала Наташа. — Семен тоже мужчина. И москвич. Для начала неплохо.

— Сама займись, — огрызнулась Маринка, но уже беззлобно. — Начинать с Семена — это для таких куриц, как ты, для тихих и неприспособленных. А я хочу всё и сразу. И получу. Короче, Уайли меня отфутболил, и я пошла к Полине, позвала ее гулять, хотела на какой-нибудь дельный чат развести, инфу вытянуть.

— Ну и как? Удалось что-нибудь узнать?

— Да она все про дачу Назара Захаровича пела, мол, как там хорошо, да какой воздух, да какой лес. Американец, оказывается, там целый месяц жил. Эх, жалко, что я не знала...

— И что бы ты сделала, если бы знала?

— Ну... Придумала бы что-нибудь, это сто пудов. Ладно, что об этом говорить, шанс упущен — будем искать следующий. Ну вот, гуляем мы по поселку, парни так с интересом на меня посматривают, а девки, конечно, на мой зашкварный прикид таращатся, ну ничего, мне ж главное — Полину растрясти. Она поговорить любит, рассказывает так прикольно, в лицах, ржачно! Идем, идем, жарко, душно, в кафе нельзя, попить, правда, разрешила, купили в киоске какую-то хрень сладкую, газированную, от нее еще больше пить захотелось. Ну и в туалет... А Полина не пускает никуда, прикинь? Все прямо в точности как на отборе, помнишь?

— Конечно, — с улыбкой кивнула Наташа. — Такое разве забудешь?

— Вот! А я на собственной шкуре сегодня испытала. Короче, жесть полная! Зато теперь знаю, что...

И дальше Маринка принялась с упоением пересказывать байки из жизни актеров театра и кино, а также кое-какие подробности биографий Ирины и Виссариона Иннокентьевича. Все это было Наташе совсем не интересно, но она терпеливо ждала, когда подруга выговорится.

— Ну а ты чем тут занималась, пока меня не было?

— Пьесу читала.

— И все?

— Всё. — Наташа невольно отвела глаза. — А что еще должно быть?

О разговоре с Артемом и Сергеем она почему-то умолчала. Да и о чем рассказывать? Ну, нашла интересное место в пьесе, ну, позвонила, ну, вышла на площадку, перекинулась парой слов... Подумаешь! Ничего не значащий эпизод, а Маринка — только дай ей повод! — начнет разоряться насчет того, что Сергей — это не вариант и нечего тратить на него время, а нужно заниматься кем-то перспективным, потому что надо устраивать свою жизнь и обеспечивать благосостояние...

— И чего там в пьесе? Интересная?

— Мне понравилась, — искренне ответила Наташа. — Хочу еще раз перечитать.

Глаза Маринки уже давно перестали быть прищуренными и злыми, а теперь стали огромными и круглыми.

— Еще раз? Зачем?

— Так...

— Делать тебе нечего! — в сердцах воскликнула Маринка. — Иди лучше Семена за жабры хватай, ты в инглише сечешь, пусть он поможет тебе совершенствоваться. Тебе сказочно повезло, дурища ты! А ты не пользуешься!

— В чем это мне повезло? — удивилась Наташа.

— В том, что твоя Надежда целыми днями занята и ты можешь попросить любого сотрудника пойти с тобой в поселок, вот в чем! Любого, поняла? То есть любого мужика, а их тут видимо-невидимо: и Семен, и психолог этот, и доктор. Доктор, конечно, не ах, рожа мрачная, но зато москвич. Юра тоже ничего, хоть и завхоз, но для первого рывка сойдет. Виссариона не рассматриваем, старый актер — это стопудово нищеброд, раз в кино не снимается. Назар тоже не годится. Но у тебя остаются четыре кандидата. Четыре! И ты имеешь полное моральное право позвать с собой любого из них, не вызывая подозрений! А ты сидишь, как курица, крыльями хлопаешь и муть всякую по второму разу читать собираешься. И кто ты после этого?

— А почему Назар не годится? — обиженно спросила Наташа.

Была бы ее воля — она бы с Назаром Захаровичем с утра до ночи разговаривала. Хоть старик и колючий, острый, как бритва, а все равно они одной крови. Так она чувствовала.

— Он женат, и жена у него красотка. Полина ее видела, когда была на даче, жена Назара туда приезжала. Если у такого сморчка жена — красавица, значит, у нее есть причины за него держаться. При таких раскладах бабу от мужа не оторвешь никакими щипцами, — авторитетно заявила подруга.

Маринкино знание жизни основывалось не на ее личном опыте, а на телевизионных сериалах и статейках в глянцевых журналах и в интернете, но девушка уверенно полагалась на это знание, считая, что в механизме взаимоотношений полов разобралась давно и полностью. А Наташа, в свою очередь, ничего не могла ей возразить, потому что сериалы не смотрела, статьи не читала, да и с собственным опытом дело обстояло не так чтоб уж...

Они еще поболтали какое-то время, потом сходили в столовую, поужинали. Еда показалась Наташе ужасно невкусной, и непонятно было, то ли от плохого настроения, то ли от жары. Наверное, нужно покупать продукты и готовить самой, что сумеет. Конечно, каждый раз придется переживать несколько минут с продавцами, но это ничего, можно потерпеть. Жили же люди как-то раньше, ходили в магазины постоянно, и никто не отказался от еды только потому, что человек за прилавком или за кассой им нахамил.

Перед тем как идти в столовую, Маринка сбегала к ссбе, приняла душ, привела внешний облик в идеальный порядок и уже ничем не напоминала ту помятую, потную, уставшую девчушку, какой она была, вернувшись с прогулки. Но старания ее были напрасными: Ричард Уайли в столовой не появился.

* * *

— И вообще, Татьяна меня ужасно раздражает, прямо выбешивает! Всё ноет и ноет, всё ей скучно, всё не так! В школе ее, видите ли, утомляют шум и беспорядок, дома — тишина и порядок, и отдохнуть ей негде, и она навсегда устала, и жить ей незачем, короче, ей не угодить. И она все время то тоскливо вздыхает, то вообще прерывает других и просит заткнуться, если ей не нравится, о чем они говорят. Кошмарная девица. Понятно, что Нил на нее не запал.

Я удовлетворенно кивнул. Тимур являл собой классический образец поверхностного читателя: сильнее всего реагировал на то, что раздражает, и на то, что нравится. У таких читателей мимо внимания проходит все, что не цепляет удовольствием или негативом, они не замечают ни странных мыслей, ни сложных конфликтов. На раздражающее злятся, тем, что доставляет удовольствие, восхищаются, и на этом их знакомство с текстом заканчивается. Интересно, ему хоть что-то понравилось в пьесе «Мещане»? Или его внимание окажется привлечено только раздражающими персонажами, ситуациями и словами?

— Горький всех надул, как лохов, — продолжал Тимур. — Вот мой главный вывод.

— Поясните, — с интересом попросила Галия, которую теперь уместнее было снова называть Галиной Александровной. Но я решил, что для меня она по-прежнему останется Галией.

— Ну, смотрите: Горький назвал пьесу «Мещане», типа они и есть главные герои, а они все скучные до оскомины. А самые прикольные — Тетерев и Елена. Тетерев — нахлебник, Елена — квартирантка, молодая вдова, они там ни разу не главные, зато говорят правильные вещи. Вот Тетерев, например, говорит, что он не хочет, чтобы на него смотрели со спокойным удовольствием, он, наоборот, хочет, чтобы на него смотрели с беспокойным неудовольствием. Классно сказано! И вообще, он все время гонит веселуху.

— То есть вы согласны с его позицией?

— А то! Беспокойное неудовольствие — как раз то, что нужно, в этом самый смысл!

— Понятно, — кивнула Галия. — А Елена? Чем она привлекла ваше внимание?

— Елена — полный отпад! — радостно заявил Тимур. — Своя в доску. Мне нравятся люди, которые не хотят быть несчастными и не любят несчастья, а Елена как раз такая. Она прямо говорит: «Я ощущаю в себе ненависть к несчастью». Если бы она могла, она схватила бы все несчастья, бросила себе под ноги и раздавила. Ну, так она говорит...

Он схватил книгу, открыл в том месте, где лежала одна из нескольких закладок.

— Вот, я прочитаю: «Я люблю жить весело, разнообразно, люблю видеть много людей... и я умею делать так, чтобы и мне, и тем, кто около меня, жилось легко, радостно...» Короче, позитивная такая тетка эта Елена, не грустит, хотя и вдова, не ноет, всегда готова смеяться и радоваться. Она даже говорит, что в театре после драмы дают что-нибудь веселое, а в жизни это еще более необходимо.

Тимур замолчал, и я подумал, что он собирается с мыслями или вспоминает, о чем еще хотел сказать, но оказалось, что его впечатления от пьесы на этом закончились. Жаль. Ни в одном своем впечатлении, ни в одной мысли он не совпал с Владимиром Лагутиным. Что ж, послушаем других.

Артем начал с того, что принялся развивать идеи Тимура:

— Я согласен, что Татьяна — персонаж крайне малоприятный, но мне кажется, я понял, почему она так раздражает. Она косная. Она твердо стоит на собственных выведенных когда-то оценках и не желает даже допускать мысли, что может оказаться не правой.

— Из чего это следует? — спросил Вилен. — Поддержите ваш вывод цитатой.

— Да вот же, в самом начале пьесы, прямо в первом действии Татьяна говорит: он открыл книгу и зачитал: «Мне часто кажется, что книги пишут люди... которые не любят меня и... всегда спорят со мной. Как будто они говорят мне: это лучше, чем ты думаешь, а вот это — хуже...» Понимаете? Если кто-то говорит не то или даже не совсем то, с чем она согласна, Татьяна уже считает, что этот человек ее не любит и делает ей назло. Если у кого-то другое мнение или другая оценка, она расценивает это как проявление враждебности и стремления лично ее обидеть. Она не пытается даже задуматься над сказанным: а может быть, человек прав и ее собственная оценка неверна? Ну ладно, пусть она потом не согласится с автором книги и придет к выводу, что права все-таки именно она, но пусть она подумает! Пусть хотя бы попробует найти аргументы! Но — нет, думать она не умеет, не приучена, стоит столбом на своих мнениях, а кто с ней не согласен и имеет дерзость спорить — тот ее не любит и вообще враг.

Этот юноша снова, как и на отборочном туре, демонстрировал особое внимание к слову. Первым, что он отметил, было постоянное употребление персонажами слов «тоска» и «скука», затем подробно остановился на реплике Петра: «Есть много слов, которые произносишь по привычке, не думая о том, что скрыто за ними... Жизнь... Моя жизнь... Чем наполняются эти два слова?» Оценил выражение «подержанные люди», развил мысль Бессеменова о том, что не нужно злить или обижать человека, если хочешь, чтобы он тебя услышал и понял.

— Бессеменов интуитивно затронул основы психологии и психолингвистики. Если человек зол и обижен, его энергия тратится на то, чтобы справиться с негативом и закрыться от обидчика, а на то, чтобы вникнуть в суть и оценить доводы собеседника, интеллектуальных сил уже не остается, — рассуждал Артем. — Борьба с негативными эмоциями блокирует рацио, сегодня это всем известно. Вообще Бессеменов необыкновенно умный мужик. Вот еще цитата из этого же разговора: «Надо рассуждать кротко, складно, чтобы слушать тебя было занятно...» Иными словами, мысль должна быть изложена логично, интересно и, самое главное, в позитивном ключе. Это же просто учебник для маркетологов и бренд-менеджеров!

— Может быть, это Горький такой умный, а вовсе не Бессеменов? — с иронией заметила Галия.

— Может быть, — легко и с улыбкой согласился Артем. — И даже наверняка.

Еще одним пунктом, привлекшим его внимание, была Елена, о которой с таким восторгом говорил Тимур. Однако причина этого внимания оказалась совсем иной. Веселость молодой вдовы и ее нелюбовь к несчастьям Артема не тронула, он заметил другое:

— Елена, конечно, существо необразованное, но тем не менее ухитрилась поднять важный вопрос о расхождении давно установленных норм морали с быстро развивающейся жизнью. Вот она говорит: «Это... нехорошо, я понимаю... но я не чувствую, что это нехорошо! Вы знаете: ведь так бывает, — понимаешь, что дурно, но не чувствуешь этого...» Иными словами: мы знаем, что определенное поведение испокон веку принято считать дурным, но искренне не понимаем, почему это дурно. Елена говорит о тягостности навязанных людям запретов и правил, о том, что люди со многими из них не согласны, но вынуждены им следовать. В общем, любопытная реплика, мне было о чем подумать.

Но самым важным и интересным для Артема оказался вопрос взаимопонимания между представителями разных поколений, и здесь он почти полностью повторил «Записки молодого учителя» и мысли Владимира, чем несказанно порадовал меня. Он долго и скрупулезно цитировал реплики, анализировал используемые персонажами слова и выражения, делал оригинальные выводы, то приближаясь к автору «Записок», то занимая противоположную позицию, а в конце удивил всех нас, сделав отсылку к «Делу Артамоновых», и тут же сказал:

— Это не моя заслуга, это Наталья заметила и поделилась со мной. Так что все лавры принадлежат ей.

Я заметил, что синеглазая Наташа смутилась, а Марина изумленно округлила глаза и что-то прошептала на ухо подружке, отчего та смутилась еще больше и покраснела.

* * *

«Зачем, ну зачем Артем это сказал! — в отчаянии думала Наташа. — Теперь от меня будут ждать чего-то необыкновенного, а у меня все мысли какие-то простые, примитивные... После Артема даже выступать стыдно».

Но делиться впечатлениями от пьесы ей все-таки пришлось. Начала она неуверенно, но, заметив, что

Уайли и Галина Александровна одобрительно кивают, приободрилась и о том, как больно и обидно Бессеменову, говорила уже эмоционально и свободно. Ей показалось, что «старшие» остались довольны ее словами, но в чем причина — Наташа не знала.

Маринка за рамки привычного репертуара не вышла, она во всей пьесе заметила в основном то, что касалось ее собственного отношения к жизни и людям.

— Вот в самом начале Поля говорит, что когда читает в книге описание какой-нибудь милой, приятной женщины, то и сама себе лучше кажется. По-моему, это глупость полная! Поля считает, что привлекательная женщина — это женщина прямая, простая, душевная. Ну конечно! Для мужчин такое привлекательно, можно взять голыми руками, но на самом деле такая женщина никогда ничего сама не добьется, будет искать мужа, за которого можно спрятаться и наслаждаться своей приятностью и душевностью. В общем, я с ней не согласна. И с Татьяной тоже не согласна в том месте, где она говорит, что не хочет учиться на курсах, а хочет просто жить. Такая девица тоже ничего не добьется. Я хотела еще много про Татьяну сказать, но тут мальчики до меня уже все изложили, повторять не буду.

— То есть с мальчиками вы согласны? — насмешливо уточнила Галия.

— Ну да, я же сказала... И насчет Елены я с Тимуром тоже согласна, она веселая и позитивная, она мне понравилась. А еще я хотела добавить, что если бы меня предки так прессовали, как этот Бессеменов своих детей, я бы, наверное, с ума сошла или удавилась. Меня никогда не заставляли жить так, как родители живут.

«Вот врушка, — подумала Наташа, слушая ее. — А кому маманя насчет поездки и фотографий впаривала, чтобы было не хуже, чем у других? Забыла уже?»

Когда слово предоставили Сергею, Наташа слушала очень внимательно и даже старалась кое-что записать. Она помнила, что после индивидуальных выступлений будет общее обсуждение, когда можно высказать несогласие с мнением другого участника или, наоборот, поддержать его. Это хорошая возможность обратить на себя внимание, да и впоследствии пригодится, если нужно будет найти повод для начала разговора. Сергею, как выяснилось, симпатичен сын Бессеменова, Петр, который считает, что «хорошо жить одному, вне прелестей родного крова». Подумать только, ведь Наташа вчера прочла текст пьесы дважды, а на эти слова даже внимания не обратила! И вот еще что обидно: ей очень понравилось то место в первом действии, где Петр и Татьяна обсуждают, как жизнь ломает человека, невидимо, незаметно, без шума, без криков, и никто не видит тех драм, которые терзают душу человека, стоящего между «хочу» и «должен». От диалога брата и сестры Бессеменовых на Наташу повеяло пастельной мягкостью ее любимых песен: обрисован штрихами только общий контур чувства, переживания, без ярких красок. Туман и запах тайги... Но она не смогла бы объяснить точными и правильными словами, что ее так привлекает в данном отрывке, поэтому решила вообще ничего не говорить. А Сергей сказал. Он тоже обратил внимание на этот эпизод. Если бы Наташа не побоялась, не промолчала, он бы понял, что они похожи, думают и чувствуют одинаково, и тогда, может быть...

И слова птицелова Тетерева о природе добра и зла Сергей тоже отметил. Хорошо, что она хотя бы об этом не постеснялась упомянуть, а ведь тоже сомневалась, потому что смысл конструкции остался ей не вполне понятен. Но Наташа не стала притворяться, а честно сказала при всех, мол, мысль показалась интересной, и она будет над ней думать, потому что пока не до конца разобралась. Зато Сергей был уверен, что разобрался:

— Я согласен, что зло изначально присуще человеку, оно сидит в каждом из нас, просто до поры до времени не высовывается. И с сожалением вынужден признать, что Тетерев прав и в других своих высказываниях, например, о том, что нужны ловкость, хитрость и змеиная гибкость, чтобы выжить в обществе, а чистая добрая сила никакого применения теперь не находит. Даже странно... Я думал, это только в наше время так, а оказалось, что и при Горьком такое было.

— Вынуждена вас разочаровать, — улыбнулась Галина Александровна, — так было всегда. Чистая добрая сила, о которой говорит Тетерев, находила себе применение только в мифах и сказках.

— Значит, то, что Тетерев говорит о глупых героях и умных подлецах, тоже правда? Я хочу сказать, что сейчас — да, это совершенно точно именно так, а раньше?

— И раньше, и всегда, — вздохнула Галина Александровна. — И при Горьком, и при Макиавелли, и при Юлии Цезаре. Должна заметить, что сто лет, которые стоят между вами и Горьким, — это совсем не большой срок. За такой срок люди не могут измениться. Да они и вообще не могут измениться, если уж начистоту. Можно изменить законы, политический строй, экономический уклад, технические условия. Но люди остаются все такими же, как это ни странно. Простите, я вас прервала.

— Да ничего, я уже почти закончил. Хотел только обозначить еще одно место в пьесе, то, где Тетерев говорит: «Некоторые вещи лучше не понимать, ибо понимать их бесполезно...»

— Согласны? — спросил Уайли.

— Долго думал и пришел к выводу, что, пожалуй, согласен.

— Вижу, Тетерев стал вашим любимым персонажем в «Мещанах», — заметила профессор. — Его мысли заинтересовали вас куда больше, чем мысли и высказывания других героев.

Сергей пожал плечами и растерянно улыбнулся.

— Ну да... Наверное... Я как-то внимания не обратил...

Последней выступала Евдокия. Она была немногословной, как и на отборе. Вообще эта участница казалась Наташе ужасно странной: ни с кем не заговаривала первой, хотя на вопросы отвечала, если к ней обращались, но отвечала коротко и сдержанно. Геммолог, специалист по камням... Что она здесь делает? Зачем ей участие в квесте? Почему здесь Наташа — понятно, почему Маринка — тоже известно, а Евдокия эта?

— Начну с Татьяны, поскольку о ней сегодня уже достаточно много говорили. Хочу добавить только один штрих.

Евдокия говорила глуховатым голосом и словно с трудом, как будто у нее сильно болит горло.

— Татьяна завистлива, поэтому и неприятна. Но Горький не показывает это напрямую, он прячет ее завистливость, маскирует другими словами. Она не умеет радоваться счастью других людей, ее бесит, когда у кого-то есть то, чего у нее нет, но чего она хотела бы для себя. Сначала она, когда обсуждают театр, говорит: «Когда актер на сцене объясняется в любви, — я слушаю и злюсь... Ведь этого не бывает, не бывает!..» Она злится! Злится именно потому, что ей никто так в любви не объяснялся, а ей на самом деле этого ужасно хочется. Если человек не завистлив, он просто недоверчиво улыбнется, когда считает, что чего-то не может быть, но злиться он не станет. А в четвертом действии Татьяна показывает свою суть более развернуто. Нил на ее чувство не ответил, он сделал предложение Поле, Татьяна пыталась отравиться, но неудачно, выжила, и теперь люто ненавидит всех, у кого сложилась взаимная симпатия или любовь. И вообще всех, кто счастлив или просто пребывает в хорошем настроении. Она говорит: «Нил, Палагея, Елена, Маша... Они ведут себя, как богачи, которым нет дела до того, что чувствует нищий... что думает нищий, когда видит, как они кушают редкие яства...»

И снова Наташа удивилась. Ну да, она помнила эти места в пьесе, но ей даже в голову не пришло, что за словами Татьяны скрывается обычная зависть. Может, Евдокия ошибается? Может, ей неправильно показалось? Зависть — такое резкое, свистящее слово, похожее на ядовитую молнию, для Наташи оно ассоциируется с чем-то быстрым, разящим мгновенно и смертельно. Зависть — удел энергичных, активных людей, а Татьяна такая тихая, задумчивая, и вообще она Наташе понравилась. Правда, Тимур говорил, что она всё время ноет и стонет, ей скучно, она унылая и вялая, и ему она не нравится, но все равно: разве медленная и вечно тоскующая Татьяна может оказаться завистливой?

А Евдокия уже рассуждала о словах Тетерева: «Лучше замерзнуть на ходу, чем сгнить, сидя на одном месте». То есть лучше сделать неправильно, ошибиться, чем не сделать вообще ничего. Эти слова Наташу не зацепили, она их даже не вспомнила.

— Самым интересным для меня был диалог Нила и Петра о голодном человеке, который отшвыривает единственный кусок хлеба только потому, что его дал несимпатичный человек. На самом деле это разговор о том, что важнее: выживание или соблюдение моральных принципов, этических ориентиров.

Про это Наташе было скучно слушать. В ее мире, мире романтики и песен у костра под гитару, выживание не соперничало с моралью. Она стала думать, что и как сказать во время общего обсуждения, чтобы Сергей ее заметил.

Записки молодого учителя

МЕЩАНЕ

Пьесу «Мещане» я перечитывал много раз и всегда поражался тому, что ничего с тех пор не изменилось, а ведь с момента создания этого произведения прошло больше 70 лет... И мои родители с пафосом произносили в точности те же самые слова, которые с негодованием произносит Бессеменов в разговорах со своим сыном Петром: до тех пор пока он, а стало быть, и я ничего в жизни не достигли, существуем под родительским кровом и на их иждивении, мы не имеем права ни на собственные желания, ни на самостоятельные решения. Мы — никто, и звать нас — никак. «Неужто отцовы слова так тяжело слушать? Не для себя ради, а для вас же, молодых, говорим. Мы свое прожили, вам — жить. А когда глядишь на вас, то не понимаешь, как, собственно, вы жить думаете? К чему у вас намерения? Наш порядок вам не нравится, это мы видим, чувствуем... А какой свой порядок вы придумали?»

Неужели такой конфликт между поколениями существовал веками? А я был уверен, что это только лично мне не повезло с родителями. «Студент есть ученик, а не... распорядитель жизни. Ежели всякий парень в двадцать лет уставщиком порядков хочет быть... тогда все должно прийти в замешательство... и деловому человеку на земле места не будет. Ты научись, будь мастером в твоем деле и тогда — рассуждай... А до той поры всякий на твои рассуждения имеет полное право сказать — цыц!» Или, например, слова того же Бессеменова, только адресованные уже не сыну Петру, а дочери Татьяне: «Молчи! Когда ты не хозяйка своей судьбы — молчи...» Ну просто слово в слово речи моего отца, да и мама не отстает. Я буквально ошалел, когда впервые это прочитал — настолько все оказалось похоже.

Честно признаться, изучение текста пьесы в значительной мере примирило меня с отцом и мамой, ибо я понял: дело не в том, что мои родители какие-то особенно авторитарные и зловредные, а в том, что все родители таковы. А монолог Тетерева в финале заставил меня задуматься о том, что и я со временем стану относиться к своим детям (если они у меня будут, конечно) точно так же, как мои родители относятся ко мне. Очень не хотелось бы в это верить, ведь я умнее и современнее, кроме того, у меня, как выразилась учительница английского, протестное мышление, и я ни за что не повторю судьбу своих родителей и не буду похожим на них. Это я так себя утешаю... Потому что слова Тетерева, сказанные Бессеменову о Петре, сильно меня ранили, честно признаться: «Он не уйдет далеко от тебя... умрешь ты, — он немножко перестроит этот хлев, переставит в нем мебель и будет жить, — как ты, — спокойно, разумно и уютно... Он ведь такой же, как и ты... труслив и глуп... И жаден будет в свое время и так же, как ты, — самоуверен и жесток. И даже несчастен будет он так же, как ты теперь... И так же вот несчастного и жалкого сына твоего не пощадят, скажут ему правду в лицо, как я тебе говорю: «Чего ты ради жил? Что сделал доброго?» И сын твой, как ты теперь, не ответит...» Неужели это правда? Неужели мне суждено со временем превратиться в копию родителей, а мои дети будут ненавидеть меня и стремиться как можно скорее вырваться из отчего дома? На какое-то время меня даже страх охватил. «Труслив и глуп»... Не зря в какой-то умной книге я прочел, что больше всего в выдуманных (литературных и кинематографических) персонажах нас раздражают те недостатки, которые присущи нам самим, но в наличии которых мы не желаем себе признаваться. Эти два слова ударили меня сильнее всего. Да, я трус, это правда, как ни горько сознаваться.

И всех родителей больно ранит, когда дети принимают решения, не посоветовавшись со старшими, будь то девятнадцатый век или двадцатый, без разницы. Старшие априори уверены, что знают лучше и дадут ребенку, даже и давно выросшему, ценный совет, а без их подсказки детка такого натворит — хоть святых выноси. Правильно ли такое мнение старших? Ответа у меня нет, и я с удовольствием поставил бы этот вопрос перед своими учениками. Наверное, директор школы, да и родители моих десятиклассников, по головке меня не погладили бы, но ребята — я совершенно уверен! — обсуждали бы тему с удовольствием. Можно было бы еще предложить им подумать о теории Татьяны про «две правды», но, боюсь, для шестнадцатилетних было бы рановато, не потянут. Хотя, возможно, во мне сейчас взыграло самомнение того самого «старшего», который, окончив институт, полагает себя ужасно взрослым, а всех, кто младше, считает недоумками, неспособными к умозаключениям и анализу. Надо бы мне почаще вспоминать, что сам я был шестнадцатилетним очень и очень недавно. Все-таки про две правды, каждая из которых имеет право на существование, хорошо бы поговорить с детьми: это уберегло бы хоть кого-нибудь из них от юношеского максимализма и неоправданно резких оценок. И, между прочим, об этом говорит и Горький в этой же пьесе, в том месте, где Нил рассуждает о задачах школьной педагогики: «Ребятишки — ведь это люди в будущем... Их надо уметь ценить, надо любить. Всякое дело надо любить, чтобы хорошо его делать». Ах, как я любил бы свою работу, если бы мне позволили ею заниматься...

Да и вообще в «Мещанах» можно найти огромное количество тем для обсуждения с учениками. Вот, например, монолог Татьяны о том, что в художественной литературе все положительное — выдумано авторами, а все плохое и трагическое подается в гипертрофированном виде: «Дурное и тяжелое они изображают не так, как я его вижу... а как-то особенно... более крупно... в трагическом тоне. А хорошее — они выдумывают». Можно было бы на уроке вспомнить Шекспира, Диккенса, Достоевского, предложить ребятам вспомнить и привести примеры, как подтверждающие слова Татьяны, так и опровергающие их. Кстати, любопытно и замечание той же Татьяны, что «никто не объясняется в любви так, как об этом пишут!» Вот мои ученики порезвились бы, комментируя этот пассаж! Наверное, приводили бы примеры из собственной, пока еще небогатой, практики, а заодно вспомнили бы любовную лирику Пушкина и Лермонтова, а также романтические сцены из Тургенева и Толстого, которых я изучал бы с ними раньше, в восьмом и девятом классах.

Не меньший интерес представляло бы обсуждение теории Тетерева о добре и зле. Да, есть опасность, что вопрос может оказаться сложноватым для подростка, но не обсудить его в классе — просто грешно. Моя задача как учителя была бы в этом случае — пересказать весь монолог Тетерева более просто и доходчиво, ибо сама тема важна необычайно. Если задача школы — не только дать знания, но и воспитать человека, то без обсуждения вопросов добра и зла обойтись невозможно. «Зло есть качество прирожденное вам и потому — малоценное. Добро — вы сами придумали, вы страшно дорого платили за него, и потому — оно суть драгоценность, редкая вещь, прекраснее которой нет на земле ничего. Отсюда вывод — уравнивать добро со злом невыгодно для вас и бесполезно. Я говорю вам — добром платите только за добро. И никогда не платите больше того, сколько получено вами, дабы не поощрять в человеке чувство ростовщика. Ибо человек — жаден. Получив однажды больше того, сколько следовало ему, в другой раз захочет получить еще больше. А также не платите ему меньше, чем должны. ...Но за зло — всегда платите сторицею зла!» Вот тут и проверим, как мои школьники усвоили прошлогоднюю тему о Льве Толстом и о теории «непротивления злу насилием». Пусть-ка вспомнят да освежат в памяти!

Образ Тетерева в целом богат на темы для дискуссии. Чего стоит только одно его высказывание о героях и подлецах: «В наше время все люди должны быть делимы на героев, то есть дураков, и на подлецов, то есть людей умных...» Это можно было бы даже дать в качестве темы для сочинения, тем более что вопрос получает развитие в диалоге Тетерева с Нилом, то есть освещены разные точки зрения, и подросткам будет на что опереться в своих рассуждениях. Сам я вряд ли смог бы написать такое сочинение честно. Потому что я и дурак, и подлец одновременно. И еще трус. Вкусный компот из меня получился бы! А как хотелось бы оказаться умным героем...

Или взять слова Тетерева о том, что человека вряд ли нужно жалеть, лучше — помочь ему. Чем не тема для сочинения?

А вот вопрос о соотношении потребностей и нравственного чувства, который поднят в разговоре Нила с Петром в третьем действии: «Когда единственный кусок хлеба отшвыривается прочь только потому, что его дает несимпатичный человек... Значит, тот, кто швыряется хлебом, недостаточно голоден...» Так что все-таки важнее, выживание или принципы? Конечно, мои ученики, взращенные на той же школьной программе, что и я сам, начнут с пеной у рта доказывать, что принципы важнее. И не потому, что на самом деле так думают, а потому что знают: комсомолец должен ответить именно так и никак иначе. Моя задача педагога-словесника не привести подростка к точному и определенному ответу, а заставить рассуждать и понять, в конце концов, что однозначного ответа быть не может. Жизнь сложна, человеческие отношения — еще сложнее, и невозможно раз и навсегда решить: должно быть всегда так и никак иначе. Пусть снова вспомнят если не собственный опыт, то хотя бы прочитанные книги. Прав был Горький, когда писал: «Любите книгу — источник знаний»! Ибо при отсутствии собственного опыта можно попытаться осмыслить хотя бы чужой, придуманный писателем, и тоже получить определенные знания и набраться ума.

Наученный опытом «Вассы», о чем я напишу несколько позже, я решил полюбопытствовать, что же написано о пьесе «Мещане» в литературоведческой статье, а заодно и в моем школьном учебнике. Надо признаться: изумлению моему не было предела! Оказывается, главным героем пьесы является «передовой рабочий-революционер» Нил, воспитанник мещанина Бессеменова. Я оторопел. Меня всегда учили, что действующие лица в пьесе перечисляются в соответствии с важностью их роли в повествовании или в раскрытии идеи, тем более в заголовок-то вынесены именно мещане, а вовсе не пролетарии. Персонажи следуют в этом перечне по мере уменьшения их значимости в пьесе. Первым назван сам Бессеменов, затем следуют его жена и родные дети, и только пятым в этом списке значится Нил, двадцати семи лет от роду. И учебник, и статья литературоведа в один голос утверждали, что рабочий-машинист Нил олицетворяет собой обличение и протест против несправедливости существующего социального строя. Согласиться я мог только с тем, что Нил действительно протестует. Но против чего? О несправедливом строе он не сказал ни слова, равно как и об угнетении рабочего класса и крестьянства. Нил хочет бурной и яркой жизни, он стремится «вмешаться в самую гущу жизни... месить ее и так и этак... тому — помешать, этому — помочь... вот в чем радость жизни!» Помешать и помочь — означает помешать злу и помочь добру, не более того. Да этим занималась полиция, а теперь занимается милиция! И вообще, этим занимаются все нормальные порядочные люди. Политика и революция никакого отношения к данной деятельности не имеют. Нил горячится, возмущается тем, что честными «людями» правят свиньи, дураки и воры, Петр возражает ему: «Не раз я слышал эти речи. Посмотрим, как тебе ответит жизнь на них», а Нил говорит: «Я заставлю ее ответить так, как захочу». В этом месте я долго смеялся, когда перечитывал пьесу недавно. В школьные годы фраза сия прошла мимо моего внимания, плавно влившись в общий контекст речей данного персонажа, а тут вдруг меня как резануло: откуда такая самоуверенность? Почему Нил решил, что он может заставить жизнь быть такой, как ему хочется? Он может управлять только своими поступками, но не судьбами и мыслями, а уж тем более чувствами других людей. Как это «он заставит»? Если кто-то из его близких будет медленно и мучительно умирать от рака, он что, собирается заставить рак исчезнуть? Или он полагает себя в силах заставить больного не испытывать боли и мучений? Бред какой-то... Однако посмотрим, что же говорит Нил дальше: «Я... знаю, что жизнь — тяжела, что порою она омерзительно жестка, что разнузданная, грубая сила жмет и давит человека, я знаю это, — и это мне не нравится, возмущает меня! Я этого порядка — не хочу!» Ну что ж, его можно понять: двадцать семь лет, влюблен в Полю, сделал ей предложение, собирается жениться, хочет жить своим домом, своей семьей, а не на положении воспитанника в чужом доме. Понятно, что ему все не нравится и хочется все изменить. И снова повторюсь: двадцать семь лет! Нил сам говорит, что хотел бы работать машинистом на курьерском поезде, который идет по рельсам с большой скоростью, ветер в лицо, все мелькает... Да он просто молодой парень, он протестует против скуки и однообразия, ему хочется активности, острых ощущений, адреналина, экстрима! Мои ровесники сплошь мечтают прыгнуть с парашютом или, как Кусто, опускаться с аквалангом на дно океана, а будучи школьниками, все хотели стать космонавтами, летчиками или пожарными. Ни о какой революции, как мне кажется, Нил и не помышляет, ему просто скучно и пресно в его повседневной жизни, и он хочет поярче ее раскрасить: «Я жить люблю, люблю шум, работу, веселых, простых людей!» Но об этом ученикам десятого класса говорить, конечно же, нельзя, и недопустимо учителю прямо противоречить учебнику, тем более «утвержденному Министерством просвещения РСФСР». Так что свои сомнения по поводу Нила придется оставить при себе.

Точно так же «при себе» я оставлю и некоторые другие вопросы, затронутые Горьким в «Мещанах». Например, вопрос отношения к пьянству и пьяницам. Впервые этот вопрос звучит уже в самом начале пьесы в разговоре Татьяны и Поли: «И почему это — умные люди пьянствуют?» Действительно, почему? Если верить Горькому, то я не так уж и глуп... Затем свой вклад в развитие темы вносит Тетерев — большой любитель спиртного: «Замечаете ли вы, что у пьяненького, подержанного птичника — жив дух и жива душа его, тогда как вы оба, стоя на пороге жизни, — полумертвы»... Занятное наблюдение! Выходит, меня полумертвым назвать нельзя, и это обнадеживает. И далее: «Я просто — пьяница, не больше. Вы знаете, почему в России много пьяниц? Потому что быть пьяницей удобно. Пьяниц у нас любят. Новатора, смелого человека — ненавидят, а пьяниц — любят. Ибо всегда удобнее любить какую-нибудь мелочь, дрянь, чем что-либо крупное, хорошее...» Во втором действии Тетерев рассуждает: «Лучше пить водку, чем кровь людей... тем паче, что кровь теперешних людей — жидка, скверна и безвкусна... Здоровой, вкусной крови осталось мало, — всю высосали...» А в четвертом действии Тетерев возвращается к собственной мысли, высказанной ранее: «...в России удобнее, спокойнее быть пьяницей, бродягой, чем трезвым, честным, дельным человеком». Судя по тому, с какой симпатией Горьким выписан образ торговца птицами Тетерева, автор пьесы с его суждениями согласен. Да и я, пожалуй, тоже.

В «Мещанах», как и во всех пьесах Горького, имеется самоубийство, только неудачное: Татьяна пытается отравиться, ибо влюблена в Нила, а Нил любит Полю и собирается на ней жениться. Как и в «Деле Артамоновых», и в «Дачниках», описывается суицидальная попытка от неразделенной любви. В обоих вариантах «Вассы» причина самоубийства горничной иная, но во всех случаях факт подлежит сокрытию от глаз общественности. Ибо — позор. Но в «Мещанах», в отличие от других названных выше произведений, достаточно подробно описана мотивация окружающих: самоубийство — позор не самоубийцы, а его близких. Бессеменов в отчаянии говорит жене: «Ведь — позор это нам с тобой! Дочь отравилась, пойми! Что мы ей — какую боль причинили? Чем огорчили? Что мы — звери для нее? А будут говорить разное... Мне — плевать, я всё ради детей стерплю... Но только — зачем? Из-за чего? Хоть бы знать... Дети! Живут — молчат... Что в душе у них? Неизвестно! Что в головах? Неведомо! Вот — обида!» Поистине, пьеса сыграла громадную роль в моей переоценке отношений с родителями. Я всегда считал и продолжаю считать, что они меня не понимают и не знают, каков я на самом деле. Так оно и есть. Но каково им это осознавать? Насколько им самим больно от этого? Вот об этом я никогда прежде не думал. Любопытным для меня было и осознание того, что в пьесе суицид детей оценивается как педагогическая недоработка родителей. Интересно, такое Горький придумал специально для «Мещан» или именно так думали в обществе в то время? Если это не выдумка писателя, а отражение реалий, то можно прийти к выводу, что за семьдесят лет наше общество сильно изменилось. Сегодня суицид считается проявлением психического заболевания, и неудачная попытка влечет за собой автоматическое помещение в психбольницу. После этого на карьере можно ставить крест. Родителей в «недоработках» никто не обвиняет, их начинают жалеть, потому что ребенок — псих, больной на голову, а они — несчастные, им не повезло. Пока не могу понять, в лучшую сторону изменились мы или в худшую?

Еще один вопрос, который заставил меня призадуматься еще при первом прочтении, в десятом классе, и не выходивший у меня из головы довольно долго, — действительно ли в тюрьме жить лучше, спокойнее и интереснее, чем на свободе? Монолог Елены из третьего действия меня ошарашил. Елена, вдова тюремного смотрителя, рассказывает: «Когда я жила в тюрьме... там было интереснее... Я была свободна, никуда не ходила, никого не принимала и жила с арестантами. Они меня любили, право... они ведь чудаки такие, если рассмотреть их поближе. Удивительно милые и простые люди, уверяю вас! ... когда мужа убила лошадь, я плакала не столько о нем, кажется, сколько о тюрьме... Было жалко уходить из нее... Здесь, в этом городе, мне живется хуже... в этом доме есть что-то... нехорошее. Не люди нехороши, а... что-то другое...» Неужели правда? Неужели жизнь на свободе может оказаться настолько тягостной, что лучше уж отправиться в тюрьму и «жить с арестантами»? В шестнадцать лет в моей голове были только недоуменные вопросы, но потом, позже, я нашел ответ. И до сих пор не знаю, правильный это был ответ или нет. Но проверять мне уже не хочется. В этой связи всегда вспоминаю «Крошку Доррит» Диккенса: отец главной героини много лет проводит в долговой тюрьме, занимая в арестантской иерархии далеко не последнюю позицию, и когда его долги погашаются и можно выходить на свободу, заключенного охватывают страхи и сомнения; он не хочет покидать тюрьму, свобода его пугает. Значит, не одному только Горькому такое пришло в голову. А это, в свою очередь, означает, что правда в этом есть, причем немалая. Но вопрос о тюрьме и свободе тоже не следует обсуждать с шестнадцатилетними комсомольцами...

* * *

Пресвятая Дева, как же я устал за сегодняшний день! До обеда наши дети делились своими впечатлениями от «Мещан», и сначала все шло относительно спокойно, но когда дошло до общего обсуждения, Артем с Сергеем сцепились не на жизнь, а на смерть. Камнем преткновения стали слова о том, что некоторые вещи лучше не понимать, ибо понимать их бесполезно. Сергей данный тезис поддерживал, Артем возражал. Но самые ожесточенные споры возникли вокруг трактовки темы добра и зла, как ее подает в пьесе Тетерев. Говорили быстро, увлеченно, перебивая друг друга, даже молчаливая обычно Евдокия включилась и проявила активность. Я едва успевал понять хотя бы половину, тем более что в этой части обсуждения ребята перестали следить за выбором слов и часто употребляли сленг. Хорошо, что мы пользовались диктофоном.

После обеда все снова собрались в рабочей комнате, участникам раздали распечатанный в шести экземплярах отрывок из «Записок молодого учителя», касающийся «Мещан».

— Прочитайте внимательно, а потом поговорим, — сказал я. — Экземпляры ваши, можете помечать и подчеркивать все, что сочтете нужным.

Быстрее всех, как и ожидалось, читать закончили Тимур и Марина, дольше всех над текстом сидел Артем, но я обратил внимание, что он прочел дважды. Занятный парень!

— У кого какие вопросы? Соображения? — спросил я, когда все шесть голов оказались поднятыми от бумаг.

Повисло молчание, которое прервал Сергей:

— Про тюрьму никто из нас не сказал... А ваш Владимир так много о ней написал... Это плохо, что мы не сказали? Мы оказались невнимательными?

— И про отношение к пьянству тоже не сказали, — добавил Тимур.

— И про Нила мы говорили только в связи с Татьяной, с тем, что она влюблена в него, а он любит Полю, — вставила Евдокия. — Нил сам по себе никого из нас не заинтересовал. Это означает, что мы не годимся для вашего исследования?

Ребята выглядели обескураженными и расстроенными. Слово взял Вилен.

— Это не хорошо и не плохо, это так, как есть, — успокаивающе проговорил он. — Сейчас я попробую объяснить вам суть нашей совместной работы на абстрактном примере. Представьте себе ситуацию: незнакомый вам человек покупает в магазине конфеты. Допустим, лимонные карамельки. И вам нужно догадаться, почему он купил именно их, а не клубничные, или абрикосовые, или вообще шоколадные. Конфет в магазине огромное множество, больше ста сортов, но он покупает именно эти. Почему? Самый простой ответ: он их любит, они вкусные. Мы наблюдаем за тысячью покупателей в этом магазине и видим, что эти лимонные карамельки спросом не пользуются, их почти никто не берет, значит, они не такие уж вкусные и популярность их не высока. И ищем следующий возможный ответ, а потом проверяем его. Цена? Нет, есть конфеты намного более дешевые. Мы перебираем все ответы, лежащие на поверхности, проверяем их и убеждаемся, что причина выбора лимонных карамелек нам неизвестна. Спросить у того человека мы не можем. Тогда мы приглашаем людей того же возраста и просим их выбрать конфеты из того же ассортимента. Предположим, с первого раза никто лимонную карамель не выбирает. Мы задаем вопросы, чтобы понять, чем руководствовались люди, когда делали выбор, а потом начинаем постепенно расширять круг обстоятельств, которые должны быть учтены при совершении выбора. Например, ставим задачу выбрать конфеты с учетом состояния здоровья. Или с учетом имеющихся условий хранения. Предлагаем подумать, что могло бы заставить вас купить именно эти конфеты или, наоборот, почему вы никогда в жизни их не выберете. И так постепенно, шаг за шагом мы приблизимся к совокупности обстоятельств, при которых выбор лимонной карамели станет единственно возможным. Это очень грубый и примитивный пример, тем более что выбор никогда не бывает единственно возможным, это миф. Всегда существует альтернатива, зачастую и не одна. Но общий принцип нашей работы должен быть вам понятен.

Сергей отреагировал первым:

— То есть вы собираетесь задавать нам вопросы, чтобы понять, почему мы в пьесе отметили одно и не заметили другое? Так, что ли? Вы об этом не предупреждали. Я на такое не подписывался.

— Мы будем благодарны, если кто-то из вас согласится отвечать на такие вопросы. Но точно так же отнесемся с пониманием, если кто-то откажется. В этом вопросе у нас полная свобода, — он слегка улыбнулся и продолжил: — Свобода выбора. Одни люди готовы прикладывать больше усилий, чтобы помочь, другие — меньше, это нормально.

— А от того, кто сколько усилий приложит, зависит оплата? — спросил Тимур.

Вилен перевел взгляд на меня.

— Нет, — ответил я, — деньги, указанные в соглашении, получит каждый, кто дойдет до финала, независимо от объема помощи. А вот премия от этого объема зависит напрямую. Мы будем выяснять финансовые вопросы или все-таки начнем работать?

Руку подняла Евдокия. Редкий случай.

— Автор «Записок» называет себя трусом, подлецом и дураком. Кроме того, он недвусмысленно дает понять, что у него проблемы с алкоголем. Причины этого известны?

Ну, слава богу! Протеже Назара решила помочь вернуться в рабочее русло.

— Причины не известны, о них можно только догадываться. Проблемы с алкоголем действительно были, во всяком случае, таково заключение наших специалистов — доктора и психолога, в записях матери Владимира об этом тоже упоминается. Что же касается «труса, подлеца и дурака», то это нам как раз и предстоит выяснить. Вернее, не выяснить, а попытаться хотя бы приблизительно реконструировать. Мы все будем придумывать и обсуждать версии, которые объяснят, почему в текстах Горького Владимир Лагутин обращал внимание на конкретные места, почему соглашался или не соглашался с автором и его персонажами и что могло бы происходить в его жизни, из-за чего он написал именно то, что написал, и именно так, как написал.

Сергей вроде бы немного успокоился. Но до чего же сильна у него постоянная готовность подозревать всех и каждого!

— Я бы, наверное, тоже запил, если бы меня запихнули в институт насильно и заставили работать там, где я не хочу, — заявил он. — В общем, неудивительно, что у него были проблемы с алкоголем. Даже представить себе не могу, как можно человека заставить получать образование, которое он получать не хочет. Били его, что ли? Или наручниками к батарее приковывали?

— Если вам действительно интересно, как именно заставляли в те времена, то Галина Александровна ежедневно с семнадцати до восемнадцати часов будет проводить занятия по культурологии, на которых подробно расскажет, как люди жили в советской стране в семидесятые годы. Посещение занятий не является обязательным. Те, кому интересно, могут приходить к семнадцати часам в эту комнату.

— Ну, зачем такой официоз, — рассмеялась Галия. — Пусть приходят ко мне на первый этаж, у меня теперь роскошные хоромы, целых три комнаты на меня одну. Посидим, чайку попьем с печеньем или с карамельками, поговорим.

С грехом пополам мы кое-как обсудили «Записки» и разошлись. Ничего, первый блин всегда бывает комом, кажется, так говорят в России. Завтра Вилен проведет первое тестирование, чтобы выяснить, чем отличаются друг от друга те, кто хотя бы в чем-то совпал с Володей Лагутиным, и те, кто не совпал ни в чем. А там посмотрим, как пойдет.

* * *

Ирина на ужин не пошла, сославшись на необходимость хотя бы иногда соблюдать диету.

— Разнесло меня в последнее время, — пожаловалась она Дуне, — набрала килограммы, а на толстушек в нашей профессии спроса почти нет. Ты сходи поешь, а я кино посмотрю.

— Принести что-нибудь? Может, бутерброд или салатик? — предложила Дуня.

— Ни в коем случае! Я ж не выдержу, у меня воля слабая. Как съем первый кусочек — так и начну мести все подряд. Иди, а я кино посмотрю, отвлекусь от мыслей о еде.

— Что будешь смотреть?

— Выберу что-нибудь, тут, — она кивком головы указала на тумбу под телевизором, — старых фильмов полно.

Ирина сама предложила, чтобы Дуня не обращалась к ней на «вы», и Дуню это вполне устраивало. С актрисой ей было спокойно и уютно, Ирина очень точно чувствовала состояние и настроение Дуни, хотя причин не знала. Кажется, это называется «чувствовать партнера»...

Дуня сходила в столовую, обрадовалась, что есть свободный стол и можно ни к кому не подсаживаться, поужинать в одиночестве. Вести разговоры ей не хотелось. И вообще не хотелось разговаривать ни с кем и ни о чем. Хотелось только молчать. Каждое слово давалось ей с трудом и, казалось, отбирало последние силы. После сегодняшнего обсуждения она чувствовала себя измотанной и ослабевшей.

Руководителям и сотрудникам еду приносила Надежда Павловна, все остальные должны были получать свои тарелки на кухне и уносить на пластмассовом подносе. Руководителям — Уайли и Назару Захаровичу — всегда подавали в дальнюю комнату, прочие же «старшие» вольны были сами решать, где питаться, но если предпочитали устраиваться там же, где участники, то и подносы с едой приносили сами.

— А Ирочка что же не пришла? — спросила Надежда Павловна, накладывая в тарелку нечто под названием «бифштекс с яйцом».

— Худеет, — коротко пояснила Дуня.

— На гарнир что положить, макароны или гречку?

— Давайте гречку. Только без подливки, если можно.

Надежда Павловна внимательно посмотрела на нее.

— Бледная ты какая, Дуся... Не болеешь?

Никто никогда не называл ее Дусей, и слышать такое обращение было непривычно и почему-то неприятно. Но возражать не было сил. Ладно, пусть будет Дуся, какая разница?

— Или устала? — продолжала заботливо выспрашивать Надежда Павловна. — Я так поняла, что у вас сегодня был напряженный день, начальники наши тоже не приходили, попросили им на пятый этаж подать. Ну, они-то ладно, они в возрасте, могли и устать. А вы-то, молодежь, чего скисли?

Почему-то Дуне вспомнились слова Татьяны из «Мещан»: «Я навсегда устала... на всю жизнь устала». Именно это она сейчас и чувствует. Может, зря Дуня присоединилась к тем, кто считает Татьяну неприятной личностью? Может, эта девушка, ее ровесница, действительно обессилела, как и сама Дуня?

— Устала, — равнодушно согласилась она и, поблагодарив повара, унесла свой поднос с тарелкой и стаканом какао. Стакан был граненый, а на поверхности напитка плавала противного вида пенка.

Есть не хотелось совсем, но Дуня дала Ромке честное слово не голодать и не пропускать завтраки, обеды и ужины. «Тебе нужно набираться сил, — твердил он. — Организм должен точно знать, что три раза в день в одно и то же время он получит еду, тогда он расслабится и перестанет экономить энергию. До тех пор, пока он в этом не уверен, он старается не тратить энергетический запас, а то вдруг еще долго ничего не дадут... Как только он начинает экономить, у тебя заканчиваются силы. Организм — это компьютер, при отсутствии питания он уходит в спящий режим. И очень не любит, когда его пугают стрессами или голодом». Откуда у Ромки в голове возникла такая теория — непонятно. Но он стоял на ней твердо и непреклонно. Хотя как знать... Возможно, теория правильная. Дуня с ним не спорила, просто пообещала делать, как он велит. Она не кривила душой, когда на собеседовании в мае сказала, что готова хоть полы мыть, хоть нужники чистить, да она на самом деле готова была хоть дохлых мышей есть, лишь бы выправить ситуацию и снова стать той Дуняшей, которую любил самый лучший на свете мужчина, ее Ромка. Если для этого нужно давиться, но есть три раза в день, она будет давиться и есть.

За соседним столом ужинали бабушки — Галина Александровна и Полина Викторовна, разговаривая о чем-то оживленно, но очень тихо. «Наверное, про деньги, — вяло подумала Дуня. — Теперь все будут говорить только о деньгах, которые вчера пообещал Уайли. Совсем с толку сбил... С одной стороны, простимулировал нас, но с другой — отвлек от решения задачи».

За столом чуть подальше сидели парни — Артем, Тимур и Сергей. Они уже поели и даже отнесли подносы с грязной посудой на кухню. Теперь в центре стола лежал фотоаппарат какой-то старой модели, Тимур что-то показывал и объяснял, то и дело поглядывая на Дуню. «Только бы не привязался с разговорами», — подумала она, стараясь побыстрее впихнуть в себя рубленое мясо, обсыпанное панировкой, и сухую гречку.

Но доесть ей не удалось: все трое нарисовались перед ее столом, и Дуня не успела ничего понять, как Тимур уже щелкал фотоаппаратом. Она с досадой бросила вилку на стол.

— Зачем это? Убери камеру.

Подумала и добавила:

— Пожалуйста.

У нее не было сил даже на то, чтобы сердиться.

Симпатичный высокий Сергей ткнул бородатого очкарика локтем.

— Извини. Тим всех фотографирует, хочет сделать подробный репортаж о нашем квесте. Всех уже сфоткал — и нас, и девчонок, и кураторов, ты одна осталась.

— И что, обязательно делать это в столовой, когда я ем? И обязательно сегодня?

— Обязательно сегодня, — вступил очкарик. — Сегодня первый день квеста, должен быть полный фотоотчет. А у тебя антураж суперский получается: стол убогий, тарелка со старой едой, даже вилка старая, алюминиевая, теперь таких наищешься. И стакан граненый, это вообще шикардос!

— Тим даже аппаратуру для печати с собой привез, — объяснил Сергей, — и реактивы.

— Ага, — подхватил Тимур, — все старое, как положено. Будем стенгазету выпускать.

— Стенгазету? — Дуня чуть нахмурилась. — Зачем?

Она ничего не знала о хипстерах, и вся эта возня со старой техникой была для нее непонятной. Слово, конечно, было известным, но ей отчего-то казалось, что мода на хипстерство сошла на нет уже несколько лет назад.

— Ну ты что! — искренне возмутился очкарик. В семидесятые годы стенгазеты всюду делали: в школах, в институтах, в офисах... в смысле, в конторах всяких. И на заводах тоже. Фотки обязательно были, заметки всякие, информация. Нам Галина сегодня рассказывала.

Ах да, культуролог же что-то говорила о занятиях с пяти до шести вечера, к себе на первый этаж приглашала... Неужели этот прыткий очкарик к ней ходил?

— Ладно. — Дуня обреченно махнула рукой. — Давай, только быстро.

— Серега, вставай рядом, — скомандовал Тимур. — Я вас вдвоем сфотаю.

Дуне было все равно, лишь бы от нее поскорее отстали. Сергей с готовностью встал рядом с ней, и Тимур сделал несколько снимков с разных ракурсов.

— А теперь втроем. Артем, вставай к ним.

Артем послушно подошел к Дуне с другой стороны.

— Ну улыбайтесь же! — сердито восклицал Тимур. — Стоите, как дерьма наелись. Давайте фейсы чизом. И обнимитесь, что ли, а то никакого настроения в кадре нет.

Обниматься с Сергеем и Артемом не хотелось совсем, но Дуня мужественно перетерпела прикосновение их рук к своим плечам. И даже попыталась улыбнуться.

Она надеялась, что на этом испытание закончится, но остановить разошедшегося хипстера оказалось не так легко. Он находил все новые и новые ракурсы, хотел, чтобы в кадр попало то одно, то другое, то открытая дверь в дальнюю комнату, чтобы в проеме были видны столы со скатертями и приборами, то стойка с грязной посудой и подносами, находящаяся в углу...

— Теперь сыграем на контрастах, — заявил Тимур. — Антураж старый, а люди современные. Должно получиться прикольно. Евдокия... Да, кстати, как тебя называть-то, если по-простому?

— Можно Дуней, — ответила она.

И неожиданно для самой себя улыбнулась. Несмотря на недовольство и раздражение, которое вызывала в ней вся ситуация и необходимость позировать, она вдруг почувствовала, что ей стало легче. Наверное, от этого неугомонного, веселого паренька исходила энергия, подпитывавшая все и всех вокруг него. А в самом деле, почему не подурачиться?

Все трое снова обнялись и скорчили уморительные рожицы, а Артем и Сергей выставили вперед свободные руки с растопыренными указательным и средним пальцами, как это теперь принято для обозначения хорошего настроения.

— Всем спасибо, съемка окончена! — торжественно объявил Тимур и вдруг спросил: — А чего у тебя имя такое старомодное? Родоки хипповали, что ли?

Дуня не успела решить, объяснять про любимый фильм бабушки или не имеет смысла, когда вместо нее ответил Сергей:

— Балбес ты, Тимка. Зато Евдокия уникальная, ни на кого не похожа, ее ни с кем не спутаешь. Иметь уникальное имя — это круче, чем иметь уникальную внешность. Внешность может измениться, а имя никуда не денется.

Смешной парень! Дуня никогда не чувствовала себя уникальной и не стремилась к этому. Да, ее имя удивляло многих, да что там многих — всех без исключения, кто с ней знакомился. Но она привыкла к этому еще с детсадовских времен, если спрашивали — объясняла про фильм «Евдокия» и никогда не злилась.

— Какие планы на вечер? — спросил Артем.

— Я — аппаратуру налаживать и печатать, — тут же сообщил очкарик. — За ночь снимки высохнут, и завтра сможете сами все увидеть.

Сергей пожал плечами.

— Не знаю, не определился.

— Может, выйдем, пройдемся? — предложил Артем. — Дуня, ты как? Пойдешь с нами?

Она с удовольствием вышла бы на воздух после целого дня, проведенного в жарком, душном помещении, но мысль о том, что нужно будет разговаривать, поддерживать треп в компании с двумя молодыми людьми, ее ужаснула. А ведь еще будет кто-то из старших...

Она вежливо отказалась.

— Жаль. — Артем, кажется, непритворно огорчился. — Моего временного надзирателя, Вилена, вызвал главный, я подумал, твоя Ирина могла бы с нами пойти, если она не занята. Но если ты не идешь, тогда... что ж... ладно, будем искать другого куратора.

— Юру не трогайте, — вставил Тимур, — он мне самому нужен.

Все трое одновременно посмотрели на культуролога и пожилую актрису, всё еще сидевших за столом. Они взяли в буфете сочники с творогом и наслаждались неспешным чаепитием.

— Не, — Сергей отрицательно мотнул головой и рассмеялся, — не годится. Мы с Артемом по пивку вдарим, нам старушки только мешать будут. Своего Гримо не хочу тащить, он поговорить любит, будет всю дорогу по ушам ездить. Надо кого-нибудь поспокойнее сблатовать.

— Доктора позовите, — посоветовала Дуня. — У него на лице написано, что он не болтун.

— Точно! — обрадовался Артем.

Дуня вернулась к себе, благо идти было недалеко: им с Ириной досталась однокомнатная квартира рядом с Надеждой Павловной и Наташей, на том же втором этаже. Едва открыв дверь, она услышала музыку и женский голос, доносившийся из телевизора:

Позвони мне, позвони!
Позвони мне, ради бога!

Едва начавший распускаться цветок хорошего настроения в ее душе моментально увял. Была бы ее воля, она бы пела: «Не звони мне, не звони!»

За несколько дней до ее отъезда из Москвы Денис внезапно сменил пластинку, перестал рассказывать Дуне, какая она глупая и никчемная, и начал умолять вернуться. Говорил, что умрет, если она его бросит, не выживет без нее, угрожал покончить с собой.

— Ты в ответе за того, кого приручила, — говорил он страдальческим голосом. — Я не могу без тебя, я пропаду. Ты потом всю жизнь не простишь себе, если из-за тебя я...

Он и говорил это, и писал в сообщениях. Дуня довольно быстро приучила себя не выходить в сеть, ни с кем не общаться в виртуальном пространстве и не читать сообщения. Множество знакомых обиделись на нее, и это было неприятно, но зато Денис не мог ее достать. А вот грамотно управляться с телефоном она так и не научилась, по-прежнему отвечала на все звонки и читала эсэмэски и сообщения в вотсапе. Она считала неприличным и неприемлемым прятаться и не отвечать и злилась на себя за то, что не может найти убедительных аргументов в пользу своего поведения, которое всем вокруг казалось необъяснимым и глупым. Просто она так чувствовала. И потом, для того, чтобы не отвечать на звонки, требуется усилие, на которое у нее не хватает внутреннего ресурса.

— Ты не можешь быть такой жестокой...

— Ты же знаешь, как я тебя люблю...

— Ты будешь виновата, если...

Всего этого Дуня наслушалась досыта за последние дни в Москве и теперь радовалась, что можно не вздрагивать от каждого звонка. И все равно вздрагивала. Ирине звонили часто: и ее родители, с которыми осталась дочь Ирины, и многочисленные подруги, и какие-то сотрудники продюсерских центров, занимающихся антрепризами. Каждый раз, услышав звонок, Дуня обмирала и думала: «Это Ромка, сейчас он скажет, что прочитал в сводке про самоубийство Дениса». Она будет виновата. Во всем виновата.

Ирина смотрела какой-то фильм, полулежа на диване.

— Что смотришь? — спросила Дуня.

— «Карнавал». Как поужинала?

— Нормально. Там мальчишки меня в оборот взяли, заставили фотографироваться.

— Ага, — рассмеялась Ирина, — меня тоже терзали, когда на лестнице отловили.

— Они меня погулять звали.

— А чего не пошла?

Дуня помолчала, потом решила сказать правду:

— Разговаривать не хочется.

Ирина оторвалась от экрана и посмотрела на нее.

— А погулять?

— Я бы с удовольствием, но ведь с ними болтать надо. Нельзя же идти и молчать, как надутая мышь.

— Нельзя, — согласилась Ирина.

Она легко соскочила с дивана и выключила фильм.

— Собирайся. Возьми книжку какую-нибудь, пойдем к озеру, посидим, почитаем на свежем воздухе.

Дуня хорошо запомнила ту часть правил, которая касалась походов на озеро, поэтому нашла и сложила в большой пакет старое тонкое одеяло, на котором, судя по черным овальным следам, гладили вещи в те времена, когда еще не было современных гладильных досок. С книгами, правда, вышла незадача: их было совсем немного, всего пять или шесть, и ни одна из них интереса у Дуни не вызвала. Привозить с собой современные издания не разрешалось, читать можно было только то, что издавалось в семидесятые годы или ранее, так что теперь придется довольствоваться тем, что удалось достать Юрию. Хорошо еще, что организаторы сделали поблажку, позволили пользоваться книгами, переизданными после 1980 года, но только при условии, что до 1980 года они издавались и были доступны читателю. Парфенов, Фадеев, Иванов, Белль, Барбюс... Нет, ничего этого Дуне читать не хотелось.

— Что же делать? — растерянно спросила она.

— Идти по соседям, по знакомым, спрашивать, дадут ли что-нибудь почитать. Все так делали в те годы. Хороших книг в магазинах почти не было, друг у друга брали. Или в библиотеках.

— Библиотека есть в поселке, не знаешь?

— Назар говорил, что вроде есть, но убогая совсем. Можно в город поехать, там хороших библиотек много. Сегодня мы все равно уже всюду опоздали, а завтра, если захочешь, съездим в город, наберем книг.

После быстрого похода по этажам, занявшего всего минут десять, выяснилось, что у всех в квартирах, где им открыли дверь, имеется примерно такой же скучный набор художественной литературы: разрозненные тома из собраний сочинений русских и зарубежных классиков и прогрессивных западных писателей. Ну и советских авторов, разумеется, тоже. Никаких детективов, фэнтези и любовных романов, одним словом, ничего такого, что Дуне приятно было бы почитать летним вечером на природе. Ирина обнаружила у Виссариона Иннокентьевича «Мартина Идена» Джека Лондона, актер, посмеиваясь, одолжил ей книгу с предупреждением:

— Только до завтра, я сам настроился перечитать.

Последней, к кому они зашли, была Галина Александровна, проживающая на первом этаже и уже вернувшаяся из столовой.

— Я вам скажу по секрету: у Вилена есть Конан Дойл, все восемь томов, — сообщила она, и ее темные глаза под густыми бровями лучились сдерживаемым смехом. — Он вам не сказал? Скрыл?

— Там не открыли, — вздохнула Дуня. — Артем пошел гулять с Сергеем, а Вилен занят.

— Ах да, верно, я и забыла, его Ричард позвал наверх. Вилен оказался самым предусмотрительным из всех нас, у него дома хорошая библиотека, еще его дед начал собирать, а родители продолжили, так он целый чемодан книг привез с собой. У него не только Конан Дойл есть, но и сборники зарубежных детективов, их с шестьдесят восьмого года начали выпускать, и Хейли кое-что, и фантастика — Кларк, Азимов, Шекли. Я тоже много книг взяла из дома, но это все специальная литература, не худлит, мне для работы нужно, так что вам даже не предлагаю. А что ж вы сами-то не озаботились чтением, не привезли с собой ничего?

Ирина сказала, что планировала все свободное время проводить за просмотром старых фильмов и спектаклей.

— Дома никогда не хватает времени на это, а ведь нужно! Старых мастеров очень полезно смотреть, можно многому научиться. Я еще в прошлый раз целую программу себе наметила.

— А ты? — обратилась к Дуне Галина Александровна.

— Я уже давно электронные читаю, в основном с телефона, у меня дорога длинная от дома до работы и назад, — пояснила та, словно оправдываясь. — И вообще не привыкла думать об этом, ведь всегда есть чем заняться и в дороге, и в очереди, и когда ждешь... Игрушки всякие, новости почитать, попереписываться, кино можно посмотреть, музыку послушать. С телефоном скучно не бывает.

— То-то и оно, — вздохнула культуролог. — У вас в телефонах вся жизнь, вы без них как без воздуха. А мы, когда молодыми были, из дому без книжки только в магазин за хлебом или на свидание бегали, во всех других случаях обязательно в первую очередь думали: что почитать в дороге или в очереди. В поликлинику — с книжкой, за справкой какой-нибудь — с книжкой, в транспорт — с ней же, если ехать больше трех остановок. В поезд, в самолет. В командировку, в отпуск, в больницу. Даже не знаю, чем тебе помочь, Евдокия. Ты же не станешь читать про культурный контекст творчества поэтов-шестидесятников? Хотя монография хорошо написана, легко.

Нет, про культурный контекст Дуня совсем не хотела читать. Но выручила Ирина.

— Я с удовольствием почитаю, а Дуне Джека Лондона отдам.

Вообще-то Джека Лондона Дуня тоже не хотела, но в любом случае, наверное, про Мартина Идена читать интереснее, чем про этот контекст и про поэтов, творивших полвека назад.

До озера дошли быстро. Дуня пыталась заставить себя рассматривать по дороге вывески, чтобы получить хотя бы приблизительное представление об инфраструктуре, но постоянно уходила мыслями в собственные проблемы и забывала глядеть по сторонам. Было еще совсем светло, но народу на пляже оказалось на удивление мало, всего пара компаний, одна из которых оккупировала беседку и под громкую музыку веселилась, а вторая, состоявшая из четверых подвыпивших картежников, устроилась на травке вокруг скамейки, используя последнюю в качестве ломберного столика. Остальные скамейки пустовали, но Ирина проявила строгость:

— Будем считать, что скамеечка единственная, и она занята. Давай отойдем подальше.

Они расстелили одеяло в противоположной части пляжа, поближе к соснам, где никого не было. Музыка и пьяные радостные выкрики и здесь были слышны очень хорошо. Наушники сейчас пригодились бы... Но организаторы почему-то не разрешили ими пользоваться. Неужели в семидесятые годы не было такой простой и необходимой вещи? Трудно поверить!

Скинув сарафаны, Дуня и Ирина поплавали и уселись на одеяло, завернувшись в принесенные с собой полотенца.

— Купальники у нас — курам на смех, — заметила Ирина. — Хорошо, что нас никто не видит, мы с тобой, слава богу, никому здесь не интересны. Повезло нам, сейчас мода сильно опростилась, можно носить что угодно, никто и внимания не обратит. Джинсы, майка — и никаких вопросов. Но это, конечно, только для лета годится. Попробовала бы ты выйти зимой в тканевом пальто с меховым воротником и в кроличьей шапке...

— В психушку забрали бы, наверное, — равнодушно согласилась Дуня.

Они, прикрывая друг друга полотенцами, стянули мокрые купальники, переоделись в сухое, натянули сарафаны и улеглись, раскрыв книги. Ирина читала увлеченно, было видно, что ей интересно, а Дуне стало скучно с первой же страницы. Полистав книгу и поняв, что роман ей не нравится, перевернулась на спину и стала смотреть на облака. Как хорошо существовать в уверенности, что не зазвонит телефон! То есть он, конечно, может зазвонить, но у Ирины в сумке, а не в квартире, и это никак не может оказаться ни Денис с очередными манипуляциями, ни Ромка с плохими известиями о Денисе. Сотрудники могли беспрепятственно пользоваться мобильными телефонами вне дома, то есть там, где поставленное месяц назад хитрое устройство не глушило сотовую связь, и носить нормальную одежду. Но Ирина из солидарности со своей подопечной одевалась так же, как молодые участники квеста.

— Что, не читается? Не нравится? — послышался голос Ирины.

— Не-а, — вяло откликнулась Дуня.

— Будешь молча лежать и мысли гонять? Или хочешь поговорить?

— Поговорила бы, но сил нет.

Ирина закрыла книгу, села, внимательно посмотрела на нее.

— Кто ж тебя так прихлопнул, дорогуша? Неудачный роман?

Дуня не отвечала. Можно ли назвать ее отношения с Денисом неудачным романом? Вряд ли. Роман-то как раз был удачным, да только неправильным, ненужным, вытянувшим из нее всю энергию и все самоуважение. Если что-то считать неудачным, то, наверное, последствия этого романа. Рассказывать о Денисе не хотелось, но поддержать разговор нужно, иначе невежливо получится.

— Ира, ты замужем?

— Была. Давно и недолго.

— Дочка от мужа?

— Нет, от другого. Родила через два года после развода. Марина, между прочим, правильно сказала на обсуждении...

Дуня удивленно повернулась к ней.

— Тебя же не было на обсуждении.

— Нам после обеда давали послушать то, что вы до обеда наговорили. Вы «Записки» изучали, а мы запись слушали. Это часть нашей работы. Ты не думай, что мы бездельничаем и только за вами надзираем. Так вот, Марина сказала, что милые, добрые, приятные женщины — легкая добыча для мужчин. Это правда. На милых и добрых все с удовольствием женятся.

— Разве это плохо?

— Не в том дело. Большинство мужчин — потребители, им женщина нужна для того, чтобы ее использовать. Использовать можно, конечно, по-разному, но я сейчас говорю не о деньгах или административном ресурсе, а о чистом использовании либо в качестве подпорки, либо в качестве куклы для битья. Вот я всегда была милой, доброй и приятной, а что имею в результате? Ко мне прилеплялись либо слабаки и нытики, которым нужно было, чтобы я их жалела, либо нарциссы, которые хотели жить так, как им удобно, и требовали, чтобы я не только принимала их вместе с их жизнью, их друзьями, пьянками и бабами, но еще и восхищалась, открыв рот. И еще благодарна была за то, что оказали мне честь и удостоили меня своим вниманием.

— И как же ты? — спросила Дуня уже с интересом. — Сама уходила? Или они тебя бросали? Извини, если я бестактно говорю...

— Ничего, нормально, — Ирина улыбнулась. — С нытиками по-всякому бывало, а с нарциссами вариант только один: уходить самой. Причем не просто уходить, а убегать, сверкая пятками. Нарцисс никогда по доброй воле женщину не отпустит, пока она жива. О, как глаз у тебя загорелся! Сама попала, что ли?

Дуня кивнула.

— Сочувствую. И на каком ты этапе? Еще полная дура или без тебя уже невозможно жить?

Дуня посмотрела на нее с изумлением. Неужели Ромка был прав и в поведении Дениса нет ничего необыкновенного? Неужели таких Денисов — видимо-невидимо, и их образ мысли описан в умных книгах, и попадаются они на каждом шагу, и даже Ире попадались?

— Уже невозможно жить, — осторожно ответила она. — Суицидом угрожает.

— Ясно. А ты, конечно, боишься, что это правда? И заранее чувствуешь себя виноватой?

— Ага.

Дуня с облегчением поняла, что Ирине можно ничего не объяснять подробно, она и так все понимает.

— Плюнь и не верь, — уверенно посоветовала Ирина. — Выбросить из головы, конечно, не получится, даже советовать не буду такую глупость, потому что сама два раза попадала и знаю, что выбросить из головы невозможно. В первый раз я совсем молоденькой была, студенткой еще, в театральном училась, когда дело дошло до второго этапа — звонил и говорил, что у него сердечный приступ и он умирает. Я уже с будущим мужем встречалась, дело к свадьбе шло, а этот тип все не мог успокоиться и отстать от меня, смертью своей угрожал. Один раз очень натурально получилось, я поверила, перепугалась, маме сказала, мама тоже поверила и вызвала «скорую» на его домашний адрес. Мы с ней подхватились и помчались на такси. По дороге я от нее выслушала целую лекцию о том, что нужно быть добрее и уметь сопереживать, и вообще нельзя так обращаться с достойным человеком, и я сама виновата в том, что довела его до сердечного приступа... Приехали, а он сидит живой, здоровый и веселый, чаек попивает, телевизор смотрит. Мы раньше «Скорой» добрались, так маме еще пришлось с врачами потом объясняться, когда они приехали, извиняться за ложный вызов. Ну и от врачей мы тоже наслушались, сама понимаешь. Малоприятно было, конечно, зато поучительно, и после этого он отстал.

— А второй?

— Второй был позже, дочке уже пять лет исполнилось. Но тут я долго терпеть не стала. Сначала все развивалось по той же схеме, он меня унижал и гнобил, я переживала и плакала, а потом вдруг поняла, что это на дочке отражается. Ребенок маленький, а я все время в плохом настроении, подавлена, расстроена... В общем, как только я заметила, что ребенок страдает, — всё, как отрезало. До этого я всерьез относилась к угрозам, что весь театр узнает, какая я глупая и никчемная, бездарная и непрофессиональная и что я могу только под его бесценным руководством играть хотя бы совсем маленькие роли, а без него я — полное ничтожество. Он режиссером был в театре, где я тогда работала. Не главным, конечно, не худруком. И ведь я ему верила! Когда опомнилась — решила: пусть все знают, что я бездарная, пусть я всю жизнь буду играть эпизоды, но ребенок страдать не должен. Меня давно уже приглашали в другой город, в ТЮЗ, а я всё боялась оторваться от своего благодетеля, думала, без него все сразу поймут, что я ни на что не гожусь. И никогда у меня не будет главных ролей. Амбиций по молодости много было...

Она легко вздохнула и рассмеялась.

— Амбиции — это вещь полезная, спору нет. Но ребенок важнее. И я уехала. Хотя второй этап с причитаниями «вернись, я все прощу» пришлось вынести. Но после того случая со «Скорой» устойчивость к подобным фокусам сильно повысилась.

Ирина умолкла, задумчиво глядя на озеро. Потом негромко и мягко добавила:

— Когда они перестают давить и начинают просить, невольно сразу вспоминаются все самые лучшие моменты, самые светлые дни, и кажется, что все можно вернуть, начать сначала, и опять будет любовь, радость, восторг... Да?

Дуня молча кивнула.

— На это и расчет. Не поддавайся. Не верь. Такие типы испытывают радость только тогда, когда видят унижение и боль партнера, это помогает им чувствовать себя на пьедестале, любоваться собой и наслаждаться собственной силой, умом и красотой. Я понимаю, что тебе трудно. Но нужно терпеть.

— Долго?

— Все, что имеет начало, имеет и окончание, — улыбнулась Ирина. — Нет ничего бесконечного в жизни людей. Может быть, долго, может быть, не очень, но оно обязательно закончится. Обязательно. Я тебе обещаю.

Картежники бросили игру, разделись и побрели к воде. Плавать не стали, окунулись и теперь медленно, вразвалочку направлялись к Дуне и Ирине.

— Девчонки, полотенцем не поделитесь? — заговорил один из них, подойдя поближе.

Остальные не торопясь подтягивались. «Ну вот, — обреченно подумала Дуня, — началось».

— Извините, мальчики, не поделимся, самим не хватает, — спокойно ответила Ирина.

Рядом с первым переговорщиком встал второй, чуть помоложе, лет двадцати, как показалось Дуне.

— А чего это такие красивые — и полотенец не хватает? — вступил он. — У красивых телочек всего должно хватать, и полотенец, и мужиков. Непорядочек. Надо это исправить.

Дуня сжалась, от напряжения даже плечи свело. А Ирина была все так же невозмутима.

— Мальчики, ну посмотрите на меня. Какая из меня телочка? Вы знаете, сколько мне лет? Да я уже старуха, у меня дочка вашего возраста. Кому я нужна?

Она быстрым движением подняла подол сарафана и сделала приглашающий жест рукой.

— Ты наклонись, посмотри, какой целлюлит. Видишь? Нет, мои дорогие, я давно ушла из большого секса. От меня толку никакого.

Картежники, словно повинуясь невидимой указке, дружно наклонились, рассматривая пышные бедра. А Ирина все продолжала говорить:

— Видите? Ни на что уже не гожусь. И полотенца у нас мокрые. С нами только время зря потеряете.

Она говорила, не умолкая, а парни уже окружили их со всех сторон. Дуня затравленно озиралась, пытаясь сообразить, как правильно поступить. Закричать, чтобы услышала компания, веселящаяся в беседке? Не факт, что услышат, очень уж громкая у них музыка. А если услышат, то не факт, что помогут. Может, они такие же отмороженные, как эти картежники. Дотянуться до сумки Ирины, найти мобильник и вызвать полицию? Или попробовать пересечь пляж и добежать до улицы, где Дуня заметила столб с оранжевой коробкой? На таких коробках обычно расположены тревожные кнопки для вызова полиции...

— Ладно, — вдруг раздался ленивый голос одного из приставал, — уболтала. Бабы, которые так много языком мелят, и вправду ни на что не годятся, проверено. Но мы на вас время потратили, так что придется расплатиться. Давай мобилу — и разойдемся друзьями. И бабла, сколько есть.

«Хорошо! — обрадовалась Дуня. — Сейчас Ира достанет телефон, чуть замешкается и вызовет полицию, это же быстро, всего три цифры набрать».

— Мобилы нет, — беззаботно сообщила Ирина и протянула сумку. — На, проверь сам.

Обладатель ленивого голоса, вероятно, главный в компании, принимающий окончательные решения, до осмотра сумки не снизошел, молча передал ее тому, который заговорил первым.

— Нету, — удивленно протянул тот. — И бабла всего ничего, две монеты по десятке.

— Да быть такого не может, чтоб мобилок не было, — возбужденно заговорил тот, что выглядел самым молодым. — Ты вторую обшмонай. И под полотенцами проверь, может, спрятали.

Ирина поднялась, потянула Дуню за руку, приказав одними глазами: «Делай, как я». Дуня послушно встала, обе сделали пару шагов в сторону, освобождая пляжным гулякам поле для деятельности. Ноги от страха ослабели, она покачнулась и чуть не упала, но Ирина успела ухватить за плечо и поддержать. Трое парней, в том числе и тот, с ленивым голосом, которого Дуня сочла главным, торопливо и неловко разбрасывали полотенца и мокрые купальники, листали книги, потрошили сумки. У Дуни в кошельке было рублей триста, и эта сумма немедленно перекочевала в карман одного из картежников.

— Бабки есть, значит, и мобила должна быть, — уверенно произнес он. — Сама отдашь? Или раздеть тебя придется?

— Мальчики, не напрягайтесь, — Ирина говорила по-прежнему спокойно, — нет у нас телефонов. И плееров тоже нет. У нас вообще ничего нет. Нам не разрешают.

— Ага, щас, — протянул ленивый, он же главный.

— Отвалите, — негромко, но очень твердо произнес четвертый, до этого стоявший словно чуть в стороне и не проронивший ни слова, но внимательно наблюдавший. — У них действительно ничего нет. Они из выселенного дома, мне дядька говорил, у него сосед по гаражу в полиции работает.

— Но бабки-то есть, — возразил тот, которому посчастливилось найти у Дуни в сумке деньги. — А ты говоришь: ничего нет. Раз бабки есть — значит, дядькин сосед гонит.

— Отвалите, я сказал! — Четвертый повысил голос. — У них подвязки на уровне Кочубея. Или вам проблемы нужны?

Картежники неохотно побросали на одеяло сумки, в которых все еще надеялись найти хоть что-нибудь, из чего можно извлечь либо деньги, либо пользу.

— Считайте, телки, что вам повезло, — бросил на прощание тот, который взял деньги.

Дуня и Ирина стояли неподвижно, глядя вслед удаляющимся парням, которые вернулись к своей скамейке и уселись на нее, предварительно собрав карты.

— Уф-ф, — вздохнула Ирина и начала складывать полотенца, мокрые купальники и одеяло. — Кажется, обошлось. А могло и не обойтись. Хорошо, что я телефон не взяла, как чуяла, потому и кошелек дома оставила. А ты зачем столько денег с собой потащила?

— Не знаю... По привычке. Ну как без денег из дома выходить? А вдруг на такси придется ехать? А вдруг купить что-то?

— Купить... — проворчала Ирина. — Забыла, в каких условиях мы должны жить? Где ты что купишь-то после восьми вечера? Закрыто все! Сколько раз повторяли — ничего у вас в голове не держится. Это сейчас у вас и такси под боком каждую минуту, и магазины круглосуточные, а в те времена ничего этого не было. Выходишь погулять вечером — максимум, что тебе нужно, — это пара монеток для телефона-автомата, больше деньги тратить все равно не на что. Триста рублей с собой на пляж взять вечером! Уму непостижимо!

— Ну не сердись... Пожалуйста...

— Да я не сержусь. Просто сильно испугалась, а теперь отхожу.

— Ты испугалась?! — Дуня ушам своим не поверила. — Мне казалось, ты была такой спокойной, уверенной... Вот я действительно перепугалась до смерти, даже ноги подкашивались, а ты — само хладнокровие.

— Профессия такая. Сыграю, что хочешь. А внутри, под профессией, живой человек. И страшно мне было не меньше, чем тебе. А может, даже больше.

Они обошли скамейку с картежниками по большой дуге, ступая почти по кромке воды, прошли по тропинке между соснами и оказались на улице. Да, Дуня не ошиблась, столб с оранжевой коробкой здесь стоял. Ирина перехватила ее взгляд и отрицательно покачала головой:

— Нельзя. В те времена тревожных кнопок на улицах не было.

— А если бы у нас были мобильники?

— Тоже нельзя.

— Что же делать? Не может же такого быть, чтобы человек в случае опасности не мог вызвать полицию... В смысле, милицию. Как люди в те годы поступали?

— Никак. Сами выкручивались. Одним везло, другим — нет. Интересно, кто такой Кочубей. Не знаешь?

— Нет. Все-таки я не верю, что ты испугалась. Испуганная женщина не стала бы поднимать юбку и демонстрировать целлюлит, — заметила Дуня.

— А, это из сериала одного, в котором я снималась лет десять назад, — засмеялась Ирина. — Сама бы я, конечно, никогда в жизни до такого не додумалась, а сценаристы сочинили, и режиссеру понравилось. Кстати, когда эту сцену снимали, все сомневались, говорили, что в реальной жизни такой прием не сработает. Вот мы и проверили сегодня. Действительно, не сработал. Нас с тобой спас неизвестный герой по имени Кочубей, одного упоминания его имени хватило.

— И тот, кто это имя произнес, — добавила Дуня. — Оказывается, именно он у них главный в компании. А стоял так незаметно, молчал, даже близко не подошел. Надо же, как бывает.

— Дунечка, знаешь, чем жизнь отличается от театра? В театре главный герой больше всех остальных говорит и делает, больше времени на сцене проводит. А в жизни почти всегда главным оказывается тот, кто молчит, ничего не делает и стоит в сторонке, прячется в тени.

Интересно... Об этом можно будет подумать.

* * *

— Он назвал себя трусом, дураком и подлецом. Теперь пыхтят, пытаются сообразить почему.

— Ерунда. — Райский голосок заметно повеселел. — Ничего нового. Все мужики, если вдуматься, трусы, дураки и подлецы.

— Но это не мешает тебе использовать их и заставлять на себя работать, — заметил он, подставляя лицо приятному вечернему ветерку.

Можно было звонить по мобильному, не отходя от дома слишком уж далеко, но он ушел в сторону озера, поближе к сосновому бору. После жаркого дня так приятно было пройтись по вечерней прохладе!

— Именно: использовать и заставлять, это ты правильно подметил, — хохотнула обладательница райского голоса. — Потому что если вас не заставлять, вы так и просидите на заднице всю жизнь, не пошевелитесь.

— Не буду спорить, — миролюбиво отозвался он. — Ты имеешь право на позицию. Скажи-ка...

Он замолчал. Может, не нужно спрашивать? Но спросить очень хотелось.

— Ну? — нетерпеливо сказала женщина с райским голосом. — Что ты хотел?

— Назови еще раз цифру.

— Какую цифру?

— Которой ты меня соблазняешь. Сколько ты мне заплатишь?

— У тебя проблемы с памятью? — В голосе зазвучало презрение. — Может, мне сменить исполнителя, если ты не справляешься?

— С памятью все хорошо. Просто хочется услышать еще раз волшебные слова в исполнении божественного голоса, — рассмеялся он.

С тропинки, ведущей на пляж, вышли и направились по улице, прямо к нему, две знакомые фигуры — Ирина и Евдокия. Пришлось отступить на несколько шагов назад и завернуть за угол, эта встреча ему совсем не нужна, пока не окончен разговор по телефону.

Мимо прошли две девушки в коротеньких «рваных» шортах, у одной лицо было отрешенным, в ушах наушники, видно, что-то слушала, вторая не видела ничего вокруг, в руках смартфон, глаза устремлены на экран, большие пальцы быстро нажимают кнопки. Девушки были чудо как хороши, свеженькие, большеглазые, пухлогубые, очень похожие друг на друга, со стройными ногами. Он проводил их мечтательным взглядом. Та сумма, которую в этот момент называл райский голосок, позволит легко заводить знакомства и с такими вот милашками, и с другими, подороже. Более красивыми. Лучше одетыми. Изысканными и искушенными. Но...

Но.

Нужно не упустить из виду и другой вариант. Намного более перспективный.

Конец второго тома

ТОМ 3

(отрывок)

* * *

Дверной звонок вывел Наташу из задумчивости, в которую она погрузилась, оттирая ванну и унитаз. Конечно, первозданной белизны не добиться, но хоть какое-то подобие белого цвета без желтых потеков и разводов должно же быть у сантехники! Движения стали механическими, она все терла и терла поверхности тряпочкой со стиральным порошком — Надежда Павловна сказала, что в те времена других средств не было.

Сегодня с утра устроили тестирование, которое проводил психолог Вилен, нужно было на бланках проставлять галочки напротив подходящих ответов. Потом было первое комсомольское собрание, на котором сначала нужно было слушать невероятно нудный доклад про какую-то скучную книгу, после чего обсуждали Тимура, который на семинаре по истории КПСС назвал какое-то решение «волюнтаристским». Зачем нужна эта история КПСС и почему нельзя было так назвать то решение, Наташа не вникала, в обсуждении проступка Тимура не участвовала, да и никто, собственно говоря, не участвовал. Организаторы остались недовольны тем, как прошло собрание, но что и как нужно делать, чтобы им понравилось, Наташа понять не сумела.

На завтра задали прочесть пьесу «Дачники», и Наташа решила, что вполне успеет после обеда не только «сделать уроки», но и навести чистоту и порядок в ванной и туалете.

Услышав треньканье звонка, она бросила тряпку в ванну, включила воду, сунула ладони под струю воды и сразу почувствовала, как саднит кожа. Ну и порошок! Наскоро обтерла руки полотенцем и выскочила в прихожую. А вдруг? Вдруг это Сергей?

Но это была Маринка, и физиономия ее выглядела довольно кислой.

— Старуха погнала меня в магазин, сказала, что дефицит какой-то выбросили, нужно отстоять очередь и купить. Пошли, а?

— Какой дефицит? Мне не нужно ничего. И вообще, я ванну чищу.

— Ну пойдем, Наташка, ну пожалуйста, — взмолилась подруга. — Старуха сказала, что это обязательно, это часть квеста. Мне одной в лом. Там уже почти все собрались.

— Ладно, — вздохнула Наташа, — пойдем.

Странно, что Полина Викторовна отправила Маринку выполнять задание, а вот Наташе Надежда Павловна ничего не сказала. Задания ведь для всех одинаковые. Если бы Маринка не зашла, Наташа так и драила бы ванну и не узнала бы ничего. Или так специально задумано? Но почему?

Дверь в квартиру-столовую была, как всегда, открыта, на площадке и частично в прихожей толпился народ — и участники, и сотрудники. Надо же! Все эти люди стоят и разговаривают прямо перед дверью в квартиру, где

Наташа живет вместе с Надеждой Павловной, а она, оттирая ванну и задумавшись, ничего не услышала...

— Что это? — удивилась и одновременно испугалась Наташа. — Что-то случилось?

— Вопрос неправильный, — бодро прогремел Виссарион Иннокентьевич. — Полагается спрашивать: «Что дают?»

— Что дают? — послушно повторила она.

— Завезли венгерских кур и копченую колбасу, — многозначительно улыбаясь, пояснил актер. — Девушки уже пришли.

Наташа зажмурилась и помотала головой. Ей показалось, что она попала на другую планету. Почему куры венгерские? Почему все толпятся здесь? Какие девушки и куда они пришли? Ничего не понятно.

— Какие девушки? — тупо спросила она.

— Продавщицы. Ирина и Полина Викторовна, — пояснил переводчик Семен, стоящий рядом с Гримо.

Маринка округлила глаза.

— Обе? А зачем? Стар... Полина Викторовна вроде только что дома была...

Сзади к девушкам подошел Юрий, тоже встал в очередь и принялся объяснять:

— Потому что натуральное мясо и колбаса не должны продаваться в одном отделе. Два отдела — два продавца.

— И две очереди? — послышался голос Сергея.

Оказывается, он стоял в прихожей, и Наташа его сразу не увидела.

— Вообще-то очередей три, а не две, — продолжал разъяснять Юрий. — Сначала вы стоите в один отдел, потом в другой, потом в кассу, после чего проталкиваетесь сначала к одному продавцу, потом к другому, чтобы забрать свои покупки. Так что готовьтесь, молодежь, легко не будет. И быстро тоже не будет.

— А почему ничего не продают и дверь не открывают? — спросил Тимур.

Сотрудники рассмеялись, веселее всех хохотала Галина Александровна.

— Потому что товар еще не вынесли из подсобки, — ответила она, вытирая выступившие слезы.

— А почему его не выносят? — это уже Артем.

— Потому что сначала нужно обзвонить всех знакомых и нужных людей, спросить, оставить ли им курицу или палочку колбасы, отложить все «для своих», для себя, а уж потом, что останется, нести в торговый зал.

— А сколько еще ждать?

— Как повезет. Может, минут пять, а может, и полчаса. Товарищи, соблюдайте очередь, не толпитесь кучей! — громко скомандовала профессор.

Наташа обернулась к Юрию, стоящему сзади.

— А вы правда привезли куриц и колбасу?

— Правда, — подтвердил завхоз.

— Давно?

— Да минут двадцать, как разгрузился.

— Вот! — снова загремел сочный баритон Гримо. — Наталья молодец, быстро учится жить по старым правилам. Найди грузчика и спроси, когда завезли товар. Тогда можно хотя бы примерно прикинуть, сколько еще ждать, пока документы оформят, посчитают, взвесят, разложат, вопросы порешают.

Маринка начала решительно протискиваться между людьми, заполнившими площадку и прихожую.

— Девушка, вы куда? — строго вопросила Галина Александровна. — Вы там не стояли, вы позже подошли, я видела.

— Хочу спросить, когда начнут продавать, — ответила Маринка.

Сотрудники снова грохнули дружным смехом.

— Так вам и сказали! И вообще, вы туда не пройдете, вы по эту сторону прилавка, в торговом зале, а продавцы в подсобке, туда можно войти только со стороны служебного входа. Вот подождите, выйдет продавец, за ним следом работник с товаром, тогда начнут продавать.

— Тогда я пойду пока в буфет, там посижу. Чего тут стоять-то беспонтово?

Хохот стал еще громче. Наташа понимала, что Маринка делает что-то неправильно, но что именно — уловить не могла. Тучный Семен, отирая выступившие на лбу капли пота, прочел для молодых участников короткую лекцию об устройстве очереди. Из лекции следовало, что сорок лет назад отойти посидеть и подождать, пока подойдет очередь в продуктовом магазине, было практически нереально. Во-первых, сидеть негде. Во-вторых, выходя из очереди, нужно непременно предупредить того, кто стоит следом за тобой, и попросить, чтобы тебя запомнили. Отлучаться следует ненадолго. Если тот, кто стоял за тобой, тоже уйдет, то следующий в очереди тебя совершенно точно вперед себя не пропустит: он тебя не видел, не помнит, ты его ни о чем не предупреждал. И тебе придется вставать в конец очереди. И в-третьих, даже если найдется где присесть, то не дай бог тебя увидит кто-нибудь из твоей очереди! Они стоят, а ты сидишь! Тебе этого не простят. И либо сделают вид, что не помнят тебя, и не пропустят, либо ты наслушаешься столько приятного, что воспоминаний хватит на неделю.

Маринка недовольно нахмурилась.

— Так что, стоять тут все время, что ли?

— Именно так, милая Марина, стоять как вкопанная, — весело подтвердил Гримо.

— Вот блин! Я даже за билетами на концерт любимой группы так не стояла, сейчас любые билеты можно по интернету купить. А уж за курицей... Тоже мне, ценность!

— Зачем же вы, девушка, стоите в очереди, если вам курица не нужна? — ехидно спросил психолог Вилен.

— Мне Полина Викторовна велела.

— Маму надо слушаться, — назидательно проговорил Тимур. — Точнее, бабушку. Мне, например, Юра на пальцах объяснил, сколько всего можно приготовить из одной курицы. Мы с ним сначала сварим ее, потом из бульона сделаем суп с вермишелью и картошкой, половину вареной курицы разделим и съедим с гарниром, а из другой половины настрижем салатик. Одна курица — и целых три блюда! Юра обещал, что будет вкуснее, чем в столовке.

— И охота тебе возиться, — презрительно протянула Маринка. — Время только терять.

— Ты что! Прикольно же! Я никогда в жизни курицу не варил, интересно попробовать. Ну и зафотаю весь процесс, само собой. Да я на этой курице знаешь сколько лайков соберу?

Дверь в комнату-магазин приоткрылась, послышался сварливый голос:

— Подходите.

Дверь захлопнулась. Стоящий первым Сергей растерянно обернулся.

— Что стоишь? Заходи, — подбодрил его Вилен.

— Пошли, Серега, — оживился Артем.

— Э, нет, — остановил его психолог, — так не пойдет. Нас здесь...

Он покрутил головой, пересчитывая присутствующих: шестеро участников, шестеро сотрудников.

— ...двенадцать человек. А в очереди должно быть как минимум человек пятьдесят, и эту очередь нужно отстоять. Пятьдесят — это еще приемлемо, это, считайте, вам сильно повезло, а могло быть и больше ста. Так что входите по одному, и после каждого из вас должна быть пауза минут на пять, в течение которых обслужат еще пять условных покупателей. Заходи, Сергей.

Когда дверь за ним закрылась, Артем снова требовательно посмотрел на Галину Александровну.

— Все равно я не понимаю, зачем сюда всех согнали. Мы с Виленом живем вместе, он меня послал в магазин, я пошел, с этим все ясно. А он сам-то зачем тут стоит? Для массовости?

— И для массовости тоже. Нужно, чтобы вы прочувствовали, каково это — простоять час в очереди за едой среди уставших нервных людей. Поверьте мне, это крайне полезный опыт. Кроме того, могут иметь место ограничения, например, по одной курице или по одной палке колбасы в руки, и если вам нужны две курицы или побольше колбасы, то нужно либо стоять в очереди дважды, либо идти вдвоем.

— А зачем нам по две курицы? — подала голос Маринка. — И колбасы столько на фиг надо?

— Может быть, вы ждете гостей, и вам нужно много продуктов. Может быть, у вас большая семья. Может быть, вы хотите, чтобы курица просто была про запас, потому что когда сможете купить ее в следующий раз — неизвестно. То же самое относится к копченой колбасе. Вареную колбасу никто про запас не покупает, это понятно, а вот копченая — деликатес к праздничному столу и хранится достаточно долго. А поскольку это не только деликатес, но и дефицит, то может использоваться в качестве подарка или подношения.

Тимур присвистнул.

— Ни фига себе! Колбаса в подарок! Упаковать в коробочку и перевязать ленточкой с бантиком! Это крутейше! Люди, ну правда, встаньте в очередь, как положено, я пофотаю пока.

Со своим фотоаппаратом он не расставался. Сотрудники с улыбками переглянулись и послушно стали выстраиваться в линию, участники тоже заняли свои места. Когда десять человек перестали толпиться и встали друг за другом, первый — Артем — оказался у самой двери, за которой раздавали продукты, а последние трое стояли на ступеньках лестницы. Теперь Наташе видна была и Евдокия, до этого не проронившая ни слова и остававшаяся совершенно незаметной. Следом за Наташей пристроилась Маринка, за ней — Юрий, и замыкал очередь подошедший самым последним доктор Эдуард Константинович. Тимур скакал вдоль очереди, щелкая затвором.

— Эй, фотограф, а твоя очередь где? — насмешливо спросил Артем. — Смотри, без курицы останешься, а в следующий раз неизвестно когда завезут.

— Так я же с тобой вместе пришел! Ты что, забыл?

— Ничего не знаю, молодой человек, — обычно сочный голос Гримо вдруг зазвучал противно и скрипуче, — я вас тут не видел, и не вздумайте пролезть без очереди. Вон тот юноша, — артист бесцеремонно стал тыкать в воздух указательным пальцем в сторону Артема, — стоял, я видел, он как пришел — так никуда и не отходил, а за ним вон тот мужчина.

«Вон тем мужчиной» был переводчик Семен.

— А вас, молодой человек, тут не стояло! — продолжал Гримо.

Неожиданно за Тимура вступилась Евдокия:

— Ну что вы, он стоял.

— Не было его!

Теперь в мини-спектакль включилась Галина Александровна.

— И вы, девушка, его не выгораживайте, а то взяли моду скакать по свиданиям, шататься неизвестно где, а потом без очереди лезть! Постыдились бы, молодые, а стоять не хотите, все вам на блюдечке подавай, мы весь день отработали и теперь стоим, куда только родители смотрят, вырастили захребетников!

Евдокия умолкла, а все сотрудники наперебой принялись ругать современную молодежь вообще и паренька с фотоаппаратом в частности. Обстановка быстро накалилась, и Наташа удивлялась, почему так долго не выходит Сергей. Она осторожно подняла руку и дотронулась до плеча стоявшего перед ней Виссариона Иннокентьевича.

— А что вы будете из курицы готовить? — спросила она.

Гримо улыбнулся и ответил своим обычным голосом:

— Сам не знаю. Я готовить не умею. Сережа, кажется, тоже не мастер. Но будем пробовать, Надюша обещала рецепт дать, научить.

— Может, помочь? — предложила Наташа. — Я неплохо готовлю, меня мама учила. Мы с Маринкой вместе живем, я всегда ее кормлю.

— Прекрасно, прекрасно, — довольно загудел актер. — Будем крайне признательны, крайне! Я бы съел цыпленка «табака».

Цыпленок «табака»! Этого Наташа не умела.

— Я отойду на минутку, — сказала она, обернувшись к Маринке.

Та, конечно, заметила, что подруга разговаривала с куратором Сергея, и теперь глаза ее сузились в подозрительном прищуре.

— Ты куда? Что ты еще задумала?

— Ничего я не задумала, подойду к Надежде, спрошу рецепт.

— Зачем тебе рецепт? Твоя Надежда сама все приготовит, она же повар. Не темни, Наташка! Не валяй дурака! — сердито зашипела Маринка.

— Хочу научиться.

Наташа прошла вдоль очереди. Надежду Павловну она нашла в общей комнате; та сидела за пустым столом, откинувшись на спинку стула и вытянув ноги.

— Хорошо, что вы все в очереди стоите, — улыбнулась она, увидев Наташу, — я хоть отдохну немножко, никому буфет не понадобится. Если только Назар заглянет, но я им недавно наверх подавала к чаю... А ты что пришла?

Услышав, что нужен рецепт, Надежда Павловна покачала головой:

— Из тех кур, которые привезли, «табака» не получится, можно, конечно, сделать, но вкусно не выйдет.

— Маринка сказала, что куры какие-то венгерские.

— Ой, да перестань, — повар махнула рукой. — Это в прежние времена венгерские куры считались хорошими, их моментально раскупали. Сейчас их у нас не продают, Юра с фермы птицу привозит. Про венгерские сказали, чтобы вы почувствовали аромат эпохи. Все импортное было заведомо лучше, чем наше. Югославские или финские сапоги, например, французская тушь, монгольские дубленки — все было дефицитом. И венгерские куры тоже.

— Ясно, — разочарованно протянула девушка. — А почему вы меня в магазин не отправили? Если бы Маринка за мной не зашла, я бы и не узнала, что нужно в очереди стоять.

— Для правды жизни, — усмехнулась повар-буфетчица. — Если твоя мама имеет дело с продуктами, то тебе за дефицитом стоять не нужно, у вас в семье эта проблема решается по-другому. И курица сама собой появится, и колбаса, и заграничную косметику прямо домой принесут. Работники торговли и общепита в очередях не стояли, как правило.

— Выгодно быть вашей дочкой, — заметила Наташа.

— А ты думала! Так что можешь идти домой, если не хочешь стоять.

— Нет, я как все... И Маринке скучно одной, мальчики все впереди оказались, они раньше других пришли, Дуня молчит как рыба, мы там стоим среди старших, и если я уйду — ей даже поговорить не с кем будет. И вообще, это, наверное, обидно: она стоит, а я порхаю, потому что мне с мамой повезло.

Надежда Павловна наклонилась, помассировала отекшие за день щиколотки, вздохнула:

— Так жизнь устроена. Всюду и всегда. Одни стоят, другие порхают.

Проходя на обратном пути мимо двери комнаты-магазина, Наташа столкнулась с выходящим оттуда Сергеем. В руках у него была матерчатая сумка с продуктами.

— Купил? — с интересом спросил Артем, чья очередь была следующей.

— Ага!

— Надо говорить не «купил», а «отоварился», — поправил его Семен. — И запомни: при советской власти все более или менее стоящее не продавали, а давали или выбрасывали. Ты же хорошо чувствуешь слово, должен понимать, что разница принципиальная.

— Понял, учту. А когда мне можно заходить?

— Продавцы сами позовут, не волнуйся.

Наташа следом за Сергеем стала протискиваться в тесном коридоре вдоль очереди, обогнала его и подошла к своему месту, между Гримо и Маринкой. Сердце ее бешено колотилось. Вот сейчас он подойдет, Виссарион Иннокентьевич скажет ему, что Наташа вызвалась помочь, а она ответит, что из этих кур «табака» не получится и она лучше приготовит им что-нибудь другое, например, потушит курицу в сметане с чесноком или сделает котлеты... Завяжется разговор, Сергей пригласит ее к себе... Хотя как же она уйдет, очередь ведь... Надо играть по правилам. Ничего, главное — договориться.

Утихшая было свара в очереди оживилась, только поводом теперь был уже не Тимур, а Вилен, изображавший человека, которому «в больницу». Наташа так волновалась, ожидая начала разговора с Гримо и Сергеем, что в первый момент вообще не поняла, что происходит. Сергей все не подходил, он застрял возле Евдокии и о чем-то тихонько беседовал с ней. Наташа не сводила с него глаз, а в голове звучала старая печальная песня:

Что касается меня, то я опять гляжу на вас,
А вы глядите на него,
А он глядит в пространство...

— Юра! — послышался из глубины квартиры голос Надежды Павловны. — Ты здесь?

— Да! — громко отозвался завхоз. — Я нужен?

— Не могу окно закрыть, щеколду заело!

— Иду!

Он ловко пробрался внутрь и скрылся. Теперь доктор Качурин стоял прямо за Маринкой, и Наташе казалось, что она слышит у себя за спиной негромкие голоса, но не могла заставить себя обернуться и посмотреть, кто разговаривает. Она оцепенела, глядя на Сергея и Евдокию. Ну почему, почему она такой тормоз? Почему не сообразила заговорить с Сергеем сразу же, как только он вышел, чтобы он увлекся и прошел мимо этой странной молчаливой Дуни? Ведь такая прекрасная возможность представилась! Можно было спросить о покупках, о Полине и Ирине, игравших роли продавщиц, можно было даже попробовать обсудить слова Семена о разнице между «продавать», «давать» и «выбрасывать». Артем сказал, что все понял, а Сергей? Она, Наташа, например, не совсем поняла. Нутром чувствует эту разницу, а объяснить так четко и красиво, как это обычно делает Артем, не может. Можно было начать обсуждать феномен очереди... Да много поводов для разговора, выбирай любой! А она, как дура, молча шла следом за ним, а когда он остановился около Евдокии, просто прошла дальше.

— Товарищи, ну поверьте, у меня жена в больнице, ей нужно диетическое питание, я должен успеть сварить бульон и отнести ей...

— Не пускайте его без очереди! У нас у всех кто-нибудь в больнице лежит, так что, теперь всем без очереди отпускать?

— Да пропустите его, ну что вы, в самом деле...

— А вы не командуйте!

— У меня тоже времени нет, мне за внуком в садик надо, а я стою! И вы постоите, не развалитесь!

— Так в больницу же... Диетическое...

— Да не слушайте вы его, знаем мы эти штучки! В больницы после семи вечера не пускают, а сейчас уже без двадцати семь. Вы, мужчина, врите, да не завирайтесь!

Открылась дверь, выглянула Ирина.

— Подходите, — бросила она Артему, потом перевела недовольный взгляд на очередь и вдруг гаркнула отвратительным базарным голосом: — Граждане, не орите, мешаете работать! И очередь не занимайте, товар заканчивается.

Свара мгновенно утихла, повисла тишина. Наташа очнулась. Сергей по-прежнему стоял около Дуни. Но, возможно, это ничего не значит...

Вернулся Юрий.

— Я стоять не буду, — заявил он. — Раз товар кончается, значит, мне точно не хватит. Это мое несчастье по жизни, всегда всё заканчивается ровно передо мной.

Наташа молча кивнула.

— Значит, и нам не хватит? — послышался сзади голос доктора. — Думаете, нам с девушкой тоже не имеет смысла стоять?

— Смысл всегда есть, — непонятно ответил завхоз.

Интонация у него была странной, но Наташа так расстроилась, что не стала думать об этом. Сергей отошел наконец от Евдокии и остановился около актера.

— Почему ты так долго в магазине торчал? — спросил Гримо подошедшего Сергея.

— В кассу большая очередь была, — с усмешкой ответил тот.

— Ох уж эта Полина! Знаю ее вредный характер. Небось, она придумала? Иришка у нас добрая, она не стала бы тебя мытарить.

— Добрая? А что ж на вас кричала, как подорванная?

— Роль такая. Вот Наташенька... — начал Виссарион Иннокентьевич, но ей уже совсем не хотелось, чтобы ее приглашали в гости или просили помочь.

Ей хотелось одного: убежать к себе, закрыться в своей комнате и лечь, отвернувшись к стене.

И опять лицом в подушку,
Ждать, когда исчезнут мысли...
Что же делать? Надо, надо
Продержаться как-нибудь.

Но разве можно уйти из очереди? Надежда Павловна на работе, никто, кроме нее, Наташи, продукты не купит, а играть нужно строго по правилам. Как бы это выглядело, если бы девушка ушла из магазина без покупок и оставила всю семью без продуктов только потому, что у нее резко испортилось настроение?

— Спасибо, Наташа, — донесся до нее голос Сергея, — я думаю, мы сами справимся. Не хочется тебя затруднять.

Ну конечно. Если бы помощь предложила Евдокия, он бы наверняка согласился. Но она, судя по всему, не предложила. «...Я опять гляжу на вас, а вы глядите на него, а он глядит в пространство». Почему все так нелепо?

Она даже не заметила, в какой момент и куда исчезли Маринка и стоявший последним доктор Качурин. Просто стояла, тупо дожидаясь, когда настанет ее очередь заходить в магазин и прозвучит голос Ирины, приглашающей следующего покупателя. Маринка тоже хороша! Вытащила ее стоять в очереди, а сама смылась, как только сказали, что товар заканчивается. Хоть бы слово проронила, предупредила, что уходит. Наверное, наслаждается одиночеством в пустой квартире, пока Полина Викторовна изображает из себя продавщицу. Или, может быть, придумала, как завязать более близкий контакт с Уайли, и теперь готовится к осуществлению очередного грандиозного плана.

Как же долго тянется эта бесконечная очередь! Неужели люди действительно вот так стояли в магазинах после работы? Неужели правда, что нужно потратить столько времени, чтобы купить продукты? Потом нужно прийти домой, приготовить еду, вымыть посуду... А если еще что-то делать по дому, например, убираться, помыть пол, постирать, погладить, то уже и спать пора. Когда же жить? Только в выходные дни? А если всю уборку и стирку оставлять на субботу-воскресенье, то получается, что и выходных дней нет. Как-то неправильно была устроена жизнь... Хотя она и сейчас так устроена на самом деле, разница только в том, что на магазины тратится намного меньше времени, да над стиральной машиной стоять не нужно, кнопки нажал — и уходи гулять или спать ложись, а раньше машины были другими, Надежда рассказывала. Тогда в чем же разница между той жизнью и этой? Выходит, разница-то лишь в этой очереди за колбасой и в программном обеспечении стиральных машин. Или нет? Может быть, Наташа чего-то не понимает?

Сотрудники снова загалдели, нервозность опять начала нарастать, переводчик Семен, вышедший с покупками, остался на площадке и принял активное участие в общем гомоне, тон которому задавала Галина Александровна, которая, судя по всему, лучше всех помнила, какие разговоры обычно велись в длинных очередях за дефицитом и по каким поводам возникали скандалы. Самым активным помощником профессора выступал Виссарион Иннокентьевич, мгновенно перевоплощавшийся то в дряхлого старика-инвалида, то в энергичного многодетного отца, то в моложавую злобную пенсионерку, то еще в кого-то, находя для каждого персонажа и свой особенный голос, и набор слов. Пожилой актер явно наслаждался ситуацией, играя такое количество ролей и импровизируя на ходу, Галина Александровна веселилась, Семен пыхтел, обливаясь потом, но старался изо всех сил, психолог Вилен относился к порученному заданию серьезно, подавал реплики, разжигая конфликты, и в какой-то момент Наташе показалось, что это не игра. Это все взаправду. Она, двадцатилетняя девчонка, вместо того чтобы гулять с мальчиком или сидеть с ним в кино, стоит в этом жутком вонючем магазине, ждет, когда ей дадут возможность унести домой дохлую противную курицу, и вокруг все уставшие, злые, все торопятся и при этом боятся, что им не хватит, потому что «товар закончится». Над головами носится тоскливая нервозность, смешанная с безысходностью и ревнивым страхом, что кому-то достанется лучший кусок, а тебе самому не достанется ничего вообще, и время, проведенное в магазине, окажется потраченным впустую, и эта гремучая смесь эмоций и негативных мыслей обтекает людей, стоящих вдоль прилавка, проникает сквозь одежду, пропитывает кожу. И когда кто-нибудь пытается влезть без очереди, эта смесь вырывается из-под кожи наружу в виде грубости, хамства и оскорблений, радуясь высвобождению. Да, от этого и в самом деле хочется убежать в тайгу, где много воздуха, деревьев и тумана и так мало людей, злобы и ненависти.

Хорошо, что у них здесь есть столовая. А если вот такое — каждый день? Как же люди выдерживали это ежедневное бесконечное стояние, эту злобность и нервозность?

Наконец, Наташа вернулась в квартиру, сунула в морозильник курицу, сделала бутерброд с только что купленной колбасой, вкуса никакого не ощутила, ушла в свою комнату, уткнулась лицом в подушку и заплакала. Эта странная очередь вытянула из нее все силы. Да, с ее плоскостопием стоять — невыносимо, ноги болят ужасно, даже ортопедические стельки не спасают, но еще мучительнее оказалась атмосфера, к которой Наташа не привыкла. «Я неприспособленная, — думала она, трясясь от рыданий, — я ни на что не гожусь, я знала, что не могу жить в этой сегодняшней жизни, а теперь оказалось, что я не смогла бы жить и в той жизни, о которой так мечтала. Я думала, что тогда было лучше. Я верила, что тогда все были умными, тонкими и добрыми, как песни из того времени. Но это не так. Плохо было всегда и всюду. Где же мне жить? Как мне жить? Когда мне жить?»

Продолжение следует

СОДЕРЖАНИЕ

Записки молодого учителя 5

Часть четвертая. ПОДГОТОВКА 140

Часть пятая. КВЕСТ 272

Том 3 (*отрывок*) 363

Литературно-художественное издание

А. МАРИНИНА. БОЛЬШЕ ЧЕМ ДЕТЕКТИВ. НОВОЕ ОФОРМЛЕНИЕ

Маринина Александра

ГОРЬКИЙ КВЕСТ
ТОМ 2

Ответственный редактор *О. Дышева*
Художественный редактор *А. Сауков*
Технический редактор *Г. Этманова*
Компьютерная верстка *Е. Беликова*
Корректор *Д. Горобец*

ООО «Издательство «Эксмо»
123308, Москва, ул. Зорге, д. 1. Тел.: 8 (495) 411-68-86.
Home page: www.eksmo.ru E-mail: info@eksmo.ru
Өндіруші: «ЭКСМО» АҚБ Баспасы, 123308, Мәскеу, Ресей, Зорге көшесі, 1 үй.
Тел.: 8 (495) 411-68-86.
Home page: www.eksmo.ru E-mail: info@eksmo.ru.
Тауар белгісі: «Эксмо»
Интернет-магазин : www.book24.kz
Интернет-дүкен : www.book24.kz
Импортёр в Республику Казахстан ТОО «РДЦ-Алматы».
Қазақстан Республикасындағы импорттаушы «РДЦ-Алматы» ЖШС.
Дистрибьютор и представитель по приему претензий на продукцию,
в Республике Казахстан: ТОО «РДЦ-Алматы»
Қазақстан Республикасында дистрибьютор және өнім бойынша арыз-талаптарды
қабылдаушының өкілі «РДЦ-Алматы» ЖШС,
Алматы қ., Домбровский көш., 3«а», литер Б, офис 1.
Тел.: 8 (727) 251-59-90/91/92; E-mail: RDC-Almaty@eksmo.kz
Өнімнің жарамдылық мерзімі шектелмеген.
Сертификация туралы ақпарат сайтта: www.eksmo.ru/certification

Сведения о подтверждении соответствия издания согласно законодательству РФ
о техническом регулировании можно получить на сайте Издательства «Эксмо»
www.eksmo.ru/certification
Өндірген мемлекет: Ресей. Сертификация қарастырылмаған

Подписано в печать 17.07.2018. Формат 84x108 $^1/_{32}$.
Гарнитура «Гарамонд». Печать офсетная.
Усл. печ. л. 20,16. Тираж 55 000 экз. Заказ 6978.

Отпечатано с готовых файлов заказчика
в АО «Первая Образцовая типография»,
филиал «УЛЬЯНОВСКИЙ ДОМ ПЕЧАТИ»
432980, г. Ульяновск, ул. Гончарова, 14

Оптовая торговля книгами «Эксмо»:
ООО «ТД «Эксмо». 142700, Московская обл., Ленинский р-н, г. Видное,
Белокаменное ш., д. 1, многоканальный тел.: 411-50-74.
E-mail: **reception@eksmo-sale.ru**

По вопросам приобретения книг «Эксмо» зарубежными оптовыми
покупателями *обращаться в отдел зарубежных продаж ТД «Эксмо»*
E-mail: **international@eksmo-sale.ru**

*International Sales: International wholesale customers should contact
Foreign Sales Department of Trading House «Eksmo» for their orders.*
international@eksmo-sale.ru

По вопросам заказа книг корпоративным клиентам, в том числе в специальном
оформлении, *обращаться по тел.: +7 (495) 411-68-59, доб. 2261.*
E-mail: **ivanova.ey@eksmo.ru**

Оптовая торговля бумажно-беловыми
и канцелярскими товарами для школы и офиса «Канц-Эксмо»:
Компания «Канц-Эксмо»: 142702, Московская обл., Ленинский р-н, г. Видное-2,
Белокаменное ш., д. 1, а/я 5. Тел.:/факс +7 (495) 745-28-87 (многоканальный).
e-mail: **kanc@eksmo-sale.ru**, сайт: www.**kanc-eksmo.ru**

В Санкт-Петербурге: в магазине «Парк Культуры и Чтения БУКВОЕД», Невский пр-т, д. 46.
Тел.: +7(812)601-0-601, **www.bookvoed.ru**

Полный ассортимент книг издательства «Эксмо» для оптовых покупателей:
Москва. ООО «Торговый Дом «Эксмо». Адрес: 142701, Московская область, Ленинский р-н,
г. Видное, Белокаменное шоссе, д. 1. Телефон: +7 (495) 411-50-74. **E-mail:** reception@eksmo-sale.ru
Нижний Новгород. Филиал «Торгового Дома «Эксмо» в Нижнем Новгороде. Адрес: 603094,
г. Нижний Новгород, ул. Карпинского, д. 29, бизнес-парк «Грин Плаза».
Телефон: +7 (831) 216-15-91 (92, 93, 94). **E-mail:** reception@eksmonn.ru
Санкт-Петербург. ООО «СЗКО». Адрес: 192029, г. Санкт-Петербург, пр. Обуховской Обороны,
д. 84, лит. «Е». Телефон: +7 (812) 365-46-03 / 04. **E-mail:** server@szko.ru
Екатеринбург. Филиал ООО «Издательство Эксмо» в г. Екатеринбурге. Адрес: 620024,
г. Екатеринбург, ул. Новинская, д. 2щ. Телефон: +7 (343) 272-72-01 (02/03/04/05/06/08).
E-mail: petrova.ea@ekat.eksmo.ru
Самара. Филиал ООО «Издательство «Эксмо» в г. Самаре.
Адрес: 443052, г. Самара, пр-т Кирова, д. 75/1, лит. «Е».
Телефон: +7(846)207-55-50. **E-mail:** RDC-samara@mail.ru
Ростов-на-Дону. Филиал ООО «Издательство «Эксмо» в г. Ростове-на-Дону. Адрес: 344023,
г. Ростов-на-Дону, ул. Страны Советов, д. 44 А. Телефон: +7(863) 303-62-10. **E-mail:** info@rnd.eksmo.ru
Центр оптово-розничных продаж Cash&Carry в г. Ростове-на-Дону. Адрес: 344023,
г. Ростов-на-Дону, ул. Страны Советов, д. 44 В. Телефон: (863) 303-62-10.
Режим работы: с 9-00 до 19-00. **E-mail:** rostov.mag@rnd.eksmo.ru
Новосибирск. Филиал ООО «Издательство «Эксмо» в г. Новосибирске. Адрес: 630015,
г. Новосибирск, Комбинатский пер., д. 3. Телефон: +7(383) 289-91-42. **E-mail:** eksmo-nsk@yandex.ru
Хабаровск. Филиал РДЦ Новосибирск в Хабаровске. Адрес: 680000, г. Хабаровск,
пер. Дзержинского, д. 24, литера Б, офис 1. Телефон: +7(4212) 910-120. **E-mail:** eksmo-khv@mail.ru
Тюмень. Филиал ООО «Издательство «Эксмо» в г. Тюмени.
Центр оптово-розничных продаж Cash&Carry в г. Тюмени.
Адрес: 625022, г. Тюмень, ул. Алебашевская, д. 9А (ТЦ Перестройка+).
Телефон: +7 (3452) 21-53-96/ 97/ 98. **E-mail:** eksmo-tumen@mail.ru
Краснодар. ООО «Издательство «Эксмо» Обособленное подразделение в г. Краснодаре
Центр оптово-розничных продаж Cash&Carry в г. Краснодаре
Адрес: 350018, г. Краснодар, ул. Сормовская, д. 7, лит. «Г». Телефон: (861) 234-43-01(02).
Республика Беларусь. ООО «ЭКСМО АСТ Си энд Си». Центр оптово-розничных продаж
Cash&Carry в г.Минске. Адрес: 220014, Республика Беларусь, г. Минск,
пр-т Жукова, д. 44, пом. 1-17, ТЦ «Outleto». Телефон: +375 17 251-40-23; +375 44 581-81-92.
Режим работы: с 10-00 до 22-00. **E-mail:** exmoast@yandex.by
Казахстан. РДЦ Алматы. Адрес: 050039, г. Алматы, ул. Домбровского, д. 3 «А».
Телефон: +7 (727) 251-59-90 (91,92). **E-mail:** RDC-Almaty@eksmo.kz
Интернет-магазин: www.book24.kz
Украина. ООО «Форс Украина». Адрес: 04073 г. Киев, ул. Вербовая, д. 17а.
Телефон: +38 (044) 290-99-44. **E-mail:** sales@forsukraine.com

**Полный ассортимент продукции Издательства «Эксмо» можно приобрести в книжных
магазинах «Читай-город»** и заказать в интернет-магазине www.chitai-gorod.ru.
Телефон единой справочной службы 8 (800) 444 8 444. Звонок по России бесплатный.

Интернет-магазин ООО «Издательство «Эксмо»
www.book24.ru
Розничная продажа книг с доставкой по всему миру.
Тел.: +7 (495) 745-89-14. E-mail: **imarket@eksmo-sale.ru**

ISBN 978-5-04-096997-5